DU MÊME AUTEUR

Aux Éditions Gallimard

LE LECTEUR, *récit.*

CARUS, *roman.*

LES TABLETTES DE BUIS D'APRONENIA AVITIA, *roman.*

Chez d'autres éditeurs

LA PAROLE DE LA DÉLIE, *Essai sur Maurice Scève,* Mercure de France.

L'ÊTRE DU BALBUTIEMENT, *Essai sur Léopold von Sacher-Masoch,* Mercure de France.

LYCOPHRON, ALEXANDRA, *présentation et traduction,* Mercure de France.

MICHEL DEGUY, Seghers.

ÉCHO, suivi de ÉPISTOLÈ ALEXANDROY, Le Collet de Buffle.

SANG, Orange Export Ltd.

HIEMS, Orange Export Ltd.

INTER AERIAS FAGOS, Orange Export Ltd.

SARX, Maeght.

LE SECRET DU DOMAINE, *conte,* Éditions de l'Amitié.

LES MOTS DE LA TERRE, DE LA PEUR, ET DU SOL, Clivages.

SUR LE DÉFAUT DE TERRE, Clivages.

PETITS TRAITÉS (tomes I, II et III), Clivages.

LE VŒU DE SILENCE, *Essai sur Louis-René des Forêts,* Fata Morgana.

UNE GÊNE TECHNIQUE À L'ÉGARD DES FRAGMENTS, *Essai sur Jean de La Bruyère,* Fata Morgana.

ETHELRUDE ET WOLFRAMM, *conte,* Claude Blaizot.

LE SALON DU WURTEMBERG

PASCAL QUIGNARD

LE SALON
DU WURTEMBERG

roman

GALLIMARD

Il a été tiré de l'édition originale de cet ouvrage trente-cinq exemplaires sur vélin pur chiffon de Rives Arjomari-Prioux numérotés de 1 à 35.

CHAPITRE PREMIER

La maison
de Saint-Germain-en-Laye

O du frisst mich ! O du frisst mich ! Du bist der
Wolf und willst mich fressen !

(O tu me dévores ! O tu me dévores ! Tu es le
loup et tu veux me dévorer !)

Grimmelshausen

La pièce dont Seinecé avait l'usage à Saint-Germain-en-Laye était extraordinairement lumineuse. Elle était située au premier étage. C'était une lourde demeure du début du xixᵉ siècle, solidement arrimée au jardin par un très lourd escalier entouré de petits lauriers, de minuscules lilas et de fleurs. Deux hautes fenêtres donnaient sur le jardin, sur des noisetiers, sur deux champs, sur la forêt. Mademoiselle Aubier avait conservé le reste de l'étage et les chambres au-dessus. Je me souviens que la lumière de cette vaste pièce était rose. De grands rideaux bleus étaient fixés à des tringles de cuivre anglais au-dessus des fenêtres et tombaient en s'enflant d'une façon alourdie, épaisse, retenus par des embrasses de velours jaune. Ils formaient un grand drapé désuet. Les jours d'été la lumière intense dévorait lentement le contour des rideaux. Sans doute les murs étaient-ils peints en blanc mêlé de rose ainsi que l'on faisait il y a deux ou trois cents ans. C'était l'ancienne salle à manger. Il y avait une grande table longue pour huit ou dix couverts, au bois presque noir, sur laquelle Seinecé laissait ouverts des dictionnaires, entassait des livres, disposait des buvards aux couleurs variées et des crayons rouges ou jaunes. A vrai dire Florent Seinecé ne laissait pas traîner ces objets : il les avait minutieusement mis en scène. Il aimait cette table. Il lui portait une affection jalouse. Il aurait voulu donner l'impression que plusieurs personnes vivaient là, s'attablaient, travaillaient en même temps. Il ne souffrait pas qu'on y touchât — ou qu'on esquissât même le geste d'y porter la main. C'eût été porter la main sur un objet magique, un tapis volant, et c'eût été risquer d'annuler son pouvoir. Comme dans la salle de lecture d'une bibliothèque, trois lampes Quinquet électrifiées, disposées en triangle sur la table, désignaient les places. Seinecé s'asseyait là — le dos tourné au mur — et c'était tout à coup un vieux moine à loupes-besicles et à grattoir, le nez rouge, le bout des doigts à nu dans des mitaines grises qui grattait un manuscrit latin. Là — assis face à la fenêtre — et c'était un Assyrien qui déchiffrait sa motte d'argile et évoquait les temps anciens où l'on parlait la langue de Sumer, où les femmes étaient belles et les mœurs affables et douces. Là — assis le dos tourné au lit — et un mandarin chinois déplissait de la main lentement un petit mouchoir de soie, mêlait l'encre, rêvait au visage de la femme qu'il aimait et qui se retournait dans son lit les yeux brûlants de ne pas trouver le sommeil.

La table était entourée de six chaises à colonnes noires et à treillis jaune. Elles étaient trop basses et par là malcommodes. La longue surface de cette table sombre couverte de livres et de crayons, les trois cercles de clarté des lampes, les feuilles blanches, les taches vertes ou bleues des buvards donnaient une impression de douceur, de rayonnement, de chaleur et de paix.

Sur le mur opposé à la table, une étroite et lourde cheminée était surmontée d'un haut miroir gris et piqué, bordé d'or, penché en avant. Sur la brève console un petit groupe en stuc de style Louis XVI représentait une nymphe et un satyre. L'âtre ne fonctionnait plus. Un poêle Godin grenat composait tout le spectacle des soirées. Quatre fauteuils à éclisses, très bas, l'entouraient. Ils crissaient. Nous nous levions souvent. Nous réajustions des plaids, des chandails. Il arrivait que nous les rendions confortables. Nous parlions. Il aimait veiller. Je haïssais l'idée de rater l'aurore, comme si j'avais donné les signes d'une effrayante paresse qui me coûterait l'éternité — ou un peu davantage — pour peu que le jour m'eût distancé. Nous parlions à voix basse. Je le quittais plus tôt qu'il n'eût voulu et nous nous retrouvions toujours plus tard que nous ne l'aurions désiré. C'était à la fin du jour quand je revenais vers six heures après la levée du soir à Saint-Germain. Je songe tout à coup que l'heure suffit à expliquer cette extraordinaire lumière grenue, lumineuse et rose qui baigne dans mon souvenir cette chambre. Je couchais chez Louise et André Valasse, à côté de la pâtisserie du Chenil. Nous étions très jeunes. C'était en 1964. J'éprouvais à son endroit une amitié que tout a démentie et j'avais l'impression qu'il ressentait pour moi un sentiment qui ne manquait pas de chaleur.

C'est en mars 1963 que je connus Florent Seinecé, à l'Etat-Major de la 1re Région militaire. J'étais le chauffeur du vaguemestre. Le dentiste m'avait arraché une molaire. Une molaire qui était inférieure, et gauche. Il m'en reste le créneau vide dans la bouche, où je passe la langue. A vrai dire il m'est aisé d'écrire cette page : il suffit que je passe la langue dans ce trou pour que le souvenir m'en revienne — autant que l'incapacité de mordre. J'étais allé m'étendre dans la petite chambre attenant au salon de coiffure de l'Etat-Major, persuadé que personne ne saurait me trouver là. L'un des coiffeurs, Bernard, prétendait avoir dans sa poche, ainsi qu'il avait le goût de dire, la main qui établissait les permissions, et moi, de tout mon cœur, je prétendais être son ami. Je somnolais sur la couchette marron. Il faisait extrêmement chaud. Un soldat entra, posa son béret sur la table centrale, s'accroupit, défit les lacets de ses chaussures, se redressa, sortit de sa poche une poignée de bonbons acidulés et de Hopjes hollandais. Il s'assit sur un tabouret de fer et se mit à les disposer avec soin sur la table centrale, en triangle, en losange, puis en carré arabe. Il ne m'avait pas vu. Il est vrai que je ne souhaitais guère parler. Je m'étais allongé et je tenais un mouchoir sur la bouche.

« Cric, crac, croc, chuchotait-il en martelant les syllabes. Ri-go-la, ri-go-lo. »

Puis il dépliait le papier blanc d'un Hopjes, portait à sa bouche le petit cube de café noir et amer et, l'air absent, continuait à déplacer ses bonbons sur un damier imaginaire en martelant :

« Cric, crac, croc... »

Au bout de quelques moments, alors qu'il ne m'avait prêté aucune attention, non seulement ce manège mais aussi ce chantonnement bancal me parurent pénibles. « Non ! » m'écriai-je tout à coup, exaspéré. Et ma mâchoire me fit mal. « Ce n'est pas l'air ! » Le jeune soldat se retourna, éberlué. « Ce n'est pas juste, repris-je. Et non seulement ce n'est pas l'air, mais ce ne sont pas les paroles. » Il me regardait avec l'apparence d'un homme de plus en plus stupéfait. Je m'empêtrais dans ma rage et mes explications. Je me redressai et m'assis sur le lit. Il me semblait que je m'emberlificotais plus encore dans le désir de justifier mes cris, la bouche plus ou moins pantelante, devant ces grands yeux qui me regardaient avec stupeur. « C'est faux », disais-je. « Si je parle mal, continuais-je, c'est que je viens de me faire arracher une dent. C'est faux : c'est *gigota*... » J'articulais avec peine tant ma bouche était pâteuse :

Rigota, Gigota.
Elle monte à sa chambre.
Elle se casse la jambe.
Elle monte au grenier.
Elle se casse le bout du nez.
Un, deux, trois,
Cric, crac,
Regina Godeau,
Rigota, gigota.

Il me regardait avec une stupeur qui paraissait augmenter à chaque instant et qui me plongeait moi-même dans un embarras qui ne cessait de s'accroître. Sans doute ma façon d'articuler devait paraître singulière. J'avais la sensation que ma langue était un gros marron glacé qui avait séché dans ma bouche, qui avait goût de sang.

« Stupéfiant ! »

Il s'était levé, très excité. « Voilà des millénaires que je recherchais cette chanson », dit-il en ramassant avec précipitation ses bonbons acidulés et en les enfouissant dans sa poche.

« Répétez-moi cela ! disait-il. Répétez-moi cela. »

Je redressais le torse et répétais du mieux que je pouvais la chansonnette.

Il était debout devant moi et il m'accompagnait tout bas. Il m'offrit des bonbons. Je lui expliquai que je n'en avais pas le désir, ayant la bouche, si j'avais l'audace de dire, elle-même comme toute mâchée. C'était un homme long et maigre. Il avait quelque chose du margrave Philipp — ou du moins du portrait que Baldung Grien a fait de lui et qu'on peut voir à Munich — mais plus beau encore, le visage aussi inégal, les cheveux châtains, l'œil grand, fiévreux, pétillant, lumineux. Il me poussa légèrement et s'assit tout à coup à côté de moi. Il me regardait avec intensité.

« Seinecé, dit-il. Florent Seinecé.

13

— Chenogne, répondis-je. Charles Chenogne.

— Voilà un nom qui chuinte.

— Je ne me suis pas baptisé. Le vôtre siffle. »

Il sortit de sa poche une poignée de bonbons et — tout en me les offrant une nouvelle fois, en me les mettant sous le nez avec insistance et alors qu'à mes yeux ils me paraissaient tous se résumer à être des « bonbons acidulés » — il me les nommait un à un : des cotignacs, des cailloux suédois, des Petits Quinquins de Lille — très difficiles à trouver —, des Hopjes, des caramels clochettes... C'était mon tour d'ouvrir la bouche et de la laisser béer. Je refusai.

« Vous connaissez *Pimpanipole, un jour du temps passé*? » me souffla-t-il.

J'acquiesçai.

« Chantez-le ! Je n'en sais plus la fin. »

Et je le chantai.

« Ah ! mon Dieu ! dit-il après que j'eus chanté tant bien que mal *Pimpanipole*. C'est merveilleux, je suis tombé sur un érudit de la chanson d'enfance. Voilà des années que je cherche cela, un érudit de la chanson d'enfance ! » Je rétorquai que j'étais bien tombé sur un érudit du bonbon acidulé. Mais Florent Seinecé était tout à son idée : cela faisait des années, répétait-il, qu'il essayait de mettre des mots sur des ritournelles qui l'importunaient à l'improviste, quand il marchait, quand il rêvait. Il me demanda quelle était ma chanson préférée, se reprit, s'offrit à la deviner. Il prétendait que pour tout être au monde une chanson cherche à se rappeler à soi au fond de la gorge, qu'on oublie sans cesse celle dont l'air lancine le plus, celle dont le fredon bassine le corps comme, enfant, la sorte de poêle de cuivre rouge, pleine de braises, à manche court, au couvercle troué d'étoiles, le lit, l'hiver, avant qu'on se couche. Et aussitôt, comme il parlait de l'hiver, le souvenir m'en revint. « Oh ! mon Dieu », murmurai-je avec désespoir. Et je chantai :

14

Arrege harrige
Serege sirige
Ripeti pipeti
Knoll.

« C'est rude, dit-il, usant d'un adjectif plutôt miséricordieux. Quelle langue est-ce là ?
— J'ai passé mon enfance près de Heilbronn. Pas très loin de Stuttgart.
— A Stuttgart, après la guerre ?
— Juste après la guerre.
— Vous chantez ? Vous êtes musicien ?
— Je suis violoncelliste. »
Je me repris : « Du moins, dans le civil, je suis violoncelliste. » Je me repris encore : « J'étais violoncelliste. »
Il se leva. « Bon ! fit-il. Il faut fêter cela. Je vais vous donner un bonbon. » Il mit sa main dans sa poche et sortit pour la troisième fois une poignée de bonbons. « Non », répondis-je avec force. « Je suis un enfant, reprit-il plus bas, comme s'il cherchait à se pénétrer de cette idée. J'ai fait les Chartes : je suis exactement archiviste-paléographe, je finis ma thèse aux dépôts de Beaune et d'Epervans, mais la seule passion de ma vie, ce sont les bonbons. » Les papiers crissants faisaient un bruit considérable — les papiers qui enveloppaient les caramels clochettes et les Quinquins, plus que ceux qui habillaient les Hopjes. Mon manque de goût pour les bonbons en général tient sans nul doute à ce bruit crissant. Je m'échinai de nouveau à lui expliquer qu'avec cette molaire ôtée, la bouche en plâtre, je ne désirais pas manger de bonbons. Il insista. « Pour plus tard ! » disait-il. Pour en finir, je choisis un Hopjes, que j'enfouis dans ma poche.

« Bien, écoutez, dit-il. Je vais vous chanter quelque chose de plus doux que votre comptine. Je vais vous chanter le chant le plus beau que la terre ait connu :

15

A la fontaine Barbidaine
Dans le vallon Barboton...

Il avait une très belle voix, une plus belle voix que celle dont le destin m'avait doté. Il se tut enfin. Il avait l'air ému. Et il est vrai que je l'étais aussi. Il prit dans sa poche un paquet de cigarettes de la troupe — vieux papier bleu et chiffonné, bleu passé et mat, à l'odeur âcre et merveilleuse au souvenir — à vrai dire au souvenir seul — et le tendit brusquement en avant sous mes yeux. Ce long corps gauche et romantique était d'une brusquerie que Seinecé ne contrôla jamais tout à fait.

Je me levai. Je parvins à extirper une Gauloise militaire. Je l'allumai et je la rejetai aussitôt, la fumée se mêlant désagréablement au goût du sang qui emplissait ma bouche. Je remarquai qu'il remettait ses lacets en faisant un nœud triple (Seinecé avait des grands problèmes, le plus souvent insolubles, avec les lacets, les cravates et les ceintures). Il prit son béret sur la table, le remit méticuleusement, le tirant vers le sourcil droit. Il me demanda le numéro de ma chambrée. Je lui dis que j'avais obtenu l'autorisation de prendre une chambre en ville, afin de pouvoir m'exercer au violoncelle en dehors des heures de service, dans la cour qui donnait sur la pâtisserie du Chenil.

« Je suis gourmand, dis-je avec un air affamé.

— Ne vous inquiétez pas, moi aussi », dit-il avec le ton d'un être qui cherche à rassurer. Puis il répéta comme s'il s'agissait d'une vérité profonde : « Je suis gourmand », et il prit un air de modeste, presque confite mélancolie pour prononcer ces mots. Lui-même, m'expliqua-t-il, avait loué un vaste salon chez une vieille demoiselle âgée de soixante-dix-sept ans, au premier étage d'une imposante villa, à la limite de la forêt. « Il faut que je vous présente Mademoiselle Aubier, me dit-il. Elle chante des chants qu'aimait sa mère. »

Il s'approcha du lit sur lequel je m'étais assis de nouveau. Il me prit la main. Il la serra longuement.

« Enfin un homme civilisé, dit Seinecé.

— Parce qu'il lui manque une dent », rétorquai-je.

Seinecé avait vingt-quatre ans. J'étais juste majeur. Nous nous ébrouions. Il était marié et il avait une petite fille. Sa femme s'appelait Isabelle et sa petite enfant Delphine. Isabelle était restée en Bourgogne — dans un petit pavillon loué à Prenois, à une quinzaine de kilomètres de Dijon où elle avait été affectée et où elle enseignait l'allemand (elle le savait médiocrement, ce qui était loin d'être contradictoire avec le fait de l'enseigner, et ce lien linguistique entre nous, curieusement, sauf aux tout premiers jours, nous n'en avons jamais usé ; il est vrai qu'il aurait rencontré chez moi une répugnance sourde, furtive, tendue à rompre, irraisonnée). A l'origine Isabelle avait été nommée à Dijon pour la durée du stage que Florent Seinecé devait faire, au sortir de l'Ecole, aux dépôts de Beaune et d'Epervans à deux heures de là. Puis elle avait sursis au rapatriement dans la région parisienne, pour la durée du service militaire de Florent Seinecé, partie à cause du petit jardin de Prenois, partie à cause de la passion de Delphine pour sa maîtresse d'école, enfin en raison de la relative proximité des parents d'Isabelle, qui vivaient dans le Jura, près de Lons-le-Saunier. C'est ainsi que tous les vendredis, ou du moins la plupart des vendredis, Isabelle et Delphine rejoignaient Saint-Germain-en-Laye par le train, pour repartir le dimanche en fin d'après-midi et retrouver dans la nuit noire le paradis — à les en croire —, les groseilliers et les deux chênes du jardin de Prenois, les rives du Suzon, de l'Ouche, du canal de Bourgogne. Région sublime sans nul doute et que j'ignore.

Seinecé était étrange, maniaque, nerveux, brillant, inépuisable. Il n'aimait guère la musique — non comptées des poêlées, des orgies de comptines. Il aimait l'alcool et guère les

17

vins, au contraire de moi. Au reste il est excellent que nos principaux goûts nous laissent seuls. Amitié ou amour, il ne faut pas s'entendre sur l'essentiel, soit qu'on craigne d'en venir aux mains, soit qu'on redoute de s'ennuyer. J'ai noté que seuls les gens qui sont en désaccord sur tout ne se prenaient jamais de querelle. Si Seinecé était beaucoup plus que lunatique, il n'était pas tout à fait mythomane. Il aimait les facéties qui me paraissaient un peu longues, allant jusqu'à durer une heure ou deux heures, et qui me lassaient. Tel jour, durant une fin d'après-midi — allongés, invisibles, en plein soleil, sur la pelouse qui longeait le mur aveugle des salles de douche de l'Etat-Major —, il avait prétendu me faire croire qu'enfant, au cours d'un séjour touristique en Terre Sainte, son père et lui avaient dîné à l'auberge du Bon Samaritain, à la table où était assis le Seigneur ; il s'était montré à eux, ils avaient pris le café ensemble, il avait vieilli, toujours aussi aigri, insatisfait de son propre univers. Tel autre jour et il faisait parler Darius, Hammourabi, Jules César, Pie XI. Seinecé était chartiste, possédait sur le bout du doigt de nombreuses langues anciennes au contraire de moi qui haïssais le latin, qui hais le latin, langue que je n'ai jamais comprise et qui me fut enseignée, à Bergheim, de façon inextricable et odieuse. Il constata vite cette rétraction en moi. Il me parla peu de Beaune, ni de Dijon. Il ne me dit que vaguement qu'il préparait une thèse sur quelque vieille chose de perdue, d'égarée dans le duché de Bourgogne, perdue dans la beauté des rives de la Dheune. Pour l'heure il était le chauffeur d'un lieutenant-colonel très sympathique, qui buvait peu, presque savant. Seinecé prétendait qu'il connaissait la plupart des lettres de son alphabet (j'ai déjà dit que Seinecé était mythomane). Reste que ce lieutenant-colonel présentait le double et indéniable avantage d'être aussi casanier qu'un pied de lampadaire et, comme il appartenait au train des équipages, de passer l'essentiel de son temps à aller au manège ou à monter en forêt.

18

A peu près à la fin de chaque semaine Isabelle et Delphine venaient nous rejoindre dès le vendredi soir. Isabelle était d'une grande beauté, fière, drôle, âpre, non sans théâtre et sans morgue. Elle maudissait les dimanches, où elle était d'une humeur exécrable, tout à la fois parce que la semaine, l'enseignement, la solitude à Dijon avec la petite Delphine dans le pavillon de Prenois allaient reprendre, ensuite parce qu'elle détestait les gares, les trains, les horaires, le changement de train à Paris, pour Saint-Germain-en-Laye, à Saint-Lazare, enfin — et c'est peut-être plus que tout — parce que Mademoiselle Aubier recevait tous les dimanches à midi et demi. Long déjeuner qui ne se terminait, à deux heures et demie, que pour céder la place au « concert » — Isabelle ou moi l'accompagnant au piano —, concert qui débouchait lui-même sur le « goûter », dans la serre — c'étaient huit mètres carrés de ciment contenant des caoutchoucs — ou au jardin, selon le temps qu'il faisait. Isabelle pestait d'autant plus vigoureusement contre ces après-midi du dimanche que Seinecé et moi y prenions un plaisir évident, tant Mademoiselle Aubier nous émerveillait par ses manies, ses vêtements, ses malices, ses goûts, ses mots, son langage. Mademoiselle Aubier était une vieille fille qui avait consacré sa vie à l'entretien et à l'imitation d'une mère dont la longévité avait stupéfié à trois reprises la municipalité — vin d'honneur à quatre-vingt-dix ans en 1933, vin d'honneur à quatre-vingt-quinze ans en 1938, vin d'honneur en 1943 pour ses cent ans — et qui était morte — sans vin d'honneur — à l'âge de cent deux ans, à la Libération. Mère qui elle-même avait donné toute son énergie — affirmait Mademoiselle Aubier — à s'efforcer d'être elle-même le « portrait craché » de sa propre mère. Nous contemplions cette robe, ce chignon retenu en résille, cette main dorée, usée, soyeuse. Nous avions l'impression que le temps s'était immobilisé et que nous avions devant nous l'exemplaire d'une femme de la bourgeoisie ancienne — d'une femme qui allait prendre ses leçons de clavecin chez François

Couperin rue du Monceau-Saint-Gervais, d'une femme sur qui la fin du XVIIIᵉ siècle, la Révolution, l'Empire, la Troisième République, le « modern style », la guerre de 14, la Seconde Guerre n'avaient jeté que de faibles reflets mais dessillé, sans nul doute, peu à peu les paupières, en avaient chassé toute commisération et plus ou moins ôté définitivement les larmes.

La première fois que je rencontrai Mademoiselle Aubier, c'était dans son jardin. C'était en avril 63. C'était le dimanche des Rameaux. Il faisait très beau, quelque piquant que fût le froid. Le soleil éblouissait. Seinecé et moi descendions le perron. « Tiens, me dit Florent tout à coup. Je vais te présenter Mademoiselle Aubier ! » et il me montra au loin, près des grilles, une petite silhouette noire ou violette avec un châle sur les épaules, un superbe chapeau cloche en paille de Manille sur la tête et un sécateur à la main, coupant près de la grille dans les gros buis presque noirs cinq ou six branchettes pour aller à la messe des Rameaux.

Nous nous approchâmes.

« Je suis toute secouée, nous dit-elle. Je n'ai pas vu Pilate de toute la matinée. »

Pilate était le chien de Mademoiselle Aubier. A vrai dire il se nommait Ponce Pilate. Je n'ai jamais su pourquoi. A Magdebourg — mon père nous y avait traînés à de nombreuses reprises — on pouvait voir le bassin dans lequel Pilate plongea ses mains. On y contemple aussi la lanterne de Judas — et il me semble quelquefois en surprendre encore les reflets sur les visages des amis. Le chien Ponce Pilate était d'un naturel très affectueux. Il reconnaissait tout le monde et chacun en était flatté. A la vérité il reconnaissait même l'inconnu et le voleur — et l'inconnu et plus particulièrement le voleur lui en étaient reconnaissants. Mademoiselle Aubier tendait ses branchettes de buis et disait :

« Voilà, je suis parée. Du moins les cadres et les chambres auront-ils un peu de compagnie... Comment vous appelez-vous, Monsieur ? me demanda-t-elle.

— Charles Chenogne, dis-je.

— Monsieur Chenogne, vous êtes le bienvenu, reprit-elle. On dit que le buis bénit est préservatif du mauvais sort et des mauvais rêves mais, Dieu me confonde, Monsieur Chenogne (" Dieu me confonde ! ", tel était le juron familier de Mademoiselle, excepté les jours de grande colère où elle se risquait à aboyer : " Nom d'un rat ! "), existe-t-il d'autres mauvais sorts que les mauvais rêves ? »

Je fus pris de court et demeurai coi.

« Les souvenirs ? balbutiai-je.

— Oh il ne faut pas trop demander au buis bénit ! » s'exclama Mademoiselle Aubier en riant très fort. « En fin de compte, soupira-t-elle, on ne peut pas se préserver d'avoir été... »

Seinecé l'interrompit.

« Et pourquoi pas ? Et de la même façon que la paille de Manille est préservative du soleil d'hiver ?

— Oui, dit-elle en cachant sa bouche comme une enfant et en réprimant un nouveau petit gloussement. Et pourquoi pas de la même façon que l'office auquel je vais me rendre de ce pas l'est de la matinée lente et fastidieuse du dimanche ? » Et elle fit un petit signe de la main signifiant « au revoir ! ».

« Pilate ! Pilate ! » criait-elle.

Elle s'éloignait. Elle retournait à pas menus vers la maison.

Il était impossible qu'on eût le dernier mot avec Mademoiselle Aubier.

Il existe plusieurs espèces de confiserie, de très rares hommes, de femmes plus nombreuses peut-être, d'êtres singuliers où la province, la douceur, la timidité, la distinc-

21

tion, la discrétion s'assemblent indiciblement. Mademoiselle Aubier avait ce côté provincial quelque passion qu'elle eût pour la télévision — elle avait acquis un poste au tout début des années cinquante. A tout instant elle portait un petit mouchoir brodé à sa bouche, posé légèrement au-dessus de la lèvre supérieure, avec lequel elle gesticulait pour parler, et pour souligner ses paroles, et qu'elle reposait dès qu'elle se taisait avec un regard dubitatif ou expectatif. Elle ne parlait jamais d'elle-même et, pour parvenir à ne parler jamais d'elle-même, elle se référait sans cesse à sa mère — née Paillot, prénommée Fernande — qui avait visiblement eu de grandes qualités tout à la fois d'aquarelliste, de musicienne et de rebouteuse, qualités qui s'étaient épanouies chez la fille. Une fourmi avait-elle grimpé sur le bras ou sur le mollet de la petite Delphine dans le jardin, ou plutôt Mademoiselle Aubier était-elle passée à ce moment-là, qu'elle entraînait l'enfant à la maison, bougonnant qu'elle n'avait sans doute pas une feuille de chou fraîche sous la main, que ce n'était pas non plus exactement la saison, mais qu'à défaut une tranche de tomate, à supposer qu'elle fût juteuse, ou bien un peu de sauge...

Elle usait d'une langue que nous trouvions merveilleuse de précision et de verdeur. Sans cesse elle semblait sortir d'un âge perdu, d'un siècle tombé dans la poussière du temps comme s'il s'était agi de la pièce d'à côté — et c'est d'un pas précautionneux et susurrant, presque des petits pas de souris, qu'elle remontait de l'enfer. Et c'est du même pas — quelques instants plus tard — qu'elle avait passé la grille alors qu'elle s'éloignait sur la route qui la conduisait à l'église, où sa dévotion devait être sans nul doute toute désabusée, formelle et respectueuse. Elle portait le plus souvent une large jupe et un corsage de soie foncé, jamais noir mais vert bronze, grenat, parfois jaune d'œuf, montant haut, serré aux poignets, et autour du cou une longue et perpétuelle chaîne d'or très curieuse parce qu'elle passait sous le corsage et ressortait à la ceinture en un petit groupe tintinnabulant avec sa montre, une petite clé et des breloques de famille. C'est ainsi qu'on pouvait voir sa mère — du moins le portrait de sa mère, pour peu qu'elle le trouvât et le fît voir, pieusement découpé dans un médaillon d'argent, après avoir fouillé dans ce trousseau de portraits à l'image d'un trousseau de clés pendant à la ceinture de la sœur portière d'un couvent.

De son père ? Elle n'eût pas dit un mot, ni en bien ni en mal, et si on la pressait de questions Mademoiselle répondait dans un chuchotis, brièvement, sans haine ni crispation, mais avec une vague impatience. On pouvait voir son portrait au salon — il ressemblait à Napoléon Ier, en un peu plus gras.

Ce n'est qu'au début de l'année 1964 que nous fûmes présentés au petit-neveu de Mademoiselle Aubier — Denis Aubier — qui s'installa alors chez elle, au second étage, avant d'entrer en possession, quelques années plus tard, de la maison. Denis Aubier jeune ne ressemblait pas pour autant à l'officier Bonaparte repoussant presque à mains nues, avec la hampe de son drapeau, sur le pont d'Arcole, les soldats autrichiens perdus dans les marais de Caldiero, mais lui-même, comme son oncle, à l'empereur exilé, et même mourant. Il était incroyablement taiseux, peu mobile et rempli de sagesse. Denis devint notre ami. C'était un bricoleur silencieux, plein de ressources et de patiences infinies. Et un cycliste solitaire, si vif était son désir de maigrir mais tant il éprouvait de répugnance à montrer ses cuisses et le short bleu immense qui les contenait.

Au contraire de son petit-neveu Mademoiselle Aubier était intarissable. Sans doute parce qu'elle avait vécu plus de quinze ans seule avant qu'elle louât à Seinecé cette chambre-salon rose. Elle en avait conservé l'habitude de se parler longuement à elle-même avec une voix assez vrombissante.

« Alors, où ai-je mis la poivrière ? » hurlait-elle tout à coup en entrant dans le salon tandis que nous étions en train de lire, ou de rêver tout haut. « Ma sotte de fille, tu n'as plus toute ta mémoire. Ah! la voilà! Elle a toujours eu quelque chose d'antipathique, vous ne trouvez pas? cette poivrière, quelque chose de pataud. Ah! Tu as l'air d'une pas grand-chose. Toi, tu as été donnée à tante Antonine à la mort d'Armel — enfant délicieuse, véritable rebut de l'univers. Entre nous, ma vieille poivrière, tu as quelque chose d'Antonine Paillot...» Et Mademoiselle Aubier quittait la pièce tout en continuant de s'adresser à sa poivrière. Ces soliloques avaient ceci de particulier que Mademoiselle Aubier mêlait de façon extrêmement contrastée les formules miséricordieuses à l'égard d'elle-même et des siens à des tours brusquement ironiques, son visage demeurant bonasse et imperturbable alors que le son de sa voix se faisait impitoyable. « Vous — disait-elle un jour tout à trac à Florent —, vous appartenez au groupe de ceux qui sont submergés même en l'absence d'eau! » Et, me rapportant ces paroles, Seinecé me disait curieusement qu'il en était resté comme « deux ronds de tire-au-flanc ».

Quand Mademoiselle ne se parlait pas à elle-même — ou à des fantômes — elle chantait, et elle chantait à pleine voix. Brusquement on entendait :

Je suis né natif de Ferrarest...

et l'on pouvait être si surpris que le cœur en battait. Les litanies de Mademoiselle Aubier nous étaient à vrai dire moins pénibles, sinon absolument agréables, surtout lorsque, oubliant notre présence, elle s'adressait à nous-mêmes à part soi : « Que vais-je donner à mes zigotos? » s'interrogeait-elle de façon très perplexe en entrouvrant le buffet. « Bellonne ou Dubonnet? »

Les confidences les plus lassantes étaient celles où Mademoiselle Aubier nous entretenait longuement des souvenirs qui avaient été ceux de sa mère comme s'il s'agissait des siens propres. C'est ainsi que Madame Aubier mère avait connu les premiers fiacres à pneus, la première chasse d'eau, le premier moulin à cigarettes, les premiers becs de gaz. Mademoiselle Aubier prenait l'un d'entre nous à l'écart et, posant sa main sur notre main ou sur l'avant-bras : « Ma pauvre maman me disait qu'on ne pouvait pas imaginer quel délice c'était de rouler avec les roues pneumatiques qu'on fabriquait en ce temps-là. Cela n'a rien à voir avec maintenant. C'était un tremblotement doux de tout le corps ! Ma pauvre maman ! Elle aimait tellement la lumière des becs de gaz ! »

Ce qui, aux yeux d'Isabelle Seinecé, faisait passer sur le radotage interminable de la logeuse de son mari était le secret espoir qu'elle acceptât un jour de louer deux des pièces du rez-de-chaussée, et cela jusqu'au terme du service militaire. Pendant près de cinq mois Mademoiselle Aubier temporisa, médita, demeura évasive, souriant sans répondre, ou inclinant la tête sous forme de petites saccades où on pouvait lire aussi bien, comme au choix, un signe d'acquiescement qu'une moue plus rechignante. En effet, au rez-de-chaussée, cachée sous le perron, une petite porte vitrée donnait accès à quatre pièces au plafond bas, mais vastes. La porte vitrée faisait en s'ouvrant un bruit strident de gravillons écrasés — qui lentement se mettaient à crisser sur le carrelage. A gauche un salon de musique — tel était le nom que lui donnait Mademoiselle Aubier, et c'est là que nous descendions religieusement tous les cinq, ou tous les six avec Denis Aubier, et le plateau à café, et les mokas, et la liqueur de poire à deux heures et demie le dimanche — et qui contenait deux fauteuils à tenailles en bois gris, extrêmement durs, un fauteuil à speculum jaune d'or, merveilleusement confortable, un piano droit, une machine à coudre en bois jaune comme du curcuma, un immense pavillon de tourne-disque sans tourne-disque, une grande chaise longue à rallonge en rotin, dont la rallonge était crevée, très bruyante, une lampe arabe, un piano à queue, des mandolines et des quarts de violon sans cordes sur fond de velours jaune — un très vieux jaune, entre le bis et le kaki — suspendus au mur, dans des cadres somptueux, aux moulures de plâtre dorées. Une porte « secrète » — je veux dire par là recouverte de la même tapisserie que les murs qui l'entouraient — conduisait à une grande lingerie. De l'autre côté de l'étroit corridor carrelé de losanges noirs sur fond rouge, une vaste pièce servait de débarras, et l'autre de cave.

Isabelle Seinecé convoitait le salon-débarras parce qu'il possédait un petit évier encastré dans le mur. La pièce faisait une vingtaine de mètres carrés. Elle voulait que Florent persuadât Mademoiselle Aubier de leur en laisser l'usage pour qu'elle en fît une cuisine de secours quand elle venait avec Delphine, durant les week-ends — l'enfant l'exaspérant, faisant la folle, l'avion à réaction, le clown, le chien hurlant à la lune dans les salles de restaurant, surtout le vendredi soir, tant elle était fatiguée et excitée par le voyage en train qu'elles venaient d'accomplir depuis Dijon. Ce que haïssait Isabelle — moi aussi, il me faut en convenir, d'autant plus que, comme beaucoup de musiciens, je répugne à écouter de la musique : cela émeut toujours trop, et puis cela émeut en vain, ou cela plonge dans le dépit de ne pouvoir rivaliser avec l'interprète qu'on est en train d'écouter, ou cela emplit de colère devant la nullité, l'imposture —, ce que haïssaient Isabelle et moi, et aussi Ponce Pilate, était le tour de chant de Mademoiselle Aubier. Tous les dimanches après-midi sans qu'il y eût d'exception, rituel hérité de sa mère et qui exigeait, depuis que nous avions surgi dans sa vie, pour ainsi dire le sacrement de notre présence. Pour peu que nous fussions absents, que nous soyons partis soit pour Paris, soit dans la forêt de Laye, soit sur la Seine, malheureuse, sans nous, elle descendait et chantait seule, en s'accompagnant elle-même ou sans accompagnement, devant son petit-neveu Denis, et nous battait froid deux ou trois jours d'affilée. Au reste, elle chantait souvent sans public, mais en semaine. « Je suis toute secouée, disait-elle. Voilà, je me fais l'effet d'être une crêpe comme maman les faisait sauter si admirablement dans la poêle le jour de la Chandeleur. Il faut que je me chante une jolie mélodie. Je sens que cela va m'apaiser. Je vais chanter Jane de Théza ou plutôt je vais me faire une petite *Pitchounette* de Jules Massenet », et alors elle chantait, un rythme ou même un rire peu à peu la secouait et la rassérénait. Mais alors qu'elle jouait volontiers et tout à fait passablement du piano, pour peu que nous soyons là, il n'était plus question qu'elle s'accompagne. C'est ainsi qu'à deux heures et quart ou à deux heures et demie, nous portions les tasses de café, la cafetière à alcool, les mokas, la liqueur de poire, les sempiternelles tuiles aux amandes, ou encore les cigarettes à la vanille. Elle plaçait autoritairement dans le « salon de musique » les différents membres de son public — salon de musique dans lequel Mademoiselle Aubier avait allumé, le plus souvent dès la fin de la matinée, le chauffage électrique. C'était un petit appareil d'appoint, d'un vert soutenu — dont la forme tenait d'ailleurs de celle d'un cactus — et qui ne chauffait pas, même s'il rappelait le désert. La cheminée n'était jamais utilisée dans la crainte où était Mademoiselle que sa voix n'en fût altérée. Les fauteuils et les sièges étaient disposés en cercle. C'était comme dans une classe enfantine, comme si elle avait fait l'appel, et elle désignait tyranniquement les rôles et les places. Denis était immanquablement chargé de s'occuper de la petite lampe à alcool et de retourner l'étrange cornue où se faisait le café. Moi-même ou Isabelle devions nous installer au piano à queue — pourtant nettement moins bon que le piano droit, les marteaux de plus remontaient irrégulièrement — et « Mademoiselle » — nous appelions ainsi cette vieille petite fille despote — tenant dans une main ses breloques et regardant l'appareil à suspension aux franges roses et jaunes commençait d'une voix chevrotante. Et nous écoutions, y compris Delphine sur les genoux de son père, tous plus ou moins tendus, souriants, plus ou moins haineux, compatissants ou réprimant un fou rire — qui avait tôt fait de se communiquer à Delphine qui littéralement explosait. Made-

27

moiselle Aubier ignorait avec beaucoup de grandeur les fous rires, le regard toujours accroché dans les franges de perles roses et jaunes qui pendaient au-dessous du globe de la suspension et qui avaient pour fonction d'en tamiser la lumière.

Une demi-heure seulement, mais une demi-heure de chant dont le principal défaut tenait à son caractère obligatoire.

« Chanterons-je ? disait-elle en feignant d'hésiter encore, portant la main à sa bouche en tapotant avec perplexité son mouchoir sur sa lèvre supérieure.

— C'est comme vous le désirerez, disait Seinecé sur un ton lui-même profondément dubitatif, hésitant.

— Il ne faut pas que cela vous soit une obligation, disait hypocritement Isabelle.

— On chante, on chante, on chante », criait Delphine en tapant avec conviction sur ses genoux.

J'ai souvent songé depuis combien ces rites évoquent de vieux restes en nous, que ce soit au concert, à l'opéra, en classe, en réunion ou à la table familiale de l'enfance, une petite meute suspendue aux lèvres du conteur ou du chanteur, ou du prêtre, ou du tyran. Nous formons toujours des petits groupes de chasseurs du quaternaire qui répétons la chasse éternelle et qui répétons le terrible et incessant regard fixé sur la proie qui nous fait saliver. « Mes amis, disait-elle, je vais vous chanter le *Papillon* d'Irénée Bergé. » Je voyais chanter — je vois encore chanter — Mademoiselle Aubier, la bouche s'ouvrir, la petite « meute » que nous formions qui se mobilise pour regarder la « proie » — la proie fût-elle un papillon —, la proie se prenant les pieds et tombant et nos lèvres se retroussant dans le rire, et les chasseurs la dépeçant et la mangeant, les yeux grands ouverts et brillants, tapant des mains, des pieds, les bouches bées, les lèvres luisantes. Je vois vraiment un immense cerf ou un aurochs géant troué d'un pieu dans le petit corps invisible du papillon d'Irénée Bergé, dont le simple nom soulevait bruyamment une aussi vieille gorge cachée sous un corsage de soie vert bronze ou grenat, en compagnie de la chaîne d'or qui ressortait — tel un ruisseau s'enfouissant tout à coup dans une nappe phréatique et resurgissant à vingt kilomètres de là sous forme de rivière — sous l'apparence d'un gros bouquet de médaillons, de clés et de montres.

Il existe une sorte de mouvement en nous auquel nous ne résistons jamais qu'à contrecœur et qui nous pousse à nous engager avidement dans des situations qui ne nous attirent pas du tout. On raconte que nous répétons ainsi des expériences plus anciennes qui, quoiqu'elles nous soient pour ainsi dire complètement échappées des mains, nous passionnent comme un très vieux goût aigre, délicieux et sans nom — et dans lesquelles nous nous fourrons — telle une mouche à ver dans un dépôt d'ordures, ou tel le papillon d'Irénée Bergé dans la bouche de Mademoiselle Aubier — avec l'impression très vive de nous retrouver enfin chez nous. C'est ainsi que Mademoiselle Aubier était loin d'être seule à tisser autour d'elle une riche et complexe tapisserie de rites prescriptifs. C'est dans les rites, les fers, la haire, la discipline — et même les fillettes du roi Louis XI — que Florent Seinecé était à l'aise et même resplendissait. Je vis rarement une vie aussi liturgique, et un être à ce point tenu en lisière par lui-même. Les manies de Seinecé étaient en état d'accroissement indéfini. Rien qui eût pu les user, les ronger, les distendre. Seinecé les aimait plus que tout — ou semblait les chérir, les offrir à la vue de tous, et les exploiter. Comme il sentait parfois que ses obsessions et ces rites nous pesaient, il croyait les faire oublier en les variant sans finir — c'est-à-dire en les accroissant sans finir. Il collectionnait les serre-livres, les revues d'érudition, les galets, les lampes. Il collectionnait particulièrement les lampes à huile et à pétrole et Isabelle partageait cette passion.

Il est vrai qu'ils en possédaient de très chaleureuses, coloriées — par-dessus tout une lampe Carcel en cuivre rouge et ouvragée de façon lourde, saugrenue, et dans laquelle Isabelle versait un mélange d'huile d'œillette et d'huile d'olive. Il y avait une magnifique suspension Argan — mais qui restait dans sa boîte de carton et dans ses ouates. Il y avait surtout — sur la table centrale, dont j'ai déjà parlé — les lampes Quinquet aux sombres et incroyables torsades rouge bordeaux, carmin, grenat, vermillon sur fond d'émail jaune.

« Qui a touché à ma petite tête de Minerve ? » hurlait-il tout à coup — il s'agissait d'une statuette serre-livres en stuc verdâtre.

« Mais personne !

— Ne mentez pas. Elle était toujours à gauche de la table, face à la fenêtre. Et maintenant elle lui tourne le dos ! Vous le faites exprès.

— Tu ne vas pas faire des histoires parce que j'ai bougé cette horreur ? rétorquait Isabelle en haussant la voix.

— Mais tu ne comprends pas : elle ne peut plus voir la lumière ! »

Et la querelle peu à peu s'amplifiait. Car Florent Seinecé ne prétendait pas régner seulement sur les choses, mais sur le temps lui-même. C'était Confucius. Il était expert en fêtes carillonnées, en rites de nones, de vêpres ou de complies. Les trois anniversaires, les quatre temps, les cinq sons des doigts de la main, les sept heures canoniques, tout était minuté.

« Qui a touché à ma brosse à dents ? » entendait-on tout à coup. Ou bien il s'interrompait de manger, plongé dans le désespoir, reposant bruyamment sa cuiller sur le bord de l'assiette à soupe, la sueur perlant à ses tempes : « Mais pourquoi suis-je en train de manger alors qu'il est huit heures moins vingt ? » Isabelle soutenait que le soir et le matin, déjà nu et un peu frissonnant avant de se coucher, ou encore nu et tiède de la nuit, il s'accroupissait devant la fenêtre et — alléguant qu'il faisait sa gymnastique — se lançait dans d'interminables prières, Te Deum secrets, entreprises de magie. Pour finir, avec le reste d'eau que contenait son verre à dents, il faisait une petite libation sur un pot contenant un laurier tout à fait dépérissant. Tout était prétexte à répétitions fastidieuses. Tout lui était un germe de culpabilité. La moindre circonstance, et la plus fortuite, était comme le grain de levain dans la pâte qui reposait, à Bergheim, au-dessus du poêle de fonte bleue — et devant lequel Hiltrud nous demandait de ne pas parler français de crainte que la pâte ne s'affaissât.

« Le monde peut s'interrompre à tout moment », disait-il comme un vieux sénateur de la Rome républicaine. « Un petit accroc à un rite : une étoile tombe.» Si je lui faisais remarquer que le propre de l'univers dans lequel il vivait ne semblait pas être la solidité : « L'humanité est moins solide que l'univers », répondait-il. Et il s'empêtrait : « Et les civilisations sont moins solides que les hommes. Ma vie est une minuscule civilisation. Et une civilisation très fragile.»

Comme Seinecé lisait beaucoup — avec cette voracité et cette passion d'appliquer sans cesse les situations, les personnages, les descriptions qu'il lisait aux scènes les plus ordinaires qu'il vivait — ce tour d'esprit parvenait à un degré qui allait presque au-delà du pédantisme : Seinecé appliquait tout, liait tout, laçait tout — quelques difficultés qu'il connût à cet égard. J'en ignorerai toujours la raison.

Il vivait toujours entouré de livres, de photographies, de revues, de galets. J'étais en train de lire une partition. Il se levait. Il me tirait par le bras. Il me montrait un tableau, une reproduction, quelle qu'elle fût, et il la rapportait à lui-même et il la légendait sans finir. C'était, par exemple, une crucifixion qu'il me montrait, il me faisait remarquer tel détail curieux, telle souffrance saugrenue, me nommait les trois êtres crucifiés, le centurion Longin les deux mains sur la hampe de sa lance et le sang de Jésus s'égouttant sur ses doigts. Aussitôt il me racontait une histoire semblable —

quelque manque de piété qu'il y ait peut-être à la rapporter ici. Avec son père, enfant, en Afrique, il pêchait la grenouille avec une fourchette. Il faisait prodigieusement chaud. Dans la chaleur, dans l'air gondolant, dans l'air bourdonnant, ils cherchaient les mares abritées du soleil. Les grenouilles étaient là, appesanties par la chaleur au point d'être incapables de se mouvoir, hébétées. « Nous entrions dans l'ombre. Nous nous approchions lentement, disait-il, silencieusement, la fourchette à la main, les pantalons retroussés. Les grenouilles faisaient de très lents plongeons dans l'eau de la mare et, inertes, cessaient de bouger. Nous tendions en avant les fourchettes, les plongions dans l'eau, ramenions au jour des bêtes un peu humaines tout à coup affolées et toutes nues et gesticulantes, et nous remplissions un sac pour le dîner. »

C'est au Maroc, je crois, que Seinecé avait rejoint son père plusieurs étés, quand il était enfant. Et c'était très loin du Maroc que son père avait trouvé la mort, plus tard, au début des années cinquante, à Ferryville. Ce qui excitait le plus Florent Seinecé, en racontant ce souvenir — qui l'avait marqué car il le rapportait souvent —, c'était, avant le dîner, son père déshabillant les grenouilles de leur peau, à l'aide d'un canif, pour ne conserver que les jambes lisses, blanches, dodues, humaines, et les jeter dans la poêle. Et il éprouvait le remords ou la compassion de Longin perçant le flanc du Seigneur.

C'est ainsi que toutes choses répétaient toutes choses. Une espagnolette, parce qu'il la nommait une crémone, et aussitôt c'était Virgile grattant une tablette de buis sur les bords du Mincio. De même qu'une fourchette c'était la lance de Longin, un livre répétait une fleur, un geste de salut répétait un meurtre, une boisson répétait un déluge. Il était beau, la tête maigre, la parole rapide, basse, nerveuse, le plus souvent gesticulant, mais quelquefois très calme, chantant, dans le fauteuil à éclisses :

Coquille, bourdon,
Tante et feuille et meuille,
Clou.

Et alors que je me souviens, que j'écoute en moi ce minuscule fragment de comptine, je ne pleure pas mais ma lèvre frémit. Aussi bien, disait-il, toutes les larmes du monde étaient celles qu'avait versées saint Pierre dans la cour du prêtre Anne. « Si nous savions écrire ! disait-il. Nous ne saurons jamais. Ceux qui savaient écrire, c'est parce qu'ils étaient en possession d'une plume du coq lorsque Pierre a pleuré. » « Ce n'est pas avec une pointe Bic, continuait-il, ce n'est pas avec un stylo à encre, ce n'est pas avec un crayon à papier, ce n'est même pas avec une plume d'oie, c'est avec les restes de plumes conservées de ce coq du remords, au XIIIe siècle, au XVIIe siècle, que les plus belles choses ont été écrites. »

Je poursuis des souvenirs en vain. Tels ces mots dont on dit qu'ils semblent se tenir, réservés, sur le bout de la langue et qu'on recherche sans finir. Lorsque le souvenir se retire en nous, il ne se dérobe pas toujours sous une roche sombre en nous ; il n'est pas toujours aspiré par un tourbillon qu'aucun pli ne trahit à la surface de l'eau plus calme. Restent parfois incrustés dans un geste, sur notre visage, au fond de nos yeux, dans le son de notre voix des petits bouts de bois sans nom, des sortes de détritus indicibles. Ce sont des lambeaux d'algues déchirées, des petites pattes de crabes verts arrachées, des fragments de coquillage que la mer descendante n'a pas su attirer à elle alors qu'elle se retirait. C'est ainsi que je revois les êtres et les choses. C'est ainsi que je songe au biscuit en faux marbre, en poussière de marbre, qui trônait sur la console du salon, et qui se reflétait dans le miroir penché qui le surplombait. Il me semble que je suis assis dans le fauteuil à éclisses et que plus bas que lui je lève les yeux vers le groupe en biscuit posé sur la console et représentant un satyre poursuivant une nymphe. Et aussi bien ce souvenir semble en cacher un autre. Je ne vois pas quelle mer s'est retirée et ce qu'elle a entraîné avec elle. Je vois la nymphe, je vois le dieu la poursuivant, mais moi-même je poursuis en vain quelque chose au travers de cette vision plus ou moins hallucinée qui se poursuit elle-même et — au contraire du satyre qui effleure sa peau — je ne parviens pas à y porter la main.

La jeune femme est nue. Le sculpteur — ou celui qui en a produit le moule — l'a pourvue de seins longs que le désir tend en avant encore qu'elle se tienne penchée, sur le point de s'accroupir, dirigeant la main gauche vers le sol. Sa bouche est grande ouverte. Son regard est sans terreur, doux, presque triste. Le satyre de la main droite touche sa fesse ronde et nue, non dans le dessein de s'en saisir, de l'empoigner — me semblait-il —, mais pour la caresser. Ses lèvres sourient et font voir nettement ses dents, nettement dessinées. Son sexe n'est pas dressé. Il a de longs cheveux bouclés. Il est beaucoup plus âgé que la jeune femme. Son corps est musculeux, sa toison profuse et bouclée, et même disproportionnée en regard du pénis minuscule. La jeune femme a les jambes largement ouvertes. Tout son corps est ferme et potelé. Elle tourne son visage vers l'homme qui la poursuit mais n'esquisse pas un geste pour soustraire son corps ou pour cacher sa nudité : elle regarde son poursuivant avec un sourire mystérieux et, sinon consentant, peut-être même légèrement contrarié, avec tristesse, presque avec miséricorde, c'est-à-dire avec un mépris compatissant. Ce sourire n'exprime ni révolte ni reproche. Il n'exprime pas de douleur. Il est sans doute sans illusion ; il est peut-être aussi désenchanté. La jeune femme se retourne, un peu étonnée peut-être, mais c'est un étonnement qui semble savoir par cœur ce qui l'étonne.

Mademoiselle Aubier, les rares fois où elle venait nous

rendre visite dans le salon, parlait des « ba-di-goinces du satyre ». Mademoiselle séparait volontiers de la sorte les syllabes, soulignant ainsi un tour qui lui paraissait soit trop recherché, soit trop bas pour qu'elle pût laisser croire à son auditeur qu'il était sien. C'étaient autant de guillemets imaginaires, de pincettes imaginaires qui lui permettaient de se saisir de mots semblables à des braises sans se brûler ni se souiller les doigts — sans se brûler ni se souiller les lèvres.

« Vous êtes une tête de li-notte ! » s'exclamait Mademoiselle Aubier quand Isabelle l'accompagnait au piano et pour peu que précisément elle n'eût pas « lu la note » qu'elle aurait dû faire sonner à ce moment-là. Cette plaisanterie faisait littéralement trépigner de joie Mademoiselle Aubier. « Linotte ! Li-notte ! » répétait-elle et elle emplissait Isabelle de fureur. Il est arrivé deux ou trois fois qu'Isabelle, refermant rudement le couvercle du piano, la plantât là et partît s'enfermer dans la chambre de Florent. « Il vous faudrait une paire, non pas de li-nottes, mais de lu-nettes », poursuivait Mademoiselle Aubier, demeurant tout d'abord de glace devant les démonstrations d'Isabelle. Mais aussitôt que cette dernière avait passé la porte, et après qu'elle l'eut fait claquer — le chien Ponce hurlant alors —, debout, éperdue, Delphine pleurait, partagée entre la véhémence orageuse qui avait entouré le départ de sa mère et l'immobilité impassible de son père qui lui-même affrontait le regard de Mademoiselle devenue furieuse.

« Mais qu'a donc votre femme ? » demandait Mademoiselle Aubier en enflant tout à coup la voix jusqu'à la rendre vrombissante, comme elle s'était retournée vers Seinecé. « Elle a quelque chose dans le bour-ri-chon qui est de mauvais poil, si l'on peut dire, parce que moi aussi je puis parler comme elle fait ! Ponce, cesse donc d'aboyer ! Monsieur Chenogne, venez vous asseoir au piano ! »

Je me levais alors, sa colère retombait aussi vite qu'elle lui était venue et, avec une intonation languissante à l'excès, plaçant la partition devant moi, elle disait : « Et maintenant nous allons chanter *Soir et matin sur la fougère* », et aussitôt Delphine grimpait sur les genoux de Seinecé et Ponce se couchait de tout son long, sur le grand tapis d'Orient usé jusqu'à la trame où on pouvait cependant percevoir des palmiers. Ponce Pilate, c'était la bonté même, la dévotion à Mademoiselle Aubier, l'indulgence à l'égard de tout, la douceur méticuleuse et — quoiqu'il ne lavât pas sans cesse ses pattes en souvenir d'un geste très hygiénique et demeuré célèbre — le même scepticisme. Ponce y puisait les ressources d'une commisération pour ainsi dire infinie, à la condition qu'on ne criât pas. Flottait toujours sur les lèvres de Ponce le sourire du Bouddha lorsque, assis dans la position du lotus, pour la première fois une mouche millénaire, pleine de douleurs, s'étant réincarnée déjà six cents ou sept cents fois dans l'apparence d'un homme, vint se poser sur son genou et y versa une larme. Il avait une façon prodigieuse de vous interroger des yeux tout en vous rassurant. Au milieu des discussions enflammées et des chants — point des fous rires — il avait une façon désabusée et ironique de vous dire, vaguement implorant : « Rien de nouveau sous le soleil ! Rien de nouveau sous le lampadaire ! » On dit que les chiens ressemblent souvent à leur maître — encore que l'influence contraire se remarque parfois. Et il est vrai que Mademoiselle Aubier tenait un peu de Pilate — c'était une même compassion amusée et parfois cruelle — et il est possible qu'ayant été elle-même le chien de sa mère durant près de soixante ans, elle fût devenue elle-même la dame de compagnie de Ponce Pilate. Souvent je m'approchais de lui alors. Je m'accroupissais. Je lui grattais la tête. Je lui disais : « Salut Ponce ! »

J'ai appris à lire dans *Der Freiherr von Münchlausen*. Tout à coup, dans la forêt de l'Estonie, le froid est si vif que le conducteur de la diligence a beau sonner du cor, a beau interpréter les sonneries les plus vives et les plus éclatantes, il ne rend aucun son. Le baron de Münchhausen bien sûr explique aisément ce phénomène : le cor est enrhumé ; il a sans doute une extinction de voix. La diligence arrive au relais. Le baron s'approche du feu et accroche le cor au manteau de la cheminée. Peu à peu les notes gelées se dégèlent sous l'action de la chaleur et s'élèvent du cor, avec un pathos touchant, les sonneries si longtemps retenues, frigorifiées. Ainsi affluent en nous les souvenirs, et se suscitent, et se subdivisent et prolifèrent. « Ah ! la petite cro-qui-gno-lette », s'exclamait de même Mademoiselle Aubier quand la petite Delphine — le plus souvent à toute allure — se jetait dans ses jambes. Elle avait eu deux ans et demi, puis trois ans. C'était l'enfant la plus délicieuse qu'ait connue le monde. Recroquevillée, les coudes sur les cuisses et le menton dans les paumes, les yeux tournés vers l'un d'entre nous, vers les arbres, un papillon, Mademoiselle Aubier chantant, un ver de terre, un rayon de soleil — c'était une même attention médusée, comme mettant en joue ce qu'elle regardait. C'étaient de grands repos — qui duraient quatre à cinq minutes toutes les deux heures — et telle était la position préférée de Delphine, tout à coup le pouce se fourrant brusquement, avidement dans la bouche, pour peu que la conversation se fît plus âpre, ou que l'émotion approchât.

Seinecé portait une passion exclusive à sa fille. C'était l'adoration d'une minuscule déesse. Le vendredi soir, quand il rentrait plus tard du garage de l'Etat-Major, pour peu qu'il eût été contraint de conduire le lieutenant-colonel à un club hippique éloigné, il s'asseyait à même le plancher durant des heures, auprès du lit de son enfant. Peu à peu ses yeux devaient s'accoutumer à l'obscurité dans le même temps que les comptines qu'il lui chantonnait à l'oreille, si elle était éveillée, devenaient sourdes et basses. Longtemps après que son enfant s'était endormie, il restait auprès d'elle, la regardait dormir. Il disait qu'il contemplait alors, dans la pénombre, la vie si expressive qui anime ne serait-ce que les poings des enfants quand ils dorment.

Il est vrai que nous nous couchions trop tard pour elle — et trop tard pour moi aussi. J'aimais d'autant moins la voir se tenir de la sorte, les coudes sur la table, accablée, que cette position et cet endormissement m'attiraient ainsi que son regard brouillé de toutes les images qu'elle avait vues durant le jour — écheveau mêlé d'images engourdies pareilles en cela aux sonneries splendides et gelées dans le cor du baron de Münchhausen —, et elle tenait avec vaillance le menton dans ses mains. Elle regardait devant elle en dormant. Elle digérait et rêvait les yeux grands ouverts.

Sur la table il y avait des restes de tarte à la rhubarbe, ou aux groseilles — cueillies par Mademoiselle près du jardin potager —, et faite le plus souvent comme j'avais convaincu Seinecé de les aimer, c'est-à-dire à l'envers ou bien à croisillons. Elle devait rêver de ballons, de boire à la claire fontaine, de poupées mécontentes, et elle bâillait immensément, comme un vieil hippopotame. Et moi aussi je bâillais. Moi aussi, peu à peu, je rêvais. Je rêvais de Bergheim et de la vallée de la Jagst, de la vallée du Neckar, de la vallée du Rhin, en France aussi, à Weyersheim ou à Riquewihr, chez les oncles, les tartes flambées, l'émotion quand on passait la frontière, mes sœurs cachant des cartes à jouer, les six chiens-assis sur le toit d'ardoise renvoyant la lumière du soleil, les balançoires, ou plutôt les escarpolettes, Pfulgriesheim, Hinsingen, les auberges sur la Zorn...

J'ai grandi entouré de quatre sœurs, dernier-né, coqueluche, bouc émissaire, perdu au milieu des papotages et de la férocité. J'en ai conservé un goût très vif pour la dînette et le retrait. A l'heure du goûter le dimanche, déguisé en prêtre —

une robe de satin noire empruntée à Hiltrud, une femme de chambre, et raccourcie à l'aide de pinces à linge —, j'entrais dans chacune des chambres de mes sœurs, je célébrais une messe rapide en marmonnant une langue compliquée et informe, au terme de laquelle j'étais invité à prendre le thé et à manger des fragments de gâteaux, des morceaux de sucre et des rondelles de carottes crues. Je dévorais, bénissais et passais à la pénitente suivante. Puis à six heures la vieille Fräulein Jutta — qui nous servait de gouvernante — venait nous chercher pour le concert que nous étions censés jouer avec les trois demi-violons, Luise au piano, et moi au quart de violoncelle. C'était le seul moment de la semaine où je voyais ma mère, les rares fois où elle venait à Bergheim. Je la distinguais dans l'ombre, assise à côté de tante Elly, si élancée, en robe du soir, admirable de beauté, portant à ses lèvres une cigarette ou feuilletant un catalogue de peinture sur ses genoux. Je la regardais à la dérobée et je raclais, raclais. Véritablement je raclais pour elle, je mettais dans le mouvement de l'archet un poids et une vigueur tout à fait incroyables, qu'on n'imagine pas, dans l'intention où j'étais de me faire remarquer d'elle.

Ma mère ne levait pas les yeux. Au-dessus d'elle Psyché ne regardait pas, Eros ne regardait pas. Ils s'entre-regardaient à la lueur d'une lampe dont la flamme était comme un brusque éclair. Il y avait en effet à Bergheim, au-dessus du canapé où se tenait ma mère quand nous jouions nos quintettes, dans le salon au bow-window, au premier étage, une grande et médiocre toile du XIXᵉ siècle représentant Eros et Psyché, à demi de dos, la main visiblement tremblotante tenant la lampe à huile loin devant elle, la goutte bouillante tombant sur le corps admirable mais plus petit du dieu. Et même, sur cette toile, le corps long et mince et blanc de Psyché, les seins ronds et lourds profilés sur la nuit, cette tête se cassant volontiers en arrière, agrandissant les yeux, ces mains longues toujours mouvantes, tendues vers le corps dont elle est plus curieuse de le voir à la clarté d'une lampe que d'en jouir longuement dans l'obscurité des nuits — cette Psyché (dont le destin mythique était, un jour, de se métamorphoser en papillon) avait quelque chose de ma mère, ou bien se confondait à elle, et même, peut-être, cette Psyché avait-elle quelque chose d'Isabelle.

Isabelle était incroyablement belle, mais il n'est rien de plus difficile à communiquer que le sentiment de la beauté — et aussi de la jeunesse — alors que plus de vingt ans sont passés et que c'est un tout autre corps, encore vivant, qui interfère parfois avec l'image — qui est une émotion plutôt qu'une image — que le souvenir a laissée ou que la mémoire a reconstruite.

La première fois que je vis vraiment Isabelle, c'était dans Saint-Germain, à la fin du mois d'avril, ou au début de mai, un jour plus que pluvieux, glacial, avec un ciel bas, une lumière d'automne. Elle était à côté de Florent et paraissait surnaturelle, dégoulinante de pluie. Grande, lumineuse, dans un vaste imperméable anglais bleu foncé, qu'elle serrait autour d'elle des deux mains et — sous la capuche sombre et trop grande, pareille à celle d'un moine — le visage prodigieusement rose et transparent, les deux yeux immenses, le regard comme agrandi par la lumière ou par le reflet de la pluie, le nez pelliculé de pluie. Seinecé nous présenta brusquement.

« Charles, c'est Isabelle, dit-il.

— Bonjour ! », et tirant à elle ma tête avec sa main elle m'embrassa sur les deux joues.

J'étais interloqué et gauche. Je nouais nerveusement une écharpe brunâtre, militaire, autour de mon cou.

« Florent m'a tellement parlé de vous. Vous savez que j'ai été jalouse de vous ? »

Ses yeux étaient d'une lumière extraordinaire. Elle avait le nez un peu humide et rose. Le vent, tout à la fois mouillé et glacé, fouettait le visage. Il giflait le visage. La main elle-même humide et gagnée par le froid, j'essayais d'essuyer mon visage, comme pour mieux la voir. Par une espèce de tic qui lui était propre, elle mordillait ou suçotait l'intérieur de sa joue. Elle avait une voix d'une tessiture étonnamment variée et presque mondaine.

« Oh Florent, rentrons! disait-elle en me souriant. Il fait si froid. Je me sens une véritable pattemouille de bénitier! »

Florent m'avait parlé avec ravissement de cette façon incroyable — et à mon sens point aussi involontaire que voulait le faire croire Seinecé — d'user de façon erronée ou gauchie, avec le plus grand aplomb, des locutions les plus courantes. Je pense que, sans qu'elle fît exprès, elle avait fait d'un travers — la langue lui fourchant peut-être naguère —, et de même des gaffes et des méprises, un moyen de séduction, encore que ce fût parfois bien ridicule. Je les regardais s'éloigner, voûtés, accolés l'un à l'autre sous le vent. Le vent glacé rabattait contre ses jambes son grand imperméable bleu.

Isabelle s'était donné elle-même pour petit nom « Ibelle ». Seinecé le plus souvent — comme la petite Delphine parfois — l'appelait ainsi. Elle aimait rebaptiser toutes choses — ce qui à vrai dire pouvait lasser ou blesser. Les noms que nous portons, que nous n'avons pas choisis sont plus qu'une sorte de peau qui a grandi avec nous et que tout en nous a nourrie et irrigue. A l'origine nous n'avions pas de dents, puis des dents de lait, puis nous les avons perdues, et ainsi des poils, des cheveux, de nos moustaches et de nos barbes et de nos proches et de nos illusions. Mais les noms, eux, ils nous demeurent. Et même

41

après que nous sommes morts, on raconte qu'il arrive que, durant quelques semaines, ils persistent encore à nous nommer.

« Comment vont mes petits Calédoniens ? » disait-elle à ses parents quand ils venaient à la maison de Prenois ou quand elle les appelait au téléphone de la maison de Saint-Germain-en-Laye, jouant de la sorte piètrement sur le fait qu'ils habitaient Lons-le-Saunier. Au tout début ce nom « Ibelle » me faisait songer à Lisbeth et cette ressemblance me faisait souffrir. Ma sœur aînée, Elisabeth, habitait Caen, où elle avait épousé un compagnon de jeu de notre enfance, Yvon Bulot, que nous retrouvions chaque été sur la plage de Regnéville, près de Coutances. Personnellement je trouve toujours étrange et à demi cruelle cette déformation volontaire des noms. J'étais troublé, enfant, qu'on m'appelât indifféremment Karl ou Charles. Ma sœur Lisbeth m'appelait le plus souvent Charles. Luise, Cäcilia et Margarete m'appelaient Karl — et même « Ka » lorsque Cäcilia appelait sa plus jeune sœur « Ga » — ou encore « Marga » et moi « mein Ka ». Ma mère disait toujours Charles. Je bâtissais des rituels compliqués pour bien percevoir à quel moment il était plus judicieux de dire Karl et je cherchais à me rappeler la liste des bénéfices que je pouvais en retirer alors. Mais le plus souvent je m'entravais dans un système au demeurant simple, et dans les évitements superstitieux soit de Karl soit de Charles. Un trouble semblable, et tenace, tenait à ce qu'il y eût trois Bergheim : l'un en France, près du Haut-Kœnigsbourg, à quinze kilomètres de Colmar, deux en Allemagne, l'un sur l'Erft et l'autre sur la Jagst. Je trouvais cela mal fait et inexplicable. Cela me paraissait d'autant plus injuste que la plus petite ville — mais peut-être pas la moins connue — était de loin celle du sud. C'était la nôtre. Mes sœurs ont-elles souffert autant que moi de ce déchirement au sein de leur prénom ? Je suis incapable de le dire mais, pour Marga, je crois qu'il en a été ainsi. Elisabeth et Lisbeth, Louise et Luise,

Cécile et Cäcilia, Marguerite et Margarete, Charles et Karl, la transcription se faisait aisément — et d'autant plus aisément qu'elle était due à une transaction entre maman et papa — pour ceux qui nous entouraient, mais non pour nous-mêmes. Nous prenions des canifs et nous sculptions nos noms sur les hêtres et les ormes du parc. Parfois encore quand je vois de grands hêtres, et des ormes — de si rares ormes —, ce n'est pas au vaste jardin de Bergheim que je songe tout d'abord, je songe à nos noms. Et non point aux lettres entaillant l'écorce mais à nos prénoms sonores, prononcés devant nous, comme matérialisés et découpés douloureusement dans nos âmes — matérialisés comme le souffle se transforme en une brume opaque au-devant des lèvres l'hiver. J'en ressens le malaise, le désagrément qui était attaché à ce baptême comme incertain, comme toujours différé. Il m'arrive ainsi de fixer longuement tel grand tronc de hêtre, d'orme, de chêne à vingt pas, à trente pas, persuadé qu'à force d'application ou de concentration je vais susciter je ne sais quoi au juste : ni le visage d'une de mes sœurs, ni tout à fait son nom, ni tout à fait un corps, quelque chose sortant de sa cachette, derrière l'arbre, derrière le pan de mur de rocaille, comme au jeu de cache-cache naguère, où l'on s'échine à avoir vu une silhouette derrière un arbre qui ne dissimule personne — et ce jeu enfantin de cligne-musette, ou du furet, ou de cache-tampon, ce sont peut-être ces pages — et où on crie pour enjoindre de se montrer en tapant du pied : « Tu triches ! Je t'ai vue ! Sors, sors ! » Maintenant encore je crois que je vois sans doute Marga, Luise, Cäci, Lisbeth. Je crie : « Sors ! Sors ! » Je crois que je vais susciter Isabelle — Ibelle —, Delphine, ou la minuscule Juliette. Et pourquoi pas, ayant soin de très longuement fixer les troncs les plus épais, les plus moussus, susciter ceux qui sont morts — Mademoiselle, Seinecé ou Luise ? Ma mère ou Didon ou Ponce ?

Tout sombre dans l'oubli. Sans cesse ma vie, ces visages, ces petites scènes — tout sombre dans l'oubli si je n'écris pas. Je ramène à la lumière quelques couleurs et parfois leur éclat. Le plus souvent ce n'est aucune lueur, aucune odeur mais des lambeaux de sons. Des fredons intérieurs. Les musiciens ont cette maladie — ou du moins cette infection dont ils ne se défont même pas dans leurs rêves. Si je concentre toute mon attention et que je cherche à faire revivre la maison de Saint-Germain-en-Laye, c'est le bruit de la machine à coudre de Mademoiselle Aubier que j'entends — comme le chant crissant des cigales ressuscite aussitôt le petit cabanon de Bormes. C'est à Luise que je dois d'aimer la musique. Je saurais encore chanter par cœur les recueils entiers de sonatines de Kuhlau et de Clementi qu'elle jouait quand elle avait onze ou douze ans — j'en avais alors trois ou quatre. J'ai moi-même étudié le piano jusqu'à l'âge de treize ans, concurremment au violoncelle. C'était un Erard droit jaune, teint au curcuma. Ce qui me fit en abandonner l'étude, c'était le bruit des bobèches, le tremblotement des bobèches qui vibraient sur les girandoles de cuivre dont les quatre bougies sentaient par ailleurs une âcre et poussiéreuse odeur, Luise, à partir de quatorze ans, ayant estimé qu'elle était romantique et qu'on ne pouvait jouer des nocturnes, des études transcendantes ou appassionata qu'à la lumière des cierges. Et en effet elle avait supprimé la lampe d'étude. Mais à vrai dire mon souvenir est imprécis et presque contraint. Mon père, dès que j'eus douze ans, m'avait mené à l'orgue. C'est cette même année — pour mes douze ans — que l'on m'acheta mon premier violoncelle complet : un médiocre mais solide Markneukirchen du début du siècle dernier. Ce violoncelle lui-même au reste était doté de quatre petites vis — plus habiles pour assurer l'accord — mais qui prenaient vie quelquefois tout à coup, cliquetaient ou nasillaient à l'harmonie d'une corde voisine et me plongeaient dans de véritables rages. C'est ainsi que tout à coup je prends conscience d'une erreur que j'ai commise durant toute ma vie, et que je viens de commettre une nouvelle fois, et c'est là en quoi je descends sans nul doute en ligne directe du héros de Grimmelshausen — encore que ce fût de la cornemuse que Simplicius jouait pour effrayer ce qui l'effrayait. J'ai longtemps cru que ce qui m'avait donné la passion du violoncelle et des gambes, c'était l'admirable collection de violes exposées à Mersebourg, et le portrait lui-même du duc de Mersebourg qui avait quelque chose des traits de Jutta. Or cela n'est guère possible et mes sœurs m'ont répété que le violoncelle m'avait été, selon leur mot, « teutoniquement » attribué par papa. Lisbeth avait le violon — dont elle jouait mal —, Luise le piano — dont elle jouait bien —, Cäcilia jouait du violon — mais d'une façon épouvantable, au point qu'on l'avait accordé une quinte au-dessous afin qu'elle grinçât moins et qu'elle pût tenir la partie d'alto —, Marga jouait remarquablement du violon — et surtout possédait, enfant, une voix merveilleuse —, et moi je m'accrochais dès que je sus tenir debout et un peu lire mes lettres et mes notes au quart de violoncelle. C'est au point que je m'imagine que le sixième, s'il avait passé les lèvres du sexe de ma mère, aurait été voué, comme moi-même, au second violoncelle et aurait sans doute fini sa carrière d'adolescent debout derrière une contrebasse. Ainsi ce n'est donc nullement le bruit des bobèches sur les girandoles de cuivre qui m'avait fait abandonner le piano. Nous nous construisons volontiers des souvenirs ou des légendes dans lesquels nous faisons figures de héros volontaires. C'est par l'obligation du second instrument que je pianotais et par la puissance de la coutume qui vouait les hommes de la famille à un orgue dont ils étaient les titulaires. Et le choix du violoncelle, sinon celui des gambes, devenu destin, en tout cas métier, ne fut pas mien.

Je suis très sensible au patois de chaque être, à cette espèce de transaction sonore si complexe entre soi-même, la famille, le lieu, la classe sociale, les langues de l'enfance — sans doute pour avoir passé mes premières années dans une famille qui parlait français dans une petite ville allemande, et qui pis est au sortir de la guerre. C'est sans doute à cette seule circonstance que je dois d'être devenu plus expert qu'un autre — plus musicien attentif qu'un autre — aux plus petites nuances. Mademoiselle Aubier parlait une langue fleurie et désuète. Pour peu que Delphine se servît de ses doigts pour manger : « Oh ma petite Delphine ! s'irritait Mademoiselle, la fourchette du père Adam est maintenant toute salie ! » et elle humectait avec la carafe d'eau sa serviette et essuyait les mains minuscules de l'enfant comme si elle avait peint une aquarelle. Seinecé parlait une langue précieuse et qui n'hésitait pas à être pédante. Même, il multipliait les tours surprenants, rares, rudes, choquants, et interrogeait sans cesse, de façon affectée, en parlant : « Mais peut-on parler de la sorte ? » ne fût-ce que pour sonder les capacités grammaticales de son interlocuteur. Delphine usait d'une langue d'enfant ahurissante et merveilleuse ; Isabelle d'une langue incertaine, comme méprisant d'y être asservie, qui mêlait puérilité, provocation, morgue — Ibelle nous regardant alors avec défi, tendue, suçotant l'intérieur de sa joue. « Bien sûr », nous disait-elle le dimanche soir, furieuse de partir et jalouse peut-être de ne pas nous voir suffisamment attristés de cette séparation, « bien sûr, vous, vous vivez ici une vie de bâton de patachon ! »

Ces intonations, ce type de souvenirs ne bouleversent que soi — et ils sont insupportables chez autrui. Ils ont cet autre inconvénient d'affluer aussitôt qu'on les mentionne, et ils enivrent. Ces traits sont comme les odeurs qui attendrissent chez ceux qu'on a aimés et qu'on ne supporte pas chez des êtres qui sont indifférents. Ainsi tous ces proverbes qu'elle débitait sur un ton péremptoire dans le feu de la discussion étaient le plus souvent dénués de sens. Je me souviens particulièrement — lors d'une discussion sur la guerre du Viêt-nam ou sur l'attentat du mont Faron — d'un véhément « Quiconque meurt par l'épée périra par le feu ! » qui nous avait fait applaudir des deux mains, liesse qui la vexait d'autant plus qu'il lui fallait faire effort pour comprendre de quoi nous riions, sûre de répéter des proverbes d'une tradition aussi irréprochable que connue de nous tous, l'absurdité de ses à-peu-près lui échappant précisément comme échappe nécessairement à l'être qui est parfumé le parfum dont il est porteur. Et ces proverbes stupéfiants — c'était son parfum. Isabelle au sens propre ne mettait aucun parfum. La deuxième fois que je l'ai vue — toujours en mai, me semble-t-il, ou au début de juin, une très chaude journée de mai ou de juin — elle descendait la rue, avec déjà comme une pruine de hâle sur les bras et le visage, les pieds dans des sandales roses délavées ou usées, portant une petite robe blanche coupée déjà relativement haut sur les cuisses. Ibelle tenait un poste de radio marron entre les mains, Mademoiselle Aubier pérorait auprès d'elle. « Vous savez, disait-elle, j'avais mon col de loutre et un très beau chapeau aux teintes lilas semé de feuilles pâlottes, délicieuses, des fleurs qui faisaient beaucoup d'anémie... » Nous ne l'écoutions pas. Isabelle me parlait dans le même temps de Seinecé. Elle avait de plus trouvé le moyen de répéter de travers les sentences très « Troisième République » de Mademoiselle Aubier. « Le chemin de Tout-à-l'heure et la grand-route de Demain — avait répondu vertement Mademoiselle Aubier à Delphine qui repoussait sans cesse l'instant de se laver les mains pour passer à table — mènent au château de Rien-du-tout ! » Sentence qu'Isabelle avait transformée sous la forme sans aucun doute moins mortifère : « Le chemin de Tout-à-l'heure et la grand-route de Demain mènent au château de Pointe-à-Pitre. »

Qui n'a pas connu les années soixante à Saint-Germain-en-Laye n'a pas connu, sinon la douceur de vivre, du moins l'impression de vivre en naissant chaque jour. On entendait au loin Mademoiselle chantonner *Daignez m'épargner le reste...* de Devienne. La nouvelle « cuisine » — c'est-à-dire l'ancien « salon-débarras » du rez-de-chaussée enfin obtenu par Ibelle après de laborieuses et lentes tractations dignes de l'ancienne Constantinople —, mal éclairée, en contrebas, cachée par l'escalier, paraissait pourtant particulièrement chaleureuse, lumineuse. La petite Delphine était des heures à papoter à table. Elle coupait avec attention du pain. Elle faisait glisser jusqu'à elle le pot de beurre, elle l'étendait en une couche épaisse sur ses tartines — confectionnant des espèces de mouillettes qu'elle plongeait lentement dans son bol, examinant les taches dorées de graisse qui s'agglutinaient autour de la cuiller. Delphine se levait tout à coup et coupait sans crier gare la flamme sous la casserolée de lait. Elle craignait beaucoup, je ne sais pourquoi, comme s'il s'était agi d'une chose bouleversante, que le lait bouille et qu'il déborde. Il y avait toujours entre nous, sur la table, des théories de pots de confiture poisseux, de toutes les couleurs, des abricots du jardin, des prunes jaunes, les paquets de bonbons que Seinecé n'avait pas enfouis dans ses poches, les tristes et fades couleurs des coques forestines ou des roses de Provins ou des pralines brunâtres et bosselées. Isabelle se plaignait auprès de Seinecé. En dépit de ses proverbes mal venus ou parfois oiseux, Ibelle pouvait être terrible, d'une langue fourchue et même raffinée dans le fourchu. « Quand je songe à tout, à cette vie auprès de toi, à l'avenir si filandreux que tu laisses présager, à la carence de toute surprise, surtout pas la moindre surprise, mais des filets d'obsessions, mais des herses de manies, je me dis tout à coup : 1° Le soleil qui éclaire ma vie est une lampe de poche, 2° il faut qu'on invente un déodorant pour l'absence d'odeur. » Seinecé répondait d'une voix sourde et rapide en vantant les vertus de travail, de sérieux, de précision des grands hommes obsessionnels mais Ibelle ne l'écoutait jamais et partait, avec une aisance royale, tout en s'adressant à moi si je m'approchais : « N'écoutez pas ce qu'il dit : il est de mauvaise foi », ou encore : « Il maugrée. Laissez-le donc. Laissez-le maugréer. »

Le samedi après-midi, pour peu qu'il fît chaud, elle empruntait une des longues chemises de Florent et ainsi vêtue s'étendait au soleil pour brunir. Ses seins palpitaient sous la chemise. Le glissement des savates sur le carrelage, les cheveux passés sous l'eau de l'évier, les pique-niques dans la forêt ou au fond du jardin, à l'abri des regards pudibonds de Mademoiselle — mais point de la truffe de Ponce —, nous devisions sur l'herbe.

Et d'une certaine manière c'était Bergheim à la mi-août, quand nous revenions de Coutances. Nous tirions dans les buissons des chaises en rotin pour que nos réunions secrètes fussent confortables. Bergheim est une petite ville qui se situe dans une vallée latérale à celle du Neckar, au milieu des champs de vigne, de blé, de houblon, à mi-distance de Bad-Friedrichshall et de Neuenstadt. Dans mon souvenir cette petite ville où j'ai passé toute mon enfance, faite d'églises ou de chapelles romanes, de ruelles en pente, de Christs en bois, de poêles en fonte, de pavés roses — cela me paraissait aussi vieux que la mâchoire de Mauer, que la Vénus de Willendorf ou que l'antilope gravée sur la paroi de la grotte de Kelheim. J'ai sans doute un peu du flegme et de l'ivrognerie souabes. Je ne pensais pas que je retournerais un jour à Bergheim. On me l'aurait proposé, je m'en serais défendu. J'avais fait mienne la haine de ma mère. Dans mon souvenir, cette maison, les chiens-assis, les bow-windows du rez-de-chaussée et du premier étage, vastes baies s'avançant dans le parc, telle une proue de navire, compartimentées, avec des stores qui ne remontaient plus jusqu'au haut — à supposer qu'ils aient jamais remonté si haut —, avec les brise-bise de satin qui permettaient aux adultes de voir, et aux enfants d'espérer de grandir, retenus par les tringlettes de cuivre rouge, les stores rouge et blanc, le grand parc, la mare au fond, en contrebas, c'était vieux comme les chemins, c'était Lascaux. La mare au fond du parc, la Jagst, le Neckar, c'étaient les lacs du carbonifère. On ne pouvait prétendre remettre les pieds dans ces lieux infiniment préhistoriques. Et comment en aurais-je même eu l'idée? Je vivais des temps merveilleux. Le service militaire se terminait et cette période vaine, vile, veule allait être enfin derrière moi. C'était juin — et c'était juin en Ile-de-France. Il faisait un temps d'une clarté et d'une douceur sans pareilles. Je découvrais mes premiers amis. C'était le jardin de l'Eden. Je dormais alors. Je dormais cinq heures, six heures alors, et six heures d'affilée, d'une traite, longuement, sans un rêve...

Sur nos yeux, sans cesse, se baissent et se relèvent des paupières. Entre-temps, sans cesse entre-temps, nous ne voyons pas grand-chose. Delphine poussait une énorme brouette remplie de paquets d'herbes et de pommes piquées des vers : c'était un cadeau d'anniversaire. L'anniversaire de Seinecé tombait le 19 juin. Durant toute son enfance, disait-il, sa grand-mère lui avait seriné qu'on lui avait apporté le télégramme l'avertissant de sa naissance le jour même de l'ultimatum japonais à la France. Seinecé soulevait de terre sa fille et l'embrassait, puis édifiait avec l'admirable brouettée-cadeau qu'elle venait de verser une espèce de tumulus ; alors Seinecé sacrifiait à son génie, versait un verre de vin sur les paquets d'herbes, consacrait aux dieux Lares, consacrait aux dieux Mânes et parsemait le sol de vieilles pralines et de macarons rassis émiettés. Il disposait les paquets-offrandes de Mademoiselle, ceux d'Ibelle, les trois paquets que j'avais eu un mal fou à faire venir de Nevers, et dont ils portaient le cachet. Seinecé était fait d'une même, et sentimentale, et

50

sotte étoffe que moi. Tout ce qui était prétexte à fête, il le fêtait. Delphine grimpait sur mes genoux et s'installait commodément. « Kal ! » me disait-elle et elle me posait d'incessantes questions de sphinge. « Kal, répétait-elle, les poissons boivent-ils beaucoup d'eau ? » Et je devenais très malheureux parce que je ne savais pas répondre. Seinecé défaisait les paquets de façon cérémonieuse, en poussant des grands jappements.

C'étaient d'incroyables monographies, c'était une lampe Second Empire de Mademoiselle, c'étaient des Abyssins, c'étaient des Négus, au chocolat tiède et fondant et dont la robe de caramel dur et brillant avait quelque chose d'un vernis de violon ancien. C'étaient enfin des Lolottes de Nevers — pâtes de fruits onctueuses enrobées dans un sari de sucre dur — qui faisaient la passion de Mademoiselle.

« Ah ! disait-elle, les Lolottes de Nevers ! » Et moi-même, ce qui commençait de m'attirer de plus en plus dans les bonbons, au contact de Florent, c'était l'idée même d'envelopper sous plusieurs couches de sucre successives le noyau ou la vérité, ou le désespoir, ou le désir, ou la faute. Les bonbons font passer une espèce de pilule dont, faute de l'avoir encore perçue du bout de la langue ou croquée, nous sommes légèrement anxieux. Ils sont comme les sonates, les théories, les religions, l'amour, la peur même peut-être — qui sont autant d'enveloppes de sucre plus ou moins sirupeuses ou amères qui vêtent des nudités elles-mêmes plus ou moins enhardies ou frustes. Mais à dire vrai c'est pour cette raison même que j'ai autant de curiosité que peu de véritable goût pour les « bonbons », les « douceurs », les « friandises », les « gourmandises », les « chatteries ». J'aime les gâteaux parce qu'ils ne cachent aucun secret, car ils ne cèlent aucune pilule, tout au plus, rarement — pour peu que le ciel soit dégagé et qu'on puisse suivre une étoile — une fève. En quelque sorte, entre Seinecé et moi la rivalité — qui nous liait aussi bien — c'était la confiserie contre la pâtisserie. Il aimait le poisson — et il aimait pêcher et c'est un peu de nouveau un secret invisible que ne signale que le corps fluet, multicolore et étrange d'un flotteur. Et moi j'ai un goût très vif pour le gibier — et c'est une proie courante, visible, tangible, chaude, saisissable. Et c'était la pêche contre la chasse. Il n'y eut qu'une exception, alors que j'étais enfant, à ce mépris dans lequel je tenais les bonbons. Il s'agissait de boîtes métalliques, et non d'amandes, ni de graines d'anis, ni de cerises, ni de liqueurs soustraites à la vue sous des fourreaux de sucre. Je n'aimais guère la réglisse mais je feignais de l'aimer parce que j'en collectionnais les boîtes — les boîtes venues d'Uzès ou de Toulouse —, leur beauté noire ou rouge, la beauté des boîtes de réglisse Florent, de la réglisse Zan, de la réglisse Cachou-Lajaunie, des perles Loretta, des grains Millet, des perles Athos. Marga et Luise l'aimaient réellement et préféraient à toutes les pastilles quelles que soient leurs formes — bâton-nets, ou cônes qui adhéraient au bout de la langue, ou têtes de Chinois — le bois de réglisse qu'elles mâchouillaient en dépit de tous mes efforts pour les convaincre du contraire dans l'intérêt de ma collection.

Je me souviens, dans la cour de récréation de Bergheim, des quelques camarades qui déroulaient le ruban noir comme endeuillé acheté à prix d'or à Stuttgart — on n'en trouvait guère à Heilbronn, c'étaient les années les plus « noires » en effet — dont le cœur était une perle de nacre. Le ruban de velours lové sur lui-même comme un serpent égyptien me faisait irrésistiblement songer à un archet étrange, recourbé mais incontestable puisqu'à la tête du bouton de hausse l'archetier avait collé et serti le fragment ouvragé d'un déchet de nacre ou de perle.

J'ai conservé cette collection. Dans ces boîtes je range toujours des trésors dignes des galions de Cortés : des trombones de papeterie, des timbres étrangers que j'accumule pour les donner au petit Vinzenz et à Egbert, des pièces de monnaie que je n'ai pas su dépenser sur place en tournées — pence, centavos, shillings, agoros, zlotys...

Mais surtout, lorsque nous étions enfants — et c'était sans doute cela qui exerçait le plus d'attrait —, avant que nous soyons parvenus à la taille des miroirs, le couvercle des boîtes de réglisse nous servait de miroir de poche.

Isabelle faisait fort bien la cuisine encore que ce fût par étonnantes saccades, et le plus souvent à des heures peu opportunes. Isabelle entrouvrait la porte :
« Nous passons à table, criait-elle. Je vous ai fait un jarret, un...
— Mais pourquoi puisque nous sommes invités chez Mademoiselle ?» rétorquait Seinecé.
Isabelle était furieuse, criait, pleurait, tapait vigoureusement dans le dos et sur les épaules de son mari, boudait, reniflait.
« D'accord. D'accord. Vous vous entendez comme cul et police », disait-elle avec des hoquets. Et elle gémissait qu'elle avait mis un soin infini — pour rien, pour des « pruneaux » — dans la confection d'un immense *harnais* de veau aux pruneaux.
Nous cherchions à la calmer. Très vite nous riions. Florent allait passer une chemise et nouer une cravate — nous nous opposions sur ce point : sorti de l'Etat-Major, habillé en « civil », je me refusais au port de la cravate. Mais Florent, devant tout ce qui se nouait, se laçait, se ceinturait, ne pouvait résister à l'attrait, si je puis dire, de l'attachement. — Je me souviens de la lumière très blanche, comme sentant l'estragon ou le laurier. Je me souviens de l'ampoule nue suspendue dans cette pièce du bas — qui avait si peu l'apparence de quoi que ce fût. Ni d'une cave ni d'une cuisine. Je crois qu'on nomme saut-du-loup ces pièces que masque un haut perron. J'accompagnais Isabelle à la cuisine. Elle éteignait le gaz. Un peu de vapeur montait de la marmite posée sur le réchaud à deux

feux. Cela sentait le laurier. Je vois et je sens encore ce filet de vapeur qui avait l'odeur du laurier. Ce que nous avons vécu n'est pas mémorable. Je ne sais pas pourquoi je prends plaisir à noter ces scènes du passé.

CHAPITRE II

Le cabanon
au-dessus de Bormes

Il y a quatre choses que je ne sais pas : le
chemin de l'aigle dans le ciel, le sentier du serpent
sur le rocher, le chemin du navire en haute mer,
le sentier du nom d'un homme dans le cœur
d'une femme.

Salomon

Nous fûmes libérés du service militaire les derniers jours de
mai 1964. Nous en conçûmes une joie intense. Il est possible
que maintenant j'éprouve du regret. Nous avions traversé
seize mois qui nous paraissaient du temps jeté à la poubelle,
au néant. Nous nous étions connus mais l'affection oublie sur-
le-champ le hasard qui a présidé à la rencontre et elle oublie à
jamais — si elle est vraiment affectueuse — le caractère
totalement impersonnel des êtres les plus irremplaçables.
Nous nous séparâmes dans l'impatience de nous enfuir.
Je me remis au violoncelle avec acharnement. Je revendis
un violoncelle d'étude. J'achetai une viole de gambe de
Bocquay. Cäcilia — qui s'était installée avec son mari à
Glendale, non loin de Los Angeles — me prêta de l'argent.
J'achetai d'occasion — pour mille deux cents francs — une
Quatre-chevaux verte. C'était mon rêve. Je retrouvai Jean,
Klaus-Maria, Stanislaus Arraucourt, Madame Clémence Véré

55

— qui me fit rencontrer Madame de Craupoids qui dirigeait l'Ecole internationale de musique de la rue de Poitiers dans le VIIᵉ arrondissement. Il était possible que j'enseigne les violes et — faute de violistes suffisamment nombreux — le violoncelle dès la rentrée universitaire d'octobre. Madame de Craupoids ne pouvait m'en donner l'assurance aussitôt — mais ce livre n'est guère le lieu, et je n'ai guère le goût de parler de ma vie professionnelle, de ma véritable passion. C'est sur quoi je demeurerai toute ma vie sidéré, hébété. Je cherchai un appartement.

Début juin, je voulais exhiber ma Quatre-chevaux. J'allai à Saint-Germain — Florent ne cherchant rien pour se loger avant de connaître l'affectation d'Ibelle et sa propre nomination. De plus je voulais saluer Mademoiselle Aubier. Dans l'excitation de la remise du paquetage et la piaffe du départ, j'avais omis de lui dire au revoir.

C'était une chaude journée de juin. Il était peut-être onze heures. Isabelle, encore en slip et en chemisette, peu réveillée, m'ouvrit la porte.

« Mademoiselle Aubier est-elle là ?

— Salut ! » et elle me tendit son front et je l'embrassai.

« Mademoiselle est au fond du jardin. »

Mademoiselle Aubier immobile sous son chapeau cloche, tenant les yeux fermés, près d'un carré de tomates et de laitues géantes, retenait longuement mes deux mains dans ses mains. Comme si elle priait, elle formait en chuchotant mille vœux sur les années qui allaient venir. Puis papotait.

« Vous avez tort de rester le col toujours ouvert. Vous restez déjeuner. Papa portait des cravates en taffetas pongé qui lui allaient admirablement. Figurez-vous qu'hier j'étais toute dans les brindezingues parce que j'avais égaré mon ruban de cou. Et savez-vous où il était ?... »

Je voyais s'approcher Seinecé. Je cherchais à dégager mes mains et à m'éclipser.

« Ah voilà Monsieur Seinecé, continuait-elle. Eh bien je

vous le donne en mille ! Mon ruban était noué autour du pied de la petite lampe de bateau qui est sur le piano. Vous qui êtes musicien, vous le comprendrez. Un ruban empêche la voix de monter jusqu'aux lèvres... »

Je montrai à Seinecé la Quatre-chevaux. Je lui tendis une boîte de bergamotes Lillig. En prenant place dans la Quatre-chevaux, Seinecé ne manqua pas d'évoquer le char d'Hector mourant sous les coups des Achéens, la brouette de Delphine le jour de son anniversaire l'année précédente, enfin le chariot de son enfance. Je préférais la première évocation. Encore que notant cette page je me souvienne à mon tour des deux brouettes de Bergheim, où Marga me tirait, enfant, dans le parc — le bois épais, foncé, usé, doux, la roue cerclée de métal et ses cris déchirants, les longerons telles des barrières immenses, le fond enfin un peu poreux sentant la terre ou les feuilles mortes humides. C'était un jeu auquel nous jouâmes tard. Dix ans me séparaient de ma sœur aînée, Lisbeth. J'étais pour Lisbeth ou pour Luise un baigneur avec lequel on s'essayait à être mère. Et je n'y répugnais pas. Mais je préférais user de la brouette comme d'un camp retranché, ou comme d'un tank rassurant, ou en me laissant tirer en diligence par Marga.

Seinecé aimait les bergamotes. Et c'est vrai que c'était beau dans la lumière — Seinecé étant assis sur l'aile de ma Quatre-chevaux, le couvercle dans la main gauche — ces petits bouts de verroteries jaunes et translucides et cassantes, avec ce secret de poire, ce complot de poire qui les hante et qui en embarrasse peut-être parfois le goût. « Bonbon, marmonnait-il, cela veut dire deux fois bon ! Jadis on les nommait baisers de mère ! » Et ce « baiser de mère » paraissait une notion très étrange et très drôle, et constituer comme un cercle carré, comme un magnifique verger normand dans le désert de Libye, comme une Quatre-chevaux verte pénétrant dans Troie assiégée et s'arrêtant aux pieds du roi Priam.

Isabelle et Florent Seinecé partirent pour Lons-le-Saunier, confièrent Delphine aux parents d'Isabelle, puis partirent tous deux pour l'Irlande. J'emménageai dans le VIe arrondissement. Stanislaus Arraucourt quittait Paris pour deux ans et je repris son trois-pièces rue du Pont-de-Lodi, au deuxième étage, où il était malcommode d'étudier parce qu'un voisin fou posait cent exigences : il appréciait les arpèges mais ne supportait pas les gammes ; il affectionnait les tempos rapides mais tapait sur son radiateur et menaçait de tuer sitôt qu'un morceau était marqué au coin de la lenteur et de la tristesse. Il était sympathique, sujet à des crises de persécution tout à fait terribles — accompagnées de hurlements déments — et portait le nom de Laineux.

André Valasse, en guise de cadeau de crémaillère, m'apporta un petit de sa chatte — m'offrit Didon. C'était un petit chaton noir, extrêmement apeuré et frissonnant. Je me souviens de Didon minuscule, cachée sous un petit crapaud, hissant le museau hors des franges, lorgnant vers les assiettes que je multipliais autour d'elle afin de l'amadouer, et se dérobant de nouveau. Puis cachée derrière le piano, défripant sa fourrure, se léchant la patte, s'interrompant sans cesse, avec beaucoup de réflexion, pour me regarder. Didon mit du temps pour me trouver passable. Il me semble que je la comprends. Moi-même j'y ai mis un temps infini.

Isabelle et Seinecé revinrent à la mi-juillet et repartirent avec Delphine pour une petite maison — un petit cabanon de deux pièces, avec deux appentis qui avaient été aménagés en chambres sommaires — que possédait la mère de Florent à Bormes. Je devais les rejoindre au courant du mois d'août. J'étais à Paris quand Groy m'appela. Venait de paraître à Bonn la grande biographie d'Antonio Stradivari par Sthull. Ferdinand Groy dirigeait alors aux Editions Gallimard une collection de musique. C'est ainsi que pendant vingt ans — en plus de ma propre vie de musicien — j'ai traduit pour le compte de trois ou quatre éditeurs des biographies anglaises ou allemandes pour leurs collections. Les Editions Gallimard me donnèrent un à-valoir qui me parut mirifique (j'avais vingt et un ans) pour la traduction du Sthull, avec quoi je m'empressai de rembourser, auprès de Cäcilia, l'argent qui m'avait servi à l'achat de la vieille Quatre-chevaux verte.

J'étais aimé des dieux. Madame de Craupoids me convoqua rue de Poitiers, où était située l'école de musique. C'était un vieil hôtel nettement ruineux et noir de l'époque classique. Je ne sais pourquoi il m'éblouit. On voyait — on voit toujours — par la porte cochère à demi ouverte sur la rue — toute proche de la rue de Verneuil —, au fond du long et sombre corridor qui perce l'hôtel, le petit rectangle vert et lumineux du jardin qui luit, lointain, sous la lumière du jour. Les passants, comme ils le voient au terme du corridor, s'émeuvent et suspendent un instant leur pas. Nous nourrissons peut-être tous une nostalgie de jardin. Seinecé disait que, quoique sa famille comme lui-même fussent citadins depuis quatre générations, il éprouvait un sentiment semblable. Il semble qu'un arbre, ou la couleur verte, ou quelque chose d'enfin inhumain, de naturel, quelque chose qui ne s'éloignerait pas de la vue de la nudité, le béton étant une espèce d'immense vêtement ou d'armure, quelque chose de menu, grand comme l'enfant dans l'enfance, quelque chose qui va du jardin au bouquet, procure un minuscule plaisir pour ainsi dire au sens propre.

Le rez-de-chaussée était très sombre, du fait de l'étroitesse des murs rajoutés au XIXe siècle dans l'hôtel et parce que les escaliers, les couloirs et les renfoncements qui donnaient sur le corridor étaient dépourvus de fenêtres. A mesure que l'on montait tout devenait plus hospitalier, plus clair. Une haute fenêtre versait largement, continûment les rayons de soleil sur l'escalier carrelé de petits losanges de marbre usé, presque jaunes sous la lumière. Les cinq fenêtres de la salle où les cours de violoncelle avaient lieu le plus souvent donnaient sur de beaux jardins découpés, séparés par des espèces de claies en bois ou de grillages couverts de lierre, qui formaient des petits jardins tout à fait curieux au cœur de Paris — ou du moins du VII⁰ arrondissement —, silencieux, égoïstes, cachés, délicieux. Année après année — du moins durant les dix-neuf années où j'ai enseigné à l'école de musique de la rue de Poitiers — les citadins, dans la peur de la terre, des mousses, des bestioles, de la boue et des herbes, les tailladèrent, les gravillonnèrent. Ce qui était le plus surprenant à mes yeux, c'est qu'ils étaient vides de toute personne, même l'été, et pour ainsi dire n'étaient jamais animés, fût-ce du bourdonnement d'un enfant.

Le minuscule jardin derrière l'hôtel de la rue de Poitiers, à chaque fois que je passais le vaste battant de la porte cochère, à chaque fois que je faisais glisser ma viole tout d'abord, puis à chaque fois que je posais le pied sur le montant de la porte — à chaque fois s'agitait et se réveillait en moi le souvenir du jardin de derrière, à Regnéville où, enfants, nous passions les mois d'été, près de Coutances, dans les roches, ou sur les prés salés, ou sur le sable de la plage immense, et remontant enfin à la maison au haut du vieux village. Là, de même, au terme d'un long corridor central, on voyait un brusque morceau de lumière intense. A main gauche trois caves où étaient entreposés les bouteilles de vin, le matériel de peinture, les filets à papillon, les boulets d'anthracite. Sur la droite une porte vitrée où les carreaux mal fixés étaient sonores. Je levais en m'y reprenant à plusieurs reprises un loquet très dur — j'avais quatre ou cinq ans — obturé de repeintures ou de rouille : je pousse la porte elle-même très légère et tintinnabulante et c'est un jardin, des pêchers sauvages, des herbes hautes, un saule. Des jasmins. C'est le lieu le plus intime de la terre. C'est le noyau du monde. Des petites fraises des bois et des petits escargots jaunes. La chaleur, le bourdon des abeilles, un banc fait de lattes où le bois est à nu et gonflé, une toile d'araignée immense qui allait du laurier au lierre sur le mur. Je suis le premier de mon espèce posant le pied dans ce monde. C'est l'Eden.

Je suis ombrageux et gourmand, gai en société, incapable de la moindre confidence, passionné d'être seul. J'aime la lecture parce que c'est la seule conversation à laquelle on peut couper court à tout instant, et dans l'instant. J'aime peu le sommeil, gouffre qui a partie liée avec la mémoire. Je suis musicien autant qu'il s'agit de jouer de la musique. J'aime aussi un peu la musique lue. L'audition m'en est insupportable, assis à ne rien faire, les mains ballantes, terrifié à l'idée de m'effondrer en sanglots. J'ai pris plaisir à l'enseigner aux enfants — plus qu'aux adultes à vrai dire — outre le revenu que j'en ai retiré. Leur visage, leur maladresse, leurs mollets et leurs genoux souillés, leurs mains minuscules, blanchies sous l'effort, tachées d'encre, leur regard anxieux et immense comptent parmi les choses qui sont belles. Au cours de la leçon j'oubliais totalement la présence de leur mère ou de leur grand-mère ou de leur bonne assises sur une chaise, au fond de la salle, dans mon dos, la tête avouant l'endormissement ou feignant l'extase. J'aimais le regard un peu effrayé d'un enfant quand, au début de la leçon, je lui faisais jouer longuement et fortement, avant l'accord, les cordes à vide. Une de mes premières élèves s'appelait Madeleine Guillemod et elle avait onze ans, les ongles rognés, les mains et les joues griffées par un chat, les cuisses couvertes de bleus et elle était sujette à la moindre remarque à de brusques crises de larmes ou, tout à coup, à des crises de fous rires qui ne trouvaient pas de fin. Parmi les êtres à qui je parle volontiers sans réserve et longuement, et de qui j'attends beaucoup d'attention, il y a les chats, et même les chats de gouttière pour peu qu'ils ronronnent et qu'ils chassent les mouches. J'avais Didon.

61

J'étais heureux. Il semble que les instruments à cordes soient capables de la plainte, mais point du principal de l'émotion humaine : le râle et les glapissements. Mais si je préfère le son d'une corde à vide à la voix d'un être humain, je préfère le regard d'un chat au son d'une corde à vide par le silence où il verse et la cruauté et la solitude sans rémission qu'il remet en mémoire — et qui me faisaient excuser mes propres désirs. Mais je préfère encore une tartelette aux prunes ou un macaron de Nancy au regard d'un chat, fût-il venu de Perse, fût-il tigre.

Encore que les tartelettes aux quetsches ou les macarons de la rue de la Hache à Nancy — les macarons du Saint-Sacrement, ceux qu'Emile Gallé rejoignant les frères Daum dévorait — ne constituent pas à mes yeux la huitième merveille du monde. Peut-être la neuvième dans la mesure où je serais volontiers porté à ajouter au tombeau du roi Mausole la musique de Bach et que j'hésite à conserver à pareille place le phare d'Alexandrie — qui me semble à certains égards peut-être moins beau et moins troublant que, par exemple, une crucifixion dénudée, orageuse et sanglante, sur une colline, au début de notre ère.

Je suis aussi maigre que vorace. Les plaisanteries ne manquaient pas, enfant. J'étais le seul garçon, et violent, et tyrannique. Dès que j'étais assis à table mes sœurs riaient, persiflaient : « Karolus magnus ! Salut l'empereur ! Regardez, les filles ! Karl der Grosse qui s'empiffre dans son palais d'Ingelheim ! » — et bien sûr, humilié, l'humiliation m'affamait, et à proportion qu'elles brocardaient mon appétit, je redoublais la portion de Spätzle.

Au cours du mois de juillet 1964 le temps fut des plus chauds. Le dimanche, parfois — Mademoiselle Aubier n'avait pas le téléphone et il n'y avait pas moyen de l'avertir qu'on passerait la voir — j'allais à Saint-Germain-en-Laye. Pingrerie ? Pudeur ? Mademoiselle ne m'offrit jamais de rester coucher. Nous regrettions Seinecé et Isabelle partis en Irlande — j'avais reçu deux cartes postales sans un mot, simplement signées, et elles sont toujours sous mes yeux, ici, punaisées au mur — puis remontés depuis quelques jours à Prenois et au dépôt de Beaune. « C'est loin, disait Mademoiselle. C'est à la cabane Bambou !» Il n'écrivait pas, lui qui parlait tant. Nous étions au jardin. Mademoiselle attachait sous le menton le ruban de sa cloche de jonc car, même à l'ombre, elle craignait le soleil. « Oui, Monsieur Seinecé parle, parle... Comment dire ? Comme une moulinette ! disait Mademoiselle Aubier. Je me dis à part moi quelquefois : mais à quoi cherche-t-il à se dérober, pour parler tant ?»

Je fis remarquer à Mademoiselle que s'exprimer n'était pas nécessairement se dérober.

« Oh mon ami, me dit-elle. Comme vous êtes jeune ! J'ai hélas une bonne dizaine de lustres de plus que vous et je me suis fait cette opinion raisonnable et inutile : ceux qui parlent beaucoup s'encapuchonnent et ceux qui se taisent beaucoup ont les pieds dans l'eau.»

Nous rejoignions le perron. Mademoiselle Aubier s'appuyait à son en-cas. Je contemplais à mes pieds les premières marches circulaires. Je songeais que les architectes appelaient âme la partie usée et creuse de la marche. Les âmes du perron de Mademoiselle Aubier étaient étrangement étroites, profondes et grises. Un même petit pied avait traîné là depuis des siècles. En musique le mot âme a un sens différent. Ainsi les violes ne possèdent pas d'âme, ou si rarement. On appelle âme ce mince cylindre de bois coincé à l'intérieur des instruments à cordes entre la table et le fond, à hauteur du chevalet, où s'exprime toute la pression des cordes tendues. Le luthier glisse l'âme à l'aide d'une petite lance appelée « pointe à âme » qui a la forme d'une *s* majuscule. Quelle était ma pointe à âme ? Ou quelle peur lui avais-je substituée ?

Il faut convenir que le violoncelle est un objet transitionnel qui ne compte pas parmi les moins encombrants. Un bout de couverture, un mouchoir ou un ours en étoffe de peluche sont peut-être plus éloignés du délire. Mais plus que celle des instruments à cordes, c'est l'invention de l'archet qui me paraît répondre à un saisissant délire. Pourquoi songer à frotter l'arc avec un arc ? Pourquoi redoubler l'arc ? Ainsi ces lancinantes cigales éternelles — ou du moins qui ont précédé l'homme et qui lui survivront — raclant leurs élytres sur leur résonateur — mais présentant cet avantage sur moi de ne pas en faire des disques. On prend un arc à crins et on frappe sur un arc à boyaux. Voilà à quoi j'aurai passé ma vie. Dans la musique baroque — celle dont je me fis peu à peu une spécialité — l'archet, arrondi comme un arc d'enfant, est tenu le dos de la main tourné vers le bas et c'est à volonté qu'on modifie la tension des crins avec les doigts. L'arc qui porte les boyaux a prélevé ses boyaux sur une chèvre morte. L'arc qui porte les crins a prélevé ses poils sur la queue d'un cheval sauvage. Qu'as-tu fait de ta vie ? J'ai frotté un poil de cheval sur un boyau de chèvre.

L'orgue de Bergheim était tout le contraire et souvent je croyais le trahir — trahir la quinzaine de Chenogne qui en avaient été les titulaires. Mais l'orgue ne m'a jamais paru tout à fait s'adresser aux hommes ni tout à fait convenir à la musique. C'est le seul instrument que je sache qui cherche à noyer, qui est inaudible sous une forme enregistrée, s'adressant moins à l'auditeur qu'au lieu ou à Dieu, océan sonore qui dès la première vague engloutit, envahit irrésistiblement, emplit impérieusement jusqu'aux voûtes — et dont l'écoute ne semble jamais à proprement parler humaine et individuelle.

Pourtant cet orgue peu prodigieux de l'église de Bergheim, nous l'avions tenu trois cent dix ans, pour peu qu'on distraie du compte quelques titulaires de remplacement, sept ans ici, trente ans là, le temps qu'un fils ou qu'un neveu grandît, ou le temps d'un contrat de Kappelmeister. L'église du bas — dont nous avions possédé l'orgue — était très belle et très laide, tout à la fois, un peu de bric et de broc, avec une nef poitevine du XIIIe siècle et un fragment de déambulatoire — une vingtaine de mètres — qui aurait été exécuté par un atelier parisien. La façade datait du XIXe siècle — c'est-à-dire dans le style Louis XVI. A gauche en entrant il y avait une grande toile bitumeuse, nettement sadique — un Christ aux outrages qui m'effrayait enfant. Il faut avouer qu'il y a devant cette toile une Bethsabée maniériste d'Ignaz Günther dont la beauté et l'impudeur sont bouleversantes.

Mon grand-père avait quitté Bergheim en 1871 après la décision de Versailles, quand l'Alsace, le Bade, la Lorraine, le Wurtemberg et la Bavière furent soumis pour la première fois de leur histoire à la Prusse. Mon père était, comme moi-même, français. Il était né à Paris, avait fait faillite à Condé — pas très loin de Coutances et de Caen — dans les années vingt. C'est alors qu'il avait rejoint Bergheim et repris une usine chimique près de Heilbronn. Lors de l'effondrement du mark, il avait quitté Bergheim puis il avait épousé ma mère à Paris — lui prêtant serment qu'il ne remettrait pas les pieds dans le Wurtemberg — et il avait joué un rôle important dans la Résistance, dans le réseau Centre-Ouest. A la Libération il avait suivi les troupes françaises en Allemagne, avait rejoint, après Potsdam, Bergheim, avait racheté à tante Elly la maison familiale et le parc mais non la ferme qui y attenait, sans que j'en sache beaucoup plus, profitant je ne sais comment de la dénazification.

Ma tante Elly était aux abois. Son mari était mort sur le front en juin 1944, sous les balles américaines, en Normandie. Elle avait à charge trois enfants plus âgés que nous. A vrai dire mon père fit de très nombreuses et très fructueuses affaires immobilières durant l'immédiat après-guerre. Il mourut brusquement, d'une crise cardiaque, en 1957, à l'âge de cinquante-cinq ans. Il était grand invalide de guerre pour faits de Résistance. Ma mère vécut près de deux ans avec nous en Allemagne — jusqu'en 1947 où elle revint en France définitivement. Mes parents divorcèrent en février 1949. Maman se remaria en mars 1949 mais, dès 1947, maman nous avait laissés à tante Elly. Maman est morte très jeune, du cancer du poumon. Elle fumait plus de deux paquets de cigarettes anglaises par jour. C'était en 1962, à l'âge de quarante-neuf ans, à l'hôpital Necker.

Mon père en 1945 était le Pharisien, le saint Vincent de Paul, le Parrain de Bergheim. A lui le Seigneur n'aurait su demander : « Qu'as-tu fait de tes talents ? » Il reconstruisait, il assistait les réfugiés, il essuyait les larmes des veuves, il vêtait un peu les orphelins, il prêtait à mauvais compte, il redistribuait les dons internationaux et rachetait les terres des morts et des affamés. Heilbronn, Stuttgart, Bergheim, c'était une détresse humiliée et que la honte rendait silencieuse. Autant en luttant contre la Wehrmacht mon père luttait contre la Prusse, autant en organisant les secours et en revenant dans le Wurtemberg — en se précipitant dans le Wurtemberg — il cherchait à se dédouaner ; il cherchait à se laver du sang wurtembergeois — et en partie familial — qu'il avait fait couler. Aussi parce que la charité est une bonne affaire. Aussi parce qu'il lui répugnait de passer du maquis au civil, et lâcher les armes sans quelque transition qui ait encore un peu de l'ivresse ou de la solidarité ou de l'impunité guerrière. Aussi peut-être cherchant à fuir la souffrance en bougeant, en travaillant — ma sœur Lisbeth parle encore de ses évanouissements subits qui les épouvantaient, elle et Luise. Il avait perdu un morceau de poumon et avait été trépané en 1943.

La légende familiale voulait que les Chenogne aient résidé à Bergheim dès 1675 — alors que Turenne mourait dans les bras de Grimmelshausen, à Reuchen. A la vérité le premier témoignage que l'on ait conservé de leur présence date de février 1761 où un Friedr. Chenogne, musicien de M. Philippe de la Guêpière, est arrêté et condamné — malgré un désistement de plainte — à une forte amende pour une rixe dans l'auberge de Bergheim. Philippe de la Guêpière est autrement connu que Frédéric Chenogne. Il quitta à cheval la cour de Lorraine de Stanislas Leczinski et se présenta à la cour de Wurtemberg. Il construisit Monrepos. Il construisit Ludwigsburg. Il construisit Solitude. Le nombre de fois où mon père et ma mère — en pèlerinage, ou plutôt avec le dessein de flatter les goûts français de maman — nous entraînaient en bateau contempler les quatre cent cinquante-trois ou les quatre cent soixante-trois pièces de Ludwigsburg, l'exposition des Floralies, l'immense jardin à la française, le parc de la Favorite, le Schwetzingen de Nicolas de Pigage, le « plus beau parc français du monde » noté sur un écriteau peint en gris, « où Mozart..., où Voltaire... » C'était encore le château de Monrepos que nous préférions : nous avions le droit de louer des canots sur le lac. Ce nom, d'ailleurs étonnant, de Philippe de la Guêpière a tellement lanciné mon enfance qu'il est parvenu à me donner du dégoût pour Versailles même.

Mon père disait : « Jusqu'au désastre de Sadowa, le duché s'est toujours battu contre la Prusse. Le Wurtemberg appartient aussi bien à la France que l'Alsace, la Corse ou la Lorraine. Tout le reste est une invention de la Galerie des Glaces ! » Mon père, qui comme tous les héros avait récrit l'histoire en sorte d'y être héroïque, ce que, au demeurant, en vieillissant, je trouve non seulement inévitable mais, de plus, légitime (Mademoiselle Aubier aurait sans doute dit à cette occasion, avec la précision tout à la fois attendrie et cruelle qui la caractérisait, que chacun a le devoir de beurrer sa tartine), estimait et ressassait qu'en 1919 la France avait failli. Qu'en ne reprenant que la Lorraine et l'Alsace, on avait lâchement abandonné à l'Allemagne du Nord Palatinat et Sarre, Bade, Wurtemberg et Bavière alors que toute leur histoire les opposait — quoique pour être tout à fait exact il eût fallu convenir que leur histoire les opposait tout autant à la France. Je ne voudrais pas laisser entendre que les états de service de mon père dans la Résistance lui avaient quelque peu dérangé la tête, mais je suis persuadé que s'il était entré parmi les premiers dans les maquis de l'ouest de la France c'était par une vieille haine recuite antiprussienne, antisaxonne et anti-parpaillote, et qu'il avait en partie bataillé contre les nazis avec le secret espoir d'une Souabe vengée, ou indépendante, ou neutre, ramassant de nouveau dans l'écume, les détritus et l'ordure de la guerre, si je puis dire, les petites figurines stylisées du lion et du cerf des Wurtemberg.

Le jardin de Bergheim était très grand et montueux. Nous pêchions dans la Jagst. Mon père, au début des années cinquante, acheta un local à Stuttgart mais ses bureaux étaient installés à Heilbronn dans un grand dépôt d'une usine chimique qui avait été dévastée.

Je me souviens des pavés roses de la ruelle pour monter jusqu'à la maison, les petites maisonnettes anciennes à pans de bois, la fontaine rococo. En bas c'étaient l'église de la Trinité et le beffroi. En haut il fallait longer l'église paroissiale protestante et alors c'étaient les pavés roses, la petite porte du bas, au terme du parc, et les buissons.

Je consulte mon petit carnet-agenda d'alors — mon premier agenda. Je vois que dès le 2 août 1964 je rejoignais Florent et Isabelle en Provence, au-dessus de Bormes, dans la vallée du Dom. C'est la première fois que je découvrais la mer Méditerranée et je fus ébloui par ce petit cabanon — si sommaire qu'il fût, dépourvu d'eau courante, dépourvu d'électricité et de gaz. Ce n'était pourtant qu'un petit cabanon grossier et banal qu'on entr'apercevait entre les pins d'Alep, entouré d'appentis, dans les lauriers-roses, dans le chant incessant des cigales — les cigales noires aux cinq yeux, ces insectes que Dieu a conçus pour nous détourner de la musique — avec un bougainvillier un peu ridicule qui cherchait à couvrir les montants de la porte.

Dans le jardin il y avait deux aloès — dont j'essayai durant plusieurs jours de tirer une décoction qui se révéla imbuvable. Extraordinaire jardin romantique, avec des roches sombres pleines de paillettes de mica, des lentisques, des mimosas, un bosquet de pins parasols et de pins d'Alep près de la petite maison et, outre les deux aloès, le seul pamplemoussier que j'aie jamais vu.

On dévorait des courges, des loups, des seiches, des aubergines, des kakis, des poulpes, des grenades. Delphine se gavait de raisin, après l'avoir longuement lavé. Elle craignait que des guêpes ne se cachent entre les grains. Cette peur la hantait.

On descendait se baigner au Lavandou ou au Layet, parmi les fleurs. Beaucoup plus tard on m'a dit que le petit village avait été rebaptisé sottement, dans les années soixante-dix, Bormes-les-Mimosas — un peu comme si l'on disait Paris-les-Crottes-de-Pigeon ou Le-Mans-les-Rillettes. J'avais apporté des nougats de toute sorte et des boîtes de pastilles rondes à l'anis de l'abbaye d'Ozerain. Je connais bien l'abbaye Saint-Pierre-de-Flavigny à Ozerain, juste en face de la colline d'Alésia, et qui la domine — et où

Seinecé eût certainement entr'aperçu, par temps clair, Vercingétorix au loin fumant sa pipe de terre de Givet.

Nous mangions des pommes de moisson. Nous riions. Nous allions dans les pâtisseries, aux primeurs, au port. La Quatre-chevaux fouinait, cherchait des criques sous les pins, comme un chien-truffier des truffes sous les chênes verts. Nous errions, nous jabotions sans finir.

Aux murs il y avait de niaises gravures de Beardsley. Dans l'appentis-bûcher où je couchais, il y avait une gravure assez belle intitulée « Chien jouant à chasser une mésange », à côté d'un sinistre miroir à triple face pour se raser. Par terre, un carrelage rose. Que le carrelage est froid pour les pieds nus de l'enfance, pour peu que le souvenir, quelque âge qu'on ait, envahisse si vivement le corps sitôt qu'on se dévêt ou qu'on se lève. Carrelage pareil à une vitre prise de givre, à un miroir, à un iceberg — quoique cette expérience à vrai dire me fasse défaut.

Quand j'étais arrivé — j'avais roulé toute la nuit —, Delphine était accourue, Delphine bronzée — ou du moins sa tête rouge, sa tête comme façonnée en grès rouge de Strasbourg — et s'était emparée de Didon. Elle avait de grands yeux bleus, comme sa mère, la bouche badigeonnée de sucre d'orge à la bergamote. Elle avait trois ans et demi, les mains griffées, coupées, les doigts noirs. Elle posa Didon terrifiée par terre et me montra avec gloire une estafilade, ou du moins la croûte d'une estafilade à sa cuisse.

Puis Ibelle était arrivée, enveloppée d'une chemise de Seinecé, encore frileuse du sommeil dont elle sortait à peine.

« Sacristie de sacristie ! disait-elle en bâillant. Déjà là ! Votre Quatre-chevaux est une Talbot-Lago ! »

Je jette ces notes au hasard. Il me semble que je restitue au chaos de toutes choses mon sort, des bouts de vie. On jette des cacahuètes aux petits sapajous, des poissons dans la gueule des ours. Delphine me montra comment elle s'y prenait pour tuer des moineaux avec un pistolet à flèches. Ibelle lisait les pieds levés sur la table du jardin, une jupe si étroite et si brève troussée — on appelait ces nouvelles espèces de jupes que la mode de l'année avait lancées, des « minijupes » — découvrant les cuisses très longues et jeunes, minces, noires de hâle. Ou bien la silhouette d'Ibelle se découpant sur ce qu'on nomme en France, je crois, le « châssis dormant » de l'unique fenêtre du cabanon, à droite de la porte qui était seule à éclairer la cuisine.

Au Lavandou Delphine aimait construire des ruines, des pâtés effondrés, des tombes rongées par les millénaires, des caravelles infiniment naufragées et tordues — dans le sable, à nos pieds — belles comme les drakkars dans les tombes d'Öseberg ou dans les ports de basse Seine cédés par le roi Charles — ou Karl — au célèbre Viking Rollo.

Je me souviens de l'odeur insupportable de l'essence de géranium qu'Ibelle versait dans des coupelles, déposait sur les tables, dont elle enduisait le corps de Delphine, dont elle arrosait les pas de porte du cabanon et des deux appentis, sur le prétexte que l'odeur de géranium rebutait ou effrayait les moustiques. — Je devais être un peu moustique, sinon amateur de sang, détestateur de géranium. Je ne supportais pas cette puanteur et fumais à proportion. Je fumais — c'était là une séquelle du service militaire — des paquets de Gauloises civiles. Alors le paquet valait un franc trente-cinq. J'ai la mémoire des pingres. Mais Isabelle ne m'inspirait pas que de l'irritation. Le soleil de l'Irlande puis de la Provence l'avait brunie au point de lui donner la couleur des violes de gambe allemandes, teintées à la terre de Cassel et au rocou. Seinecé mettait au point un travail sur d'étranges têtes médusées, mises au jour dans une caserne de Cahors. Nous bavardions longuement — pendant que Delphine tenait de grands discours aux oiseaux en hurlant et en lançant vers eux des flèches au bout en caoutchouc et qui ne les atteignaient jamais.

Il me semble que nous faisions la vaisselle. J'avais les mains plongées dans une vieille bassine. Isabelle récurait une poêle et nos bras nus se frôlèrent. Comme nous cherchions à nous dégager, nos cuisses se touchèrent et la gêne entre nous s'accrut. J'étais en chemisette blanche. Ibelle me prit tout à coup le coude. Elle me regarda. Nous étions immobiles. Puis elle ôta sa main et quitta brusquement la cuisine. A l'instant où j'écris cette scène, le cœur me bat encore. Tant il est vrai qu'il est des confidences qu'on n'est guère impatient de poursuivre. Je me souviens que ma sœur Lisbeth avait donné à Marga une petite cuisine en fer-blanc, les ustensiles devenus un peu bancals avec le temps étaient réduits à la taille d'un plumier de bois. J'en étais fort jaloux. Je m'asseyais dans sa cuisine, entouré de casseroles, de cuisinières et de planches à repasser. Les proportions étaient peu respectées. J'étais très intrigué par la légèreté et par le froid et par le son du métal.

Il me semble que je revois la scène suivante comme confondue à celle que je viens de décrire — à ces scènes de cuisine. Ce fut plus tard.

« Où est passé le broc ? » demandais-je à Delphine, et à Didon. Didon refusait de sortir de l'appentis-bûcher qui me servait de chambre. J'avais égaré l'arrosoir je ne sais où, je ne sais dans quel massif. Je lui avais substitué un vieux broc faïencé vert et blanc, cabossé, dont la faïence était éclatée. J'avais promis à Seinecé d'arroser les fleurs — nous avions omis de le faire la veille au soir. J'étais donc chargé d'une libation rituelle inventée par Seinecé en l'honneur des dieux personnels qui entouraient la terrasse.

Je trouvai le broc vide et je partis vers le puits, derrière le

72

potager, accoté au mur de levée. Je passai les mûriers avec précaution, les ronces se mêlant par terre aux orties. Ibelle, toujours dans une chemise de Florent, tenant une tartine de beurre à la main, la couvrait de mûres.

« Charles, où allez-vous ? me demanda-t-elle.

— Bonjour, répondis-je.

— Ça ne serait pas mal si je faisais un petit coulis ? me dit-elle. Que penseriez-vous d'un petit coulis de mûres ?...» répétait-elle en réfléchissant.

Je passai les chèvrefeuilles et longeai le mur. Je plaçai le broc sur le rebord un peu gluant de la margelle, sous la gorge de la pompe. J'appuyais sur le levier de la pompe, et c'était un grand cri rauque, essoufflé et déchirant. L'eau était lente à venir. Des gargouillements et des cris qui faisaient tressaillir en moi je ne sais quels souvenirs de Regnéville ou de Bergheim. L'eau était appelée peu à peu et tout à coup la gueule ouverte de la pompe la recrachait avec violence. L'installation était vieille, le levier était dur à mouvoir, semblait résister à aller et venir. L'eau coulait par brusques crachées glaciales, giclant dans le broc, éclaboussant les jambes. Pendant que j'actionnais la pompe je sentis tout à coup qu'une main était posée sur mon épaule. Elle était posée près du cou, pendant que je m'évertuais. Et la main pesait : il me semble maintenant que, refusant tout d'abord de comprendre, je regardais la buée s'étendre peu à peu sur le métal de la pompe, envahir la faïence verte et éclatée du broc. Le corps, la présence du corps d'Ibelle soudain, sa main, le poids de sa main — je me retournai. Je lui pris les mains. Je l'embrassai. Nous nous embrassâmes. Du moins les lèvres prodigieusement sèches, comme si toute salive avait été ôtée de nos bouches, comme si nous avions été des êtres morts, nos lèvres se touchèrent et nous baisâmes le vide. Je reculais — ou du moins, la tête tendue en avant pour l'embrasser, je repoussais le corps d'Ibelle. « Non ! » disais-je et je cherchais à l'embrasser. Elle était nue sous la chemise et — comme je

73

l'agrippais pour l'éloigner — je voyais la fourrure de son sexe. « Non », répétais-je. Et plus que tout je redoutais qu'elle baissât les yeux et remarquât le trouble physique où ces baisers me mettaient. Je voulais m'enfuir. Autant je cherchais à m'éloigner d'elle, autant j'imaginais qu'elle cherchait à se blottir contre moi. Je la repoussai plus violemment et j'oubliai le broc. Je m'enfuis en courant.

Je courus. Je m'arrêtai au coin du raidillon — du moins du chemin qui montait jusqu'à Bormes. Dans le chemin — à l'instant où le chemin devenait ruelle — un vieil homme cadenassait une grille. Il s'approcha à pas lents, vacillant, passa devant moi. Il était très vieux. Il me cria à tue-tête :
« Vous avez vu, les gars de la mine de Champagnole ? »
Je reprenais souffle. Je lui dis — en haletant un peu — combien je trouvais cet accident effrayant. Puis je lui disais au revoir. Je m'apaisais. J'allai au café — quoique je n'eusse pas d'argent sur moi et qu'il me fallût laisser ma montre comme un gage pour pouvoir avaler un cognac, puis une bière. Je me souvins, à Bergheim, dans le parc, après l'allée des marronniers et les taillis, de la mare protégée par les joncs. Elle regorgeait d'hydres d'eau, de têtards. Paula était fascinée par la mare. Enfant, la petite Paula — mes sœurs l'appelaient « Popo » pour me blesser, ce qui en allemand est la dénomination pudique et enfantine pour désigner le derrière — m'aimait, ou aimait la mare du parc. Je m'étais volontiers infatué de l'idée qu'elle me courait après : elle voulait tous les dessins que je faisais. Elle voulait toujours me toucher la main. Sur le bord de la mare, tous deux debout, en duffle-coat grisâtre, ç'avait été le même baiser de lèvres sèches. Et ç'avait été la même rancune devant ce baiser qui choquait le puritain effarouché et despotique qui régnait en moi.
A dire vrai je ne suis plus si sûr que ce fût près de la mare du

74

parc qu'eut lieu ce premier baiser de lèvres sèches — outre le danger que représentaient tante Elly ou Fräulein Jutta. Peut-être était-ce sur le chemin de halage. Visiblement je ne souhaite pas évoquer trop longuement les scènes de Bormes, les scènes d'Ibelle. Quand on passait sur le chemin de halage et à chaque fois que tante Elly voyait un pêcheur, c'étaient de grands gestes et de terribles regards noirs meurtriers en sorte que nous nous taisions et que nous n'alertions pas le poisson — si bien que les pêcheurs à la ligne, bien plus que les cathédrales, les églises, les temples, aussitôt me poussent au silence, à un silence impératif, atroce, tyrannique, et me plongent dans la culpabilité à l'idée de le rompre, au point de ne plus oser marcher, ni respirer avant d'être à dix pas. Telles les idoles des temples de Harappu ou d'Ur et, peu à peu, plus tard, dans les salles de morgue, tels les cadavres de ma mère ou de Luise. Comment dire ? Il m'en est resté que les pêcheurs sont pour moi les silhouettes à peine humaines de grands dieux immobiles, impitoyables, déposées le long des rives — semblables à des mères de famille ou à des tantes humiliées et veuves et ruinées, totalement calvinistes, quelque catholiques qu'elles se prétendissent, le regard concentré sur un flotteur de liège qui n'est autre que les fautes irrémissibles de leur neveu ou de leur fils.

« Tinten ! Tinten ! » Cette ancre, cette encre, cette teinte, ce pâté d'encre, cette faute, ce pétrin — cette tache indélébile à l'eau savonneuse, ingrattable à mes doigts — tels étaient les sens que présentait le mot Tinten en allemand, telles étaient les aventures de Tinten dans la langue de mes cousins et de mes tantes, et elles m'étaient insupportables. Je rêvais en allemand. La faute me fait rêver en allemand. Où était la faute que j'avais commise, entre un broc et un puits ? Elle était dans mon rêve, dans la matière de mon rêve : j'avais rêvé autour d'un mot allemand. De même, si souvent, quand je rêvais dans des rêves de félicité — des rêves humides — de ruisseau et de rives ombragées, c'était le mot de Bach. Mais dans le malheur, je rêvais d'ancre. Je sautais du navire pour récupérer l'ancre que j'avais laissée échapper par mégarde. Je plongeais dans la mer et c'était l'encre que rejetait la bouche d'une seiche qui cherchait à m'aveugler. La seiche me poursuivait, sonnait à la porte du jardin : « Tinten ! Tinten ! » La seiche était accrochée vivante à mes lèvres. Le mot de Tinten veut dire ancre, et encre, et ce que les enfants nomment la poisse. Où étais-je ancré ? Etais-je allemand ? Etais-je français ? Maman nous avait laissé le choix entre l'Allemagne et elle. En quoi consistait notre faute ? Je m'éveillais avec hargne. Je m'éveille toujours avec hargne, à supposer que je me sois endormi. Je romps la nuit brusquement. Je coupe court aux rêveries importunes qui menacent au sortir du sommeil. Je ne sais pas me prendre en main. Je me prends plus aisément en sang ou en douleur. Nous ne nous connaissons pas.

Pour reprendre ces images maritimes, le matin, c'est une barque sans rameurs qui échoue sur la rive du jour. Puis c'est moi. A vrai dire, à midi, ce sont des rames sans barque. Dans la main gauche le bois dur de la touche, dans la main droite l'archet durant des heures, finalement très lourd. Et le soir, d'ordinaire, je ne désire pas poursuivre cette comparaison.

Je ne supporte pas d'écouter de la musique. Mes amis voient là une affectation qui n'est pas particulièrement heureuse. Rien ne me passionne plus que la musique. Mais la musique n'a pas toujours su retenir l'attention des êtres que j'aimais. Rares sont les années où je n'ai pas traduit une biographie et où je n'ai pas enregistré ou édité un baroque, un Demachy, un Muffat, un William Lawes — ou plus encore un inédit, un inconnu, tel Maugars, le violiste de Richelieu, d'une tristesse pathétique, dont j'ai fait trois enregistrements. Il en va de même pour la langue : j'ai été élevé dans la langue allemande et je ne supporte pas de la parler ni de l'écrire. Il est clair qu'en agissant de cette façon je m'efforce de donner raison à celle qui nous l'avait interdite. Pour être franc je ne sais si ma mère haïssait véritablement cette langue mais mes sœurs et moi nous avons toujours voulu croire que c'était pour ce pauvre et unique motif qu'elle avait quitté mon père. Il y avait aussi ce point à jamais indéchiffrable : je ne sais qui était mort durant la dernière guerre dans le camp de Belsen. De même c'était une chenillette de la Wehrmacht qui avait écrasé le corps de son frère cadet, François. J'ai toujours cru que cette mort avait eu lieu en mai 1943, date de ma naissance. Je pense que c'est cette proscription de l'Allemagne qui explique pareille paralysie à l'égard de l'allemand — langue qui pourtant fut celle de mon enfance, et celle de tout l'enseignement que j'ai reçu, même musical. Je n'ai jamais dit « A, B, C... », j'ai longtemps dit « *la, si, do...* » — encore que je n'aie jamais commencé au *do* mais au diapason. Au reste la corde d'accord au violoncelle est le *la*. J'ai picoré dans les deux langues. Mes élèves — du moins les plus jeunes — me reprenaient souvent : je disais « dur » pour « majeur » et j'aimais cette idée que le majeur fût dur, que le mineur fût « moll ». On a les liens qu'on peut ; du moins on noue autant de liens durant la vie qu'on souhaite être étranglé. Les répulsions communes, comme elles font les amitiés les plus durables, m'auront servi de câlins d'endormissement.

La première fois que j'avais senti que nos corps s'attiraient — que nos corps étaient portés à se toucher et à s'émouvoir en se touchant — présente pour moi un caractère un peu risible, mais aussi mêlé de merveilleux, autant que sa circonstance est incroyablement concrète. Au coin de la rue de Beaune et du quai Voltaire se tient un restaurant où l'on mange médiocrement. Un des derniers soirs de mai 1964 — avant de rendre

77

nos paquetages — Seinecé et Isabelle, André Valasse et Louise, Paul, Klaus-Maria et moi nous retrouvâmes à dîner pour célébrer ce que tout bon ou mauvais soldat est bien contraint de nommer la « quille ». Nehru venait de mourir. Nous disions n'importe quoi. Nous buvions largement. Au dessert j'avais pris des profiteroles. Ibelle, en face de moi, avait commandé un mille-feuille magnifique, enseveli sous la poudre de sucre. Elle lorgnait visiblement dans mon assiette. Et moi dans la sienne. La passion des dînettes me reprit. « Vous voulez goûter ? » lui demandai-je. Ses yeux marquèrent de la convoitise et elle approcha son visage. J'ai rempli la cuiller de pâte à choux et de glace et l'ai avancée en prenant soin qu'elle ne verse pas. Elle tendait la tête en avant en ouvrant la bouche. Je n'ai pas vu : j'ai senti plus que je n'ai vu la prise de ses dents. J'ai senti la pression de ses lèvres sur la cuiller. J'ai éprouvé cette pression jusqu'à l'épaule et — si ce n'était ridicule ou romantique, mais je suis romantique — je dirais jusqu'au cœur, jusqu'à ressentir une petite secousse dans le cœur. Nous nous regardions dans le plaisir de goûter des gâteaux et dans une communion qui, pour être tout à fait sincère, n'était pas seulement symbolique. Elle m'avait tendu elle-même au travers de la table une part de crème pâtissière et de mille-feuille et c'était une offrande délicieuse, et qu'elle avait bénie, que j'hésitais à manger et qui fondait en moi. Et sans conteste, mangeant, buvant, ce n'est pas exactement l'échange des cuillers, des salives par le biais des nourritures mêlées qui m'émouvait mais la secousse, le contact qui faisait le désir, ou plutôt, comme si elle l'avait préfiguré, c'était cette résistance que je sentais alors que j'actionnais le levier de la pompe à Bormes — la résistance du levier à aller et venir, l'eau coulant par brusques crachées glaciales et giclant dans le broc — alors qu'Isabelle cherchait à m'embrasser et que moi-même je cherchais désespérément à l'étreindre tout en la repoussant. Cette résistance rappelait celle de la fourchette à gâteau pour manger le mille-feuille quai Voltaire, ou celle de la cuiller qui offrait la part de profiterole — véritable première fois où Ibelle et moi nous nous étions peut-être aimés.

C'est près du pamplemoussier, près des pins d'Alep, que nous nous revîmes. Je la suppliai.
« D'accord, on ne se touche plus, souffla-t-elle.
— Tout cela compte pour du beurre! suppliai-je.
— Oui, un morceau de beurre.
— Un morceau de beurre dans la poêle à frire, n'est-ce pas?
— Oui, cela n'a jamais existé.
— Topez la main!»
Je tendis la main.
« Ibelle, topez la main!» réclamai-je. Et elle topa la main. Nous nous séparâmes. Je fis goûter Delphine. Nous chantions :

Ah! La goulue, la goulue, la goulue...

Je fuyais Isabelle Seinecé qui elle-même était descendue à la plage du Layet. Seinecé était toujours pétrifié devant ses têtes de Méduse. Delphine avait les doigts et les joues salis de chocolat. Je la lavais avec la pomme de l'arrosoir que j'avais retrouvé près du pamplemoussier. Assis dans les lentisques, dans les chênes-lièges, je lui coupais les ongles. Je lui racontais l'histoire du baron de Münchhausen qui ne se coupait les ongles que tous les quarante ans, parce que lui, à l'occasion, s'en servait de pelles pour transporter des villes entières, des châteaux forts.
Dans la soirée, je sortis. Mais je rêvai d'elle la nuit. La plupart des nuits qui suivirent, je rêvai d'elle. A plusieurs reprises son image me mouilla le ventre et la main.

79

Je jouais avec Delphine. Je cherchais à oublier. Cette année-là il y eut des guêpes à foison. Je m'acharnais sur les guêpes. Je cherchais à protéger Delphine. Il arrivait que je les tue. Je me souvenais, enfant, des concours de cadavres de guêpes, de la haine que nous inspiraient les fourmis, les perce-oreilles, les moustiques, les gros criquets, les abeilles, les limaces, les chenilles, les scarabées, de la terreur que nous éprouvions devant les frelons, les hommes, les araignées, de la mansuétude que nous ressentions pour les sauterelles, pour les vers de terre, pour les têtards et pour les mouches, de la véritable amitié que nous entretenions avec les escargots, avec les pommes de pin, avec les écureuils, avec les grenouilles, avec les ablettes et avec les papillons.

Le 10 août Seinecé et moi remontions à Paris. Isabelle était affectée à Rueil-Malmaison. Seinecé espérait obtenir un poste dans un musée parisien. A l'aide des amis que nous avions conservés à Saint-Germain-en-Laye et après de nombreux coups de téléphone, Denis Aubier et André Valasse avaient loué pour les Seinecé — assez près de chez Mademoiselle Aubier, à Chatou — une petite maison dotée d'un petit jardin pour Delphine. Nous déménageâmes le salon de Saint-Germain — ou plutôt nous transvasâmes. C'est à cette occasion que j'eus l'insigne honneur de pénétrer dans la chambre de Mademoiselle Aubier. Seinecé m'envia toute sa vie. « Toi qui es entré dans la chambre de Mademoiselle Aubier !... » disait-il rituellement quand il voulait se moquer de moi ou me rassurer quand je me plaignais du médiocre avenir à quoi j'allais m'abandonner — comme s'il s'était agi d'un miraculeux succès que j'avais remporté. C'était une vaste chambre très xixᵉ siècle, décorée à l'anglaise de boiseries blanches, de miroirs à biseaux, d'amples rideaux de velours gris. Les rideaux du lit à alcôve formaient de grands drapés volumineux. Mademoiselle Aubier était allongée dans une épaisse chaise longue de peluche feuille morte. « Monsieur Chenogne, dit-elle, venez vous asseoir près de moi. » Et elle me désigna un fauteuil blanc, placé près d'un grand mimosa quatre-saisons en fleur qui — particulièrement au retour de Bormes — entêtait. « Ah ! mon ami, me dit-elle. Comme j'aimais le curaçao ! » Mais elle ne trouvait rien à dire. Au bout du compte, elle était très gênée que je sois là. Elle vanta les confiseries de chez Boissier. Il y eut un nouveau silence. Puis elle me confia qu'elle regrettait le temps où on appelait le papier collant de la baudruche gommée.

Nous dûmes faire trois ou quatre voyages en Quatre-chevaux pour transporter tous les livres, les serre-livres, les galets, les lampes de Florent. Cet été-là Mademoiselle était tout en blanc. Elle portait une robe de serge blanche, une capeline blanche — des brides de tulle blanc, nouées sous le menton.

Seinecé voyait en Mademoiselle Aubier une espèce de mère ou du moins ne cessait de comparer son caractère et ses différentes attitudes à ceux de sa propre mère. La mère de Seinecé — prétendait-il — était sujette à un vice qu'il estimait insupportable. Au fur et à mesure qu'elle vieillissait, ce trait de caractère lui paraissait empirer et devenir lancinant et presque odieux. Il prétendait que quand il passait la voir, elle se battait les flancs pour inventer des souvenirs d'enfance qui n'avaient aucune espèce de lien avec ce qu'ils avaient vécu. Elle l'entretenait de scènes délicieuses, d'images d'Epinal, d'actes de bravoure qu'il se gardait de me rapporter. Elle rappelait des « mots » qu'il aurait prononcés — à l'âge de deux ans, à l'âge d'un an, ou même dans l'utérus — et qui avaient la profondeur des maximes de François de La Rochefoucauld ou, dans la Bible, des prophéties d'Amos. Seinecé demeurait courtois et indifférent le plus qu'il pouvait. Mais vite le désaccord éclatait. A force d'être charmants, édulcorés, douceâtres, inespérés, ces faux souvenirs devenaient agaçants et leur moralité irritait. Quand il tâchait à rétablir la vérité — ou du moins les faits plus ou moins objectifs, matériels qui auraient pu l'étayer — sa mère s'indignait comme si c'était lui, tout à coup, qui mentait. « Tu vois tout en noir », lui disait-elle puis la colère la prenait et le récit se séparait de son sucre et s'aigrissait jusqu'à la perfidie. Seinecé s'emportait et, comme il lui infligeait le rappel des souvenirs ou des scènes qu'elle ne pouvait avoir oubliés tant les conséquences en avaient été sensibles sur leur vie d'alors, elle n'écoutait plus, haussait les épaules et mettait sa « tête à couper » qu'il débitait des mensonges. Le pis — disait Seinecé — tenait à ce qu'elle paraissait être de bonne foi, et il l'était aussi, bien sûr, ou du moins il lui semblait l'être. Ce qui était déchirant — avouait-il, et il venait de parler avec elle au téléphone, il faisait très chaud à Marans et Madame Seinecé souffrait de la chaleur, mais quelque chaleur qu'il fît elle avait trouvé moyen cependant de tirer de son enfance de nouveaux contes mirifiques —, à mesure qu'elle approchait de la mort, c'était la révélation qu'il avait alors physiquement de l'absence complète d'un passé qui leur fût commun. De leur vivant même, tous leurs souvenirs étaient tombés en poudre.

Au contraire de mon père, le père de Seinecé était la plupart du temps en mission à l'étranger. Aussi Seinecé avait-il vécu comme soudé à sa mère, couchant dans un petit lit dressé dans la chambre de sa mère — mais sporadiquement soudé et c'est ce qui expliquait peut-être ces rites incessants et pitoyables. Aucune peur, disait Florent, ne pouvait être comparée à celle qu'il ressentait quand, tout petit enfant, dans la chambre de sa mère, sa mère s'habillait, sortait, le laissant seul entouré de photophores, de téléphone, et de bonbons. Drame ordinaire et cruel dans la pensée d'un enfant, sitôt le goûter avalé, l'angoisse de la nuit serrant la gorge, la tête enfouie dans la couverture du lit, pour se dérober à la crainte d'être seul et au chagrin qui y serait lié. Je parvenais mal à imaginer Seinecé petit garçon rôdant autour du cabinet de toilette, mendiant les gestes et les caresses, le sanglot s'amassant progressivement dans le corps, la honte affleurant à l'idée de manquer de bravoure. Parfois il était incapable de surseoir, incapable d'attendre qu'elle l'eût quitté, il allait aux cabinets — soustrait à ses regards — verser les premières larmes de la soirée, les plus brûlantes, les plus salées. Le mal décroît avec les pleurs, mais point ce qui rassure dans l'expression du mal, les horribles transes derrière une porte fermée, les révoltes, les délires de chagrin, les fantasmes amadouant le chagrin. Heureusement ce n'était pas la peine de tous les soirs. C'était la peine d'un soir sur deux. Cela appartenait au monde de ces refrains syncopés, à deux temps distincts, qui secouent en effet le cœur. Les terreurs le jetaient au bas du lit où elle l'avait bordé ; l'enfant tendait la main vers la réserve aux bonbons près de son lit, sur la chaise ; il courait vers la cuisine pour apaiser sa soif, reposer sa bouche si sucrée ; il hurlait : trépignant, appelant sans finir devant la porte d'entrée et tombant de sommeil — pareil à un paillasson symétrique, à un petit frère du paillasson — s'endormait rapidement à force d'avoir crié très fort. Seinecé me touchait le bras et me disait, en hurlant de rire à ce souvenir : « Quel excellent soporifique que les grands cris et les petits pieds nus devant la porte d'entrée ! »

Ce déménagement prit un jour de plus que nous ne l'escomptions. Le camion qui transportait les meubles de la maisonnette de Prenois — où les parents d'Ibelle s'étaient rendus, venus de Lons-le-Saunier afin d'organiser et de régler le déménagement — avait eu un accident et arriva avec une dizaine d'heures de retard. Autant que j'étais seul, et sans avoir rien à faire, je songeais à Ibelle, au corps d'Ibelle et je souffrais. Je cherchais à comprimer une apparence d'élan intérieur, de rage, d'angoisse. Nous ne voulûmes pas repartir pour la Méditerranée dans la journée du 15 août. Nous ne partirions que le soir. Aussi Mademoiselle Aubier retrouva-t-elle, de façon inespérée, un public, durant la journée du 15. A deux heures et quart, après que nous eûmes terminé de manger une fade poire au sirop, Mademoiselle Aubier se leva et nous dit qu'il fallait descendre maintenant au salon de musique et je souhaitai tout à coup qu'elle mourût. Elle tapota mon épaule et je me levai. Une nouvelle fois j'ouvris l'Erard en acajou jaune. Elle farfouilla dans les partitions et sortit quelque chose de rose et de déchiré.

« Chanterons-je ? » minauda-t-elle.

J'aurais donné quelques mois de ma vie pour que le plafond se craquelât puis s'effondrât bruyamment sur sa tête. Je ne trouvais plus ces représentations figées, d'un autre temps, supportables. Nous nous accordâmes, si je puis dire, ou du moins nous entreprîmes de nous approcher — du marteau ou de la gorge — de quelques sons semblables.

Alors un trou béant, brunâtre et palpitant s'ouvrit dans son visage, le son branlant et chevrotant sortit et je détournai les yeux de la vieille gorge qui saillait autant qu'elle reprenait souffle.

Le 16 août au matin nous étions de retour à Bormes. Nous « expliquâmes » la maison et le petit jardin de Chatou à Delphine et à Isabelle Seinecé. Isabelle était étrange, préoccupée ; elle se dérobait et moi-même je m'éloignais autant qu'il était possible ; je prenais la Quatre-chevaux, j'allais me baigner, m'allonger sur les plages, lire.

L'été était de plus en plus chaud. Isabelle souhaitait qu'on rentrât vite ; elle avait hâte de couper court à ces jeux d'évitements qui étaient presque autant d'amorces et de coquetteries. Elle avait hâte aussi de découvrir la petite maison de Chatou, de l'aménager, de retrouver les amis de Saint-Germain, de préparer la première rentrée de Delphine. Seinecé était sur le point de finir sa thèse et demandait qu'on sursît encore une semaine. Les têtes de Méduse commençaient enfin à sidérer. Dès le 22 août, toutefois, Seinecé reçut un télégramme qui l'avertissait que sa mère était assez mal. Il partit à la poste de Bormes et joignit Marans par téléphone. Il faisait extrêmement chaud, même sur la côte atlantique. C'était une petite attaque, lui dit sa mère. Il ne fallait pas s'inquiéter. Il appela tous les soirs. Isabelle était décidée à rentrer le 28 ou le 29 à Chatou, et à revoir et à modifier l'emplacement des objets et des meubles dont nous étions responsables et dont, il est vrai, nous avions du mal à répondre.

Le 28 au soir Seinecé eut au téléphone une infirmière — une religieuse assez étonnante et brutale — qui lui dit que sa mère avait eu une nouvelle attaque et qu'elle était incapable de lui parler. Seinecé prit peur. Brusquement il me sembla que Seinecé ne m'avait tant parlé de sa mère à Saint-Germain-en-Laye, lors du déménagement, que par une espèce de funeste prescience. Il me demanda si je voulais bien l'accompagner à La Rochelle — ou du moins à Marans, qui était près de là. Isabelle lui demanda s'il souhaitait vraiment que nous y allions tous. Il ne jugea pas qu'il fût utile que Delphine vînt, ou fût là, ou le vît souffrir, ou vît sa mère à l'agonie. Nous conduisîmes Isabelle et Delphine à la gare de Toulon. Nous fermâmes la maison. Nous partîmes pour Marans.

Nous arrivâmes à Marans vers cinq heures de l'après-midi après un long trajet, à peu près muet — qui pourtant m'a laissé le souvenir d'un beau voyage, dans des provinces dont j'ignorais jusqu'aux noms. C'était une vieille et vaste et grise maison. En hâte nous montâmes à la chambre de Madame Seinecé, au premier étage. La mère de Florent était couchée, tout à fait immobile, le visage transparent, les yeux creux, les lèvres plissées et atroces — sans dentier. Elle n'avait pas bougé la tête ni la main. Seinecé approcha sa main et lui serra les doigts amaigris et blancs — blanc ivoire, blancs comme le dessus des dominos — sur le drap blanc. Elle sourit — ou du moins un sourire passa dans son regard. Nous prononçâmes des mots de réconfort. Seinecé parla du temps merveilleux qu'il faisait, il lui demanda si elle voulait qu'il ouvrît les volets mais elle ne répondait pas et il restait les bras ballants, la bouche bée, le regard pris d'une panique soudaine. La religieuse — elle avait un peu le visage marqué, rougeoyant de François Ier — revint de la cuisine, prit à part Florent et s'entretint à voix forte avec lui.

« C'est gentil d'être venu, Monsieur, lui disait-elle.

— Oh ! ma Sœur, chuchota-t-il.

— Vous pouvez parler normalement, elle n'entend plus. Elle ne vous voit pas non plus, sans doute. Mais sait-on jamais ? Naturellement nous avons tous besoin d'affection — criait-elle — et il faut penser que nous commençons et que nous finissons tous avec ce petit besoin-là.

— Oui, ma Sœur.

— Elle mange, elle urine et elle a besoin d'affection..., répétait-elle.

— Elle ne parle plus du tout ? interrogeait Florent timidement.

— Non, répondit vivement la religieuse. Et parlions-nous

en naissant ? Parliez-vous en naissant, Monsieur ? On arrive au monde tout nu et c'est tout nu qu'on le quitte.

— Oui, ma Sœur.

— Votre mère n'est plus en possession de tout son esprit mais en aucun cas nous ne saurions dire qu'il s'agit d'un *légume*. Pour moi, c'est encore une personne humaine. Elle a encore le réflexe des sphincters. Il lui arrive bien quelque petit accident. Mais c'est rare. »

Elle s'était adoucie et semblait réfléchir.

« Quand elle aurait perdu toute fonction — poursuivait la religieuse métaphysicienne avec une tête de François Ier rubicond qui sortait de la cornette — les légumes et les animaux sont égaux dans le cœur de Notre-Seigneur... »

Je me carapatai. Je descendis à la cuisine. Je convoitais d'aller voir La Rochelle. Seinecé resta là-haut quelque temps puis, comme la religieuse lui disait qu'il fallait qu'elle la piquât, il descendit et me retrouva à la cuisine. Seinecé me raconta, sans grande gaieté, que la religieuse — au demeurant sainte femme — avait multiplié les arguments et l'avait tout à fait convaincu que Dieu avait une place dans son cœur pour les légumes, et même pour les religieuses. Je dis à Seinecé que j'avais fait le tour des placards et du réfrigérateur et que j'allais faire quelques courses. « Maman vient d'avoir sa piqûre. Je viens avec toi », me dit-il. Nous allâmes dans une épicerie « Coopérative ». J'ai un souvenir aigu, insensé de tout cela : nous achetâmes des navets, des poireaux, des pommes de terre — Seinecé avait décidé de faire un bouillon pour sa mère —, des saucisses, du vin. De retour je déversai tout cela sur la table de la cuisine. Seinecé retourna auprès de sa mère pendant que je faisais bouillir de l'eau. J'épluchais des pommes de terre quand il revint, ôtant les yeux, ainsi qu'on nomme en français ces défauts — sans nul doute de nature psychosomatique — dans le corps des pommes de terre, heureux d'ôter des yeux. Je sentis la présence de

87

Florent dans mon dos. Je me retournai. Il avait le regard fixe, la bouche ouverte.

« Pleure », lui dis-je.

Sa lèvre tremblait.

« Pleure, pleure », lui dis-je.

Je l'étreignais. C'est faute de pouvoir les contempler que nous étreignons les êtres qui souffrent. Il pleurait enfin. En bafouillant il me dit qu'elle était morte, sans doute, alors que nous étions à l'épicerie. Il s'en voulait. Il demeura pour ainsi dire muet durant deux jours. Je m'occupai de tout. Seinecé ne voulut pas qu'on fît venir Ibelle ni sa fille.

Nous ne connaissons ni le jour ni l'heure. Elle vient comme un voleur. Lorsque j'étais enfant, c'est ainsi que dans mon missel, Dieu, dans sa miséricorde infinie, offrait aux hommes la mort. Le matin du deuxième jour Seinecé me rapporta un cauchemar qui m'étonna parce qu'il n'était qu'odeur. Il s'approchait d'un tas de bois mort. Il était surpris par l'odeur d'humidité et de moisissure qui se dégageait de l'amas des bûches. C'était une odeur de champignon délicieux, peut-être de morilles. Il voyait une omelette aux morilles. Seinecé se souvint aussi des scènes interminables qu'il avait eues avec sa mère, quand ils lançaient devant eux, comme des flèches ou des boulets de canon, au cours de joutes fastidieuses et tendues, des souvenirs opposés. Il ressassait qu'il avait l'impression atroce de ne partager aucune espèce de passé possible avec sa propre mère, mais il découvrit ceci, qui l'apaisa considérablement : qu'il n'y avait jamais de passé commun, qu'il n'y avait jamais de passé partageable — qu'il n'y avait que des légendes partageables. Cette pensée s'abattit sur lui comme la foudre. Tout à la fois il souffrit démesurément de se découvrir si seul, jusqu'à la mort seul, et dans le même temps il fut débarrassé de cette pensée qui l'avait rongé durant des années — comme si sa mère et lui avaient mis des années à effacer leur passé en sorte que plus rien, jalousement, ne coïncide. Simplement, terriblement, il lui survivait. Seinecé reniflait — ronflait presque en pleurant. J'avais appelé Isabelle deux fois à Chatou. Seinecé l'appela enfin. Ils parlèrent longuement. Il lui dit que nous ne pouvions en aucun cas être là avant le 2 septembre au soir, ou le 3 septembre au matin. Le notaire avait pris ses vacances au mois d'août. Delphine allait bien, jouait dans le jardin mais, durant l'après-midi, elle la confiait à Mademoiselle Aubier. Tout le monde l'aidait : Denis Aubier, Louise Valasse, Paul... Elle pensait à nous. Seinecé eut de nouveau un rêve étrange. Le mot « singultus » lui était apparu, en caractères gothiques, inscrit sur un bandeau médiéval, et cette apparition — digne du songe prophétique d'un empereur romain qui ne se prendrait pas pour de la roupie de sansonnet, dans les rêves tout pouvant arriver — l'avait rendu fier et intarissable. Il déchiffrait ce mot dans tous les sens, comme « seul », comme « sanglot ». Cela m'irrita. Je me mis à rivaliser. Ce mot entraînait en moi un autre mot : « Habergeiss, Havergeiss... » Je cherchais un mot que je n'arrivais pas à trouver. Plus encore, les complaisances à mes yeux soit « maternelles » soit trop « romaines » de mon ami m'impatientaient. Je déteste les Grecs et les Romains. Je ne puis lire un nom en *us* sans que je sente revenir en moi un piétinement de haine et le désir de mordre — de mordre mais aussi d'avaler. Je me dis : « On me doit une revanche ! » A Bergheim mon père avait voulu que le pasteur — les filles, très injustement, étaient dispensées, privilège de leur sexe, du latin et du grec —, alors que nous étions catholiques, m'enseignât les langues classiques durant l'année qui équivalait en France à la septième. Herr Hans Nortenwall mettait — sans qu'il y ait eu de sa volonté, mais aussi sans que j'en puisse avoir le soupçon — un relent de guerre de religion tout autant que de guerre franco-allemande dans l'apprentissage du latin et du grec. Une faute d'hiatus ou d'élision dans la mesure d'un hexamètre de Lucrèce et c'était un réformé de nouveau qu'on défenestrait rue de Rivoli. Enée dans Troie en flammes et c'était aussi bien la nuit de la Saint-Barthélemy que les troupes allemandes à Strasbourg.

« Havergeiss ! » Je retrouvais enfin le mot que je cherchais. Il y avait à Bergheim un vieux Havergeiss — ou Habergeiss — en bois d'ébène. J'adorais ce jouet. Il n'était pas question que Seinecé me le dérobât, fût-ce en rêve. C'était un genre particulier de bourdon mais dont la boule creuse était beaucoup plus large — un double décimètre de diamètre. On tirait sur la corde et la boule sautait à toute allure. Elle décrivait des cercles en bondissant, produisant un ronflement sonore tout d'abord terrifiant comme une immense guêpe, puis lugubre, comme un hibou, comme un son de viole, bousculant chaises et table, marches, bacs de fleurs...

Si mes souvenirs sont exacts ma mère préférait les petits animaux en porcelaine de Meissen aux petits garçons.

Je l'aimais. Nous jalousons jusqu'aux morts, jusqu'aux maladies graves des voisins. La mort de la mère de Florent faisait affluer en moi — avec quelque chose de l'esprit d'un concours — les souvenirs de la mort de ma mère — et presque comme si je ne l'avais jamais vécue. Curieuse façon que j'ai de noter ces souvenirs. L'ordre qui les relie ne cesse de me faire défaut et pourtant il s'impose à moi comme l'évidence. Il me semble que je décompose ces fragments du passé comme je débobelinais les lièvres de Pâques, sur la table de la cuisine. Je revois l'excitation du jour, les œufs merveilleux, multicolores — les œufs pondus par le lièvre de Pâques. Les lièvres en sucre enveloppés de pelisse rutilante que je dépeçais — la salive rendant les lèvres humides — patiemment sur la table de la cuisine. Durant des années Luise m'a envoyé de ces lièvres en sucre ou en massepain et des œufs avec un petit mot sans âge, presque puéril. C'était toujours à peu près ceci : « Mon cher Karl, voilà les lièvres et les œufs. Je te souhaite de bonnes Pâques. Tous les sept nous t'embrassons de tout notre cœur — Luise. » Luise avait cinq enfants — comme nous avons été. Elle aussi est morte. La mort de ma mère était si proche. J'avais pris l'avion. J'arrivais à Neuilly. « Yvonne ! Yvonne ! » — mais l'évocation de ce souvenir m'est insupportable. C'était le 22 novembre 1962. C'était le jour où J. F. Kennedy annonçait le blocus de Cuba, c'était le jour de la mort de ma mère, c'était le jour du référendum du général de Gaulle — qui bien sûr avait été le grand héros de mon père nonobstant le duc de Wurtemberg —, tout cela, encore qu'en consultant le dictionnaire j'aie découvert qu'il ne s'agissait pas tout à fait du même jour, s'est amalgamé comme une seule et même chose, s'est contracté comme une blessure ou un repère mnémotechnique ineffaçable, s'est concentré comme une seule minute du temps, sombre, noire, d'une amertume noire.

Je ne détestais pas à vrai dire que le latin ou le grec. Maman détestant l'allemand, se refusant à le parler, l'usage en moi s'en est comme effacé et aussi bien le surgissement tout à coup d'un mot d'enfance — tel Habergeiss — a le génie invariable de m'assombrir et de me rendre comme suicidaire. L'indiscipline était la vertu propre aux Wurtembergeois, répétait mon père et il justifiait de cette manière sa vie. La légende en effet voulait — c'est du moins ce que Herr Stodt enseignait à l'école de Bergheim et il faut avouer qu'en 1948 ou en 1950 cela rendait un curieux son — que les ducs de Wurtemberg disaient de leurs sujets qu'en venant au monde le premier mot qu'ils prononçaient était « Nein » et que c'était le dernier qui leur passait les lèvres à l'instant de restituer à Dieu le souffle de la vie. Ce sont tous les mots allemands et singulièrement le mot « Nein » que peu à peu je me suis mis à détester. Je n'étais peut-être pas le « portrait craché » de ma mère — nos

91

passions ne nous rassemblent à vrai dire que peu — mais tout en moi tendait à être ce « portrait craché ». Il me semble que j'entends encore le bruit confus de discussions très âpres. Toute l'Allemagne du Nord, disait mon père, était peuplée de Yétis sauvages et la langue allemande n'avait rien produit d'elle-même, du moins spontanément, en cela pareille à la langue latine, aux soldats romains arrivant en Grèce. « C'est de la littérature d'importation! » s'écriait-il. Les idées fixes, les « dadas » de mon père étaient confus et variables ; soit il s'agissait d'envisager la restauration de l'ancienne Lotharingie, soit le repliement et la fermeture des frontières du duché de Lorraine, de celles du margraviat de Bade, de celles du vieux comté de Wurtemberg — émiettement qui interdirait tout resurgissement du fascisme et affaiblirait à jamais le Deutschland et assurerait le bonheur pour cent ans. Je ne me souviens plus de ce que disait ma mère — de ce que taisait ma mère, sans nul doute magnifiquement belle et butée dans son silence ou un chuchotement brusque, sec, méchant, féroce. Mon père inlassablement ressassait : « Méfiez-vous, mes enfants, méfiez-vous des pays qui n'ont connu ni Renaissance ni classicisme! La Prusse est ce pays! » De telles apostrophes — du moins le ton sur lequel elles étaient proclamées, plus encore que leur stupidité — m'intimident encore, me font trembler encore.

Les cinq jours que nous devions passer à Marans se limitèrent à trois. Le notaire avait écourté ses vacances. Nous ne parvînmes pas à joindre Isabelle. Dès le 1er septembre, dès l'aube, nous étions sur la route, sous une pluie effrayante à partir d'Azay-le-Rideau. C'étaient des averses d'orage très violentes. Par moments je ne pouvais pas rouler. Aux alentours de Versailles, nous crevâmes. Nous n'avions pas de parapluie. Nous changeâmes sous la pluie la roue de la

Quatre-chevaux. Nous arrivâmes à Chatou vers trois heures. Le ciel était si sombre qu'on aurait cru qu'il faisait nuit. Nous sortîmes en courant de la voiture, trempés jusqu'aux os. Nous poussâmes la porte en courant. Je dis à Seinecé : « Je vais prendre un bain. Tu le prends tout d'abord ? » Nous grimpâmes à l'étage. En montant quatre à quatre je cherchais à faire passer par-dessus la tête mon chandail mais il était trempé et je m'empêtrais. Seinecé, devant moi, ouvrit la porte de la chambre. Je heurtai tout à coup Seinecé, brusquement immobilisé. Il avait le visage atterré. Je passais de son visage à ce qui l'atterrait.

Ils criaient de plaisir.

Florent pénétra dans la chambre. Ils n'avaient visiblement rien entendu et le geignement et l'étreinte s'amplifiaient. Seinecé s'approcha du commutateur électrique et éteignit la lumière. Ils se turent soudain et alors tout se tut. Seinecé revint vers moi, ferma doucement la porte de la chambre, passa devant moi les mâchoires serrées, blanc — blanc comme les mains de sa mère sur les draps de son lit — et se dirigea vers la porte de la salle de bains où il s'enferma à clé.

Je ne savais que faire. Je dégoulinais. La porte de la salle de bains s'entrouvrit tout à coup : on me tendait une serviette. Je la pris. Florent se renferma à clé. Je ne savais que faire. Je m'essuyais les cheveux, le visage, machinalement. Je vis l'ombre furtive d'un homme qui sortait précautionneusement de la chambre et longeait le mur et descendait l'escalier. J'entendis le bruit sec d'une porte qui se refermait. Je me dis qu'il valait mieux que je laisse seuls le mari et sa femme, que Seinecé en s'enfermant à double tour exigeait que je le laisse seul, que Delphine devait être chez Mademoiselle Aubier, etc. Lâchement et en courant tout à coup je me retrouvai dehors, sous la pluie me frottant vigoureusement les cheveux avec une serviette-éponge. Je rejoignis Delphine et Mademoiselle Aubier à Saint-Germain-en-Laye.

Chaque bonheur terrestre, le moindre des plaisirs que connaît un homme, avive la jalousie de Dieu, avive la souffrance de celui qui fut mis sur la croix, rouvre la plaie à son flanc. Seinecé devint atroce, jaloux, hallucinant des chimères sur des riens. J'écoutais dans l'accablement durant des heures des constructions folles. La mort de sa mère, la défection un instant de sa femme, tout le monde l'abandonnait. On voulait sa mort. Je n'osais l'interrompre mais je nourrissais le désir de le fuir. Moi-même, j'étais sans fierté. je songeais aux animaux parasites. Le corps de mon ami était une coquille parasitée. J'étais aussi un parasite.

Je ne me sens pas particulièrement dans la main de Dieu et n'ai point fait l'objet jusqu'à ce jour — je touche du bois — de ravissements ou de visions mystiques. Mais il me semble que j'ai perçu quelque chose d'approchant dans les soupçons visionnaires de Seinecé : c'étaient comme des épiphanies d'un dieu — un dieu jaloux. C'étaient autant de Révélations dont il souffrait sans mesure et sans que, par chance, pas un instant il ne songeât à moi-même. Chaque détail est un croc. Chaque aparté d'Isabelle était une flèche. Chaque absence l'assurance du pire.

Le dépit à tout le moins ordinaire de ne pas avoir suscité une passion exclusive lui donnait l'impression d'être une nourriture insuffisante, un bonbon sans goût, un triste paillasson. Une meute affamée de douleurs hurlait en lui. Il voulait plus que l'abandon, la honte, plus que la tristesse, la douleur, plus que la douleur, l'angoisse, la haine, le mépris de soi. Il était possédé. Même son sommeil devint possédé. Il voulait la sueur, le cauchemar, le cœur qui se crispe tout à coup, le hurlement. Il éveillait Isabelle.

J'ai parfois l'impression assez effrayante que nous avons inventé l'épouvante et la détresse pour nous consoler. Tout était à ses yeux message secret, inflexion de voix complice, regard en douce, étreinte différée. Il était devenu détective privé, et un génie dans la profession, un prodigieux hibou dans la nuit. J'ai quelque raison de croire à la métempsycose. J'ai été dans une autre vie cellule cancéreuse et larme, et taon, et âne. J'ai été aussi huître, vent, peur, cône de beurre, soupir. Mais dans son cas c'étaient autant de larves minuscules qui s'accroissaient, portées telles des paramécies ou des pieuvres à occuper tout l'espace qu'elles trouvaient libre devant elles, comme ces dessins de fous qui saturent tout l'espace de la toile ou du papier qui leur est offert. C'étaient autant de crescendos et de brusques accelerandos passionnés entre lui-même et sa souffrance. Rien ne lui échappait plus. Le moindre frémissement d'un muscle suscitait un « Tu vois ! », le moindre parfum un « Je le savais... », la moindre caresse le blessait. Un soupir l'insultait.

Je prenais soin de ne venir que quand il était seul. Mais cette possession était inlassable et j'étais le spectateur contraint de bien des scènes de vaudeville. Il travaillait d'arrache-pied. C'était en vain. L'alcool, le marc, les cigarettes, les cafés, les bonbons de toute nature qui de nouveau le contraignaient à boire lui avaient ôté le sommeil. A la suite de sa thèse, il rédigea une ribambelle d'articles savants : c'était en vain.

C'était la rentrée scolaire. Ibelle enseignait l'allemand à Rueil. Isabelle ne croyait pas en la souffrance de son mari. « C'est de l'esbroufe ! » disait-elle en haussant les épaules. « C'est du théâtre de mauvais goût qui cherche à punir. » A mon sens Seinecé était plus touché qu'elle ne voulait l'admettre. Il était jaloux du passé, du présent, de l'avenir, il était jaloux des parents d'Isabelle, jaloux de sa fille Delphine, jaloux de sa mère qui venait de mourir, jaloux de tous ceux qu'elle rencontrait, des commerçants, des rêves mêmes qu'elle pouvait avoir et dont il prétendait qu'elle les lui cachait.

« C'est tout ce que tu trouves à me dire ? » hurlait-il.

« Qu'est-ce que tu attends pour répondre ? » Certains moments touchaient à une espèce de comique : « Pourquoi je crie ? Je crie pour me faire entendre, si tu veux le savoir ! » C'était d'une pauvreté inouïe — peut-être pas inouïe. Une phrase curieuse et déchirante et absurde revenait souvent et autorisait d'infinies discussions.

« Attention, Ibelle ! Ne me fais pas dire ce que je n'ai pas dit ! »

Il y avait une terrible menace dans la façon de prononcer cette phrase qui la rendait énigmatique et terrorisante. Après qu'il l'avait prononcée, il haletait un peu.

Le soir, pour peu qu'Isabelle rentrât en courant, avec quelque retard, Seinecé s'approchait d'elle et tout bas, tendu, demandait :

« D'où viens-tu ?

— Mais il ne fallait pas m'attendre ! » disait-elle sur le ton de la gaieté.

Et la litanie reprenait, chuchotante :

« Tu ne veux pas me dire d'où tu viens ? »

Et les cris, les « Tu mens ! » reprenaient. Je partais en hâte. Je ne venais à Chatou qu'autant que Seinecé m'appelait. Je me terrais dans mon appartement et travaillais mon instrument. Je traduisais. La nuit, je réveillais Didon, je la prenais sur mes genoux. Je l'interrogeais : Que devais-je faire ? Elle refusait d'ouvrir les yeux. Elle s'écartait de moi. Elle ne répondait pas. Pas même un petit miaulement, pas même un regard, pas même un petit coup de patte. Elle marquait un total désaccord. Je la soupçonnais d'être jalouse d'Ibelle.

Dans le monde sublunaire tout être traîne une ombre constante. On appelle cette ombre des souvenirs et elle est fastidieuse. Ce sont des façons d'être, une façon d'attirer autrui à soi, de vieilles recettes de nourrissons pour s'assurer de l'attention d'autrui, être nourri, et faire le beau.

Pour moi, plaire, cela revient à chercher obstinément et ridiculement à tirer une manière de séduction de ma maladresse, du moins à quêter par là de l'indulgence ou de l'attendrissement. La recette me paraissait infaillible : plaire, c'est faire l'empoté. A vrai dire, ce n'est même pas le destin d'un petit d'homme dans son berceau, mais d'un oignon dans son pot, d'un chrysanthème dans un bac de cimetière. J'avais une véritable affection pour cette Quatre-chevaux verte que j'avais acquise quelques mois plus tôt. Le samedi, à dix heures du matin, après que j'avais travaillé quatre ou cinq heures, j'allais à Chatou. A onze heures j'étais là-bas, ou je passais à Saint-Germain. J'étais un tas de feuilles sèches. Je le suis toujours — un peu plus poussiéreuses, un peu plus recroquevillées, mais plus rouges et jaunes et blanches, et comme vernissées à force de pluies et de bourrasques. L'étincelle, ce fut à l'instant même où j'arrivais. Ibelle était vêtue d'une robe de soie légère, noire — elle était si belle, si grande, si désinvolte.

« Oh Karl ! vous arrivez comme ils partent ! Delphine et Florent sont allés à la fête de l'école de Delphine. Ils ne seront pas là avant midi et demi. Il y a une épaule d'agneau et — ajouta-t-elle avec un peu de pose et de grandeur comme s'il s'était agi d'un légume rare — et des potrons-minets pour aller avec l'agneau ».

Je l'embrassai. Je craignis que les potrons-minets ne cachent des haricots. Elle prépara deux tasses de café. Sa robe de soie épousait tous ses membres et les mouvements de ses membres. Je demeurais immobile. Je ne regardais pas le corps d'Ibelle. Je regardais ce morceau de soie noire qui la vêtait. Elle s'approcha de la table basse. Elle déplaça un galet. Elle déplaça les fleurs.

« A la vérité », disait-elle comme si elle s'était adressée à elle-même, un peu en ronchonnant, en cherchant ses mots, en martelant ses mots, « je ne pense pas qu'il faille passer sa vie à attendre des semaines de quatre jeudis pour sombrer tout à coup dans l'éternel jeudi de l'éternelle semaine où il n'y aura plus de semaines et où il n'y aura plus de jeudis.

— Je sais, Ibelle. Et vous avez raison. »

J'étais médusé, fatigué, exsangue. Elle s'était accroupie près de la table et me tournait le dos. Elle ôtait une fleur. Elle ajouta à voix plus basse, rapide, étouffée :

« Karl ! J'ai envie de me déshabiller, là, tout de suite, devant vous. J'en ai assez envie. »

Il y eut un silence et il me semble maintenant que c'était à l'évidence le mien. Le son de sa voix avait quelque chose de tremblant, d'angoissé, cette proposition me bouleversait. Elle restait immobile, accroupie, le dos tourné. Je m'approchai, je la pris aux bras et la relevai et l'approchai de moi et l'étreignis. Je baisais ses épaules.

Elle se sépara de moi et répéta :

« J'ai envie de me déshabiller. »

Je dis « oui » et la gêne, ou le désir cassait ma voix. Elle me regardait avec une impudeur, un éclat qui ne sauraient se décrire, la tête penchée sur l'épaule. Je regardais sa robe, ce grand morceau de soie noire qui tombait ; il se plissa à ses pieds ; il était tiède et doux encore des formes qu'il avait dérobées à la vue. Puis je levai mon regard sur Isabelle et je ne puis dire combien ce corps était beau et combien je l'aimais.

On prend un corps humain qui est brûlant et qui est tout au monde. On l'étreint. Soi-même on n'est plus qu'un point dans l'espace alors — presque une idée. L'unique corps au monde est cet être chaud qu'on étreint.

Nous nous tenons les yeux écarquillés. Nous sommes tellement surpris. Nous ne parvenons pas à en croire le témoignage de nos sens. Nous ne nous accoutumons jamais à notre sexe. Nous ne nous accoutumons jamais à la métamorphose de notre sexe, nous ne nous accoutumons jamais à l'attrait qu'il exerce, tout cela surprend tellement, tout cela confond. Nous ne nous lassons pas, années après années, millénaires après millénaires, d'en faire l'essai. Et nous ne découvrons rien dans ce fonctionnement qui assouvisse la curiosité qui l'anime de nouveau. Aussi nous engageons-nous dans des liaisons qui sont toujours absurdes. Et aussi bien à chaque fois le cœur nous bat et la vue nous passionne et la gorge nous serre. Sans cesse nous touchons du doigt, jusqu'à la rage, que notre sexe, seul, n'a pas de sens.

Elle étendit la main et alluma la lampe Carcel. La pluie tombait de nouveau. C'était après que nous nous étions aimés. J'avais la tête sur ses cuisses. Elle me caressait et elle m'avait demandé :

« Karl, pourquoi as-tu cette cicatrice à l'extrémité de l'épaule ? »

Je lui avais alors raconté, avec un peu de gêne, cette matinée de 1946. J'avais trois ans. J'avais cru que maman me lançait à toute volée un vase de Daum à la figure. J'avais voulu l'éviter et, en me détournant, l'épaule l'avait reçu plutôt que la tête. C'était assez sérieux. J'avais été hospitalisé. J'ai plus souffert de l'hôpital — non pas d'être séparé de Fräulein Jutta, mais de mes sœurs — que de la blessure même. Mon retour est sans doute le plus beau souvenir de ma vie. J'étais assez fier auprès de mes sœurs d'avoir été de la sorte distingué par ma mère. Mon retour a été un triomphe et l'occasion d'une gigantesque nouba de gâteaux de sable, de choux, de souvaroffs, de visitandines.

Tandis que je parlais je découvris quelque chose que je ne comprenais pas bien et qui me stupéfia. Passionnément j'interrogeais son visage.

Elle me sourit. Je regardais son regard, ses yeux. Ce qui me fascinait sans que j'en aie pris alors toute la mesure, c'était la ressemblance d'Ibelle et de ma mère — longues et minces, le regard ombrageux et violent.

Les jeux de la séduction transfigurent les corps. Ceux qui cherchent à se plaire puisent la lumière et ils l'accumulent. Les corps des amants irradient. Leurs gestes sont aisés et sûrs. Du moins avant qu'ils aient fait trop longtemps l'amour, ou avant qu'ils aient mesuré que le désir qui les portait l'un vers l'autre n'avait pas le caractère si exceptionnel qu'ils avaient cru. Toute histoire d'amour se termine d'ailleurs de la sorte : « Oh ! pardonnez-moi. Je me suis mépris. Je vous avais pris pour quelqu'un que..., pour quelqu'un qui... J'avais cru reconnaître... »

Je croyais à quelque chose d'immense, à quelque chose de comparable aux yeux immenses, bleu et or, d'Isabelle. Yeux transparents, totalement désarmants, d'une profondeur infinie. Mouillés, embués — comme les narines d'Ibelle souvent — d'une larme de colère ou de fou rire. Ses yeux, ses prunelles, et un éclat de lumière sur le bleu. Minuscule Australie perdue sur un globe terrestre bleuté.

Je cherche à dire le regard d'Ibelle, je cherche à dire l'impossible, à articuler le silence. Je jette sur le papier quelques notes. Je ne suis pas capable de rédiger plus avant que quelques scènes qui crèvent en moi, sans cesse, hallucinantes, telles ces bulles étranges à la surface de l'eau morte du Pfuhl, de la mare pleine de poissons-chats, de petites tortues et de grenouilles, au fond du parc de Bergheim — et dont le bruit, enfant, parfois, me rendait admiratif et anxieux. Je note sans doute ces scènes revenantes, parce qu'elles aussi, elles me font peur — et moins pour ce qu'elles sont peut-être que par le caractère improviste, confondant de leur retour. Ce que j'écris me semble sans fantaisie, me semble nécessaire, et comme dicté par un fantôme. Je jette ces notes parce que ce n'est pas racontable. L'amour n'est pas racontable, sa souffrance n'est pas racontable, son bonheur n'est pas racontable. Sa lumière n'est pas racontable : elle est prodigieuse, elle n'éclaire rien, et l'on ne sait pas au bout du compte si ce sentiment, ce halo de vérité, d'intensité, de confidence, de nudité, d'authenticité n'est pas le mensonge en personne qui a pris les traits d'un corps humain devenu brasier, devenu soleil — ces images mêmes étant les plus douteuses. Ce n'est pas racontable. Comment dire : « Elle avait les seins qui..., les cuisses qui..., les fesses qui... » et aussitôt parler de buisson ardent ? De Dieu ? De soleil ? Nous sommes des fous.

Mais je l'aimais. J'aimais ses yeux, en effet, plus que tout peut-être. Ses yeux dilatés, bleus, brillants, durs, terribles — ces épithètes sont exécrables et ne disent rien — yeux immenses, bleus, ses cheveux noirs, le port de sa tête. Le son de sa voix frémissait, la voix chevauchant un peu, un peu sourde, animée soudainement, non point rauque, ni cassée, mais prenante, et l'hiver, comme elle était le plus souvent enrhumée, la goutte au nez — ce qui l'embellissait encore —, le nez rouge, voix rauque oui, cassée oui — un éternel chat — un peu raclée et émouvante.

J'ai conservé un souvenir glacé de septembre 1964. Je me souviens de Delphine en jupe écossaise, en gros chandail de laine verte. Elle se tenait assise sur les talons — comme sa mère — en tenant précautionneusement une grosse grappe de muscat sur la petite terrasse cimentée du jardin peu extraordinaire de Chatou. Elle soufflait dans les peaux de raisin vides, les envoyait le plus loin possible devant elle sur la terrasse et se précipitait une craie à la main pour entourer les peaux victorieuses.

J'étais attiré par la maison de Chatou, par le corps d'Isabelle. Dans le même temps je me refusais d'y aller, je me contraignais à travailler rue du Pont-de-Lodi. Isabelle était maussade, voulait que je disse tout, marquait plus d'exigence que je n'étais capable d'en marquer — et plus d'exclusivité que je ne souhaitais peut-être. Je dormais mal. Si j'étais à Chatou, j'épiais. Je souffrais. Moi-même — au contraire de Seinecé qui paraissait jaloux du monde entier sauf de moi — je devenais jaloux de Seinecé. J'avais le désir d'épier et je combattais, je repoussais ce désir. Mais, quoi qu'on veuille, afin de flatter notre vanité, toujours nos oreilles traînent — et c'est au point qu'il est curieux qu'il ne nous arrive pas plus souvent de marcher dessus. La maison de Chatou était étroite et sonore. Je couchais dans une pièce mansardée au deuxième étage.

Je désirais Ibelle. Quand j'étais à Chatou, moi qui dors peu, je ne dormais pas. Je ne puis dormir quand la lumière baigne le monde. Comme si elle prescrivait alors aux êtres la vision. Dans la nuit, parfois, je croyais les entendre gémir. Ce gémissement était une lumière et il hantait le monde. Le geignement rauque d'Ibelle, le brusque râle sangloté de Florent, qu'il étouffait en vain — que je les aie imaginés ou non —, m'étaient une torturante souffrance.

Les sons ont un pouvoir infini sur moi. Tout l'amour, toutes les querelles, toutes les scènes qui aboutissent à des divorces — pour les petits enfants qui ne trouvent pas le sommeil — sont seulement sonores. Quand nous étions enfants, Marga, Cäci et moi, nous nous cachions derrière le cognassier aux grosses branches tordues et sombres. Les fruits étaient laids et duveteux. Je n'aimais pas la confiture qu'on en tirait et moins encore la pâte cuite, sucrée et rose qu'on présentait sur un marbre et dont on découpait des petits rectangles au couteau. Nous regardions dans la cuisine ce que faisaient Hiltrud ou Beate et Vinzenz — et plus tard, près de la mare, ce que faisaient Lisbeth, ou Luise, et leurs amis. Alors il m'arrivait de fermer les yeux — d'épier en écoutant. A la vérité ce n'était pas en refuser absolument la vue, c'était pour voir plus intensément, tout en triant un peu.

Devenir musicien, c'est sans doute chercher à mettre la main sur les sons, chercher à éduquer leur violence, à apaiser la vieille souffrance sonore. Mes amis me plaisantent souvent de me voir enregistrer des musiciens peu connus sur des disques peu vendables, de me voir rédiger leur biographie, de donner des leçons une journée par semaine, et de ne jamais aller à l'Opéra, à Pleyel, dans les églises, de ne posséder qu'une discothèque pauvre et piètre, de ne pas écouter France-Musique. Ils ne comprennent pas que tout le malheur du monde pour moi est sonore. Outre à vrai dire quelque joie sonore — mais joie presque égarée. Les jours de fête, à Bergheim, quand j'entendais par bouffées brusques, au loin, la fanfare municipale, « Ça alors », me disais-je, fébrile de joie, « ça c'est de la musique ! », l'opposant en cela à tous les triolets de doubles croches que tous les cinq, le dimanche après-midi nous cherchions — vainement, jusqu'à la crise de nerfs, ou jusqu'au fou rire — à faire tomber d'accord. Je courais en direction des sons et il arrivait que le vent me trompât. Je courais, je courais. L'angle d'une rue ou une haie improviste m'égaraient. J'arrivais enfin et le torse agrandi de résonance, le poil hérissé, déjà ivre, j'étais transporté par une émotion que je craignais au point de m'arrêter tout à coup. Ou bien je ralentissais mon pas sur les pavés roses de Bergheim. Cette émotion qui était si nettement, si douloureusement plus vaste que mon corps en fait me paraissait ne connaître aucune limite.

Je regimbais à aimer Ibelle dans le pavillon de Chatou. Nous nous retrouvions, Isabelle et moi, dans une chambre mal chauffée dans un petit hôtel, dont j'avais déjà usé durant mon service militaire, à mi-distance de Saint-Germain et de Chatou. Il était situé tout près de la Seine, au Vésinet, mais la chambre, le plus souvent, donnait sur l'église Sainte-Pauline.

Nous étions alors sous un toit de zinc que martelait la pluie — et où les pigeons et les moineaux s'ébrouaient pour s'égailler tout à coup telles des bombes. Un maigre et bruyant appareil électrique produisait plus de son — un curieux cliquètement avec de brusques hoquets — que de chaleur. Je me souviens de matins d'octobre où Ibelle avait le nez glacé, humide, telle la truffe de Ponce Pilate, et avant qu'elle ouvre les yeux elle me demandait de l'étreindre, de la frotter, de l'embrasser, de la réchauffer.

Nous nous épiions en nous déshabillant, comme les enfants. Il faisait trop froid ou nous souffrions de trop de pudeur et nous nous enfouissions sous une couverture elle-même enfouie sous un édredon rouge lui-même enfoui sous nos imperméables. Tout ce qui pesait nous paraissait comme une garantie de chaleur — et peut-être d'invisibilité.

Dans cette petite chambre je ne parvenais pas à dormir. J'attrapais rhume sur rhume. Les lendemains d'amour me faisaient jurer que plus jamais je ne ferais l'amour.

La vie, qui n'avait été jusque-là qu'infernale, devint triste. Même l'enfant accroupi, le menton dans les genoux, le pouce dans la bouche, le regard plein de malaise, semblait nous accuser. Nous nous battions les flancs pour occuper Delphine. Nous jouions tous les deux aux petites voitures, assis tous deux les jambes grandes ouvertes, à l'un et l'autre bout du couloir. Mais rares étaient les rires. « Une pierre, deux pierres, trois pierres — ânonnait Delphine —, quatre pierres, saint Pierre... », cette plaisanterie puérile avait le don de faire pleurer de rire Isabelle — mais de moins en moins Delphine, qui était néanmoins portée à la ressasser.

Puis, la saison empirant, Mademoiselle Aubier refusa de garder Delphine.

« Oh ! mon ami, me dit-elle, depuis que l'automne est venu, je ne suis pas bonne à prendre avec des pinces à sucre ! »
Nous ne sûmes plus aisément nous retrouver. Delphine elle-même rechignait à aller dans la maison de Saint-Germain, quelques cadeaux que lui offrît Mademoiselle — un vieux plumier laqué grenat, une règle d'acajou aux arêtes de cuivre, un porte-plume d'ébène. Outre cela, il est possible que l'enfant pressentît l'usage de la journée. Pour Mademoiselle Aubier, j'ai toujours cru qu'elle devina tout, à mon visage, tout de suite. Elle était devenue aigre, râleuse. Elle feignait de parler de Caroline Reboux, 23 rue de la Paix, ou se plaignait que ni sa mère ni elle n'aient été assez riches pour s'habiller chez Paquin mais dans le même temps elle auscultait, réprouvait. Nous nous heurtions au moindre prétexte.
« Nous allions aux concerts que Monsieur Colonne dirigeait au Châtelet, disait-elle. Nous nous y rendions en fiacre à bandages pneumatiques. Nous nous arrêtions devant la fontaine des Palmes et c'est à pied que nous traversions la rue... »
Je lui faisais remarquer qu'elle existait toujours. Elle prenait la mouche alors :
« Non ! Ce n'est plus la même !
— Si.
— Non. Il y manque l'odeur du crottin ! »
Nous nous fâchions. Je l'évitais. Nous cessâmes de nous voir — Ibelle et moi — une dizaine de jours. Isabelle interprétait médiocrement cette vacance dans le désir. Elle voulut que je vienne les week-ends mais sans que Seinecé le sache et sans qu'on me voie à l'hôtel du Vésinet. Ibelle ne voulait plus, à aucun prix, qu'on nous voie ensemble. Elle me demanda de venir secrètement la rejoindre, chez elle, à Chatou. Je refusai, tremblant de peur. J'acceptais de trahir l'amitié que Seinecé me portait mais point de m'entraver les pieds, les mains, le cou de cravates, de lacets ou de nœuds gordiens comme il aimait le faire.
Je vins deux fois au cours de la première semaine d'octobre

à l'hôtel, où Isabelle ne put me rejoindre. Puis je dus revenir le week-end, dans la petite maison de Chatou. Toute cette période fut d'une telle hâte. Les dates en sont brouillées. Précipitation, voracité de jeunes chiots sortant de seize mois de prison plus ou moins dorée — dorée toc — à Saint-Germain. Vers onze heures, Seinecé avalait des cachets qui, comme il les mêlait à l'alcool, le faisaient tituber. Isabelle et Florent se couchaient. Le second samedi soir, Ibelle me regarda avec un air étrange. En m'embrassant — après que j'eus embrassé Florent — elle me dit brusquement :

« Je viens.

— Non.

— Si. Je viens ! »

Elle parlait sur un ton buté. Je ne sais pourquoi, ce fut pour moi une émotion plus vive que lorsque je l'avais aimée pour la première fois.

Trois fois de la sorte je connus ces étreintes bouche close, les oreilles aux aguets, comme les bêtes dans les tanières, dans les rabouillères. Isabelle venait vers une heure ou deux heures. J'entendais craquer l'escalier, j'entendais une ascension prodigieusement lente. Elle tournait le bouton de faïence blanche et froide et vaguement gluante de la porte. Je ne l'entendais pas respirer. Elle n'allumait pas. Je ne l'entendais pas. C'est son odeur que je percevais tout d'abord, puis un sentiment de tiédeur, puis son corps. Nous nous aimions alors plus que maladroitement et dans l'angoisse — comme tous les êtres qui se détournent du plaisir et qui prétendent à l'amour. Nous ne respirions pas. Nous échangions des baisers mécaniques et nerveux, le moindre bruit interrompait de médiocres, de piteuses caresses. Nous n'échangions finalement que des battements fous du cœur, à peine de minuscules gémissements étouffés.

Il y avait une ancienne table où l'on se lavait jadis, près de la porte. J'y mettais des partitions quand je venais. Ibelle y posait toujours, le samedi matin, un vase plein de fleurs. Le

3 novembre à deux heures du matin Ibelle se prit le pied dans la boîte de violoncelle, ne tomba pas mais, comme elle cherchait à se rattraper, entraîna dans un grand mouvement les grands chrysanthèmes-soleils qu'elle avait placés le matin et fit tomber le vase plein d'eau à terre. Ce fut sans nul doute un bruit immense mais dont, pour être tout à fait sincère, je n'ai aucun souvenir. Nous restâmes cloués sur place. Personne ne vint. La maison resta plongée dans le silence. Nous prîmes les draps. Nous épongeâmes l'eau. Ibelle entrouvrit la porte : la maison restait silencieuse et obscure. Elle voulut rester. Je ne pus la faire démordre de cette résolution. Elle restait l'œil fixé sur la pendulette verte. Elle buvait ses propres larmes sur ses lèvres. Nous prêtâmes de grands serments toute la nuit. Nous nous montâmes la tête. Cela ne pouvait plus durer. Au matin, nous descendîmes ensemble, graves et gauches, décidés à tout défaire, à tout dire, à multiplier la douleur, faute sans doute de ne pas croire pouvoir la supporter seuls. A la cuisine, Florent n'était pas là. Il était déjà parti. Nous ne savions où. Il avait vu — si l'on peut dire — Ibelle absente dans le lit. Sans doute avait-il entendu le vacarme du grand vase blanc rempli de chrysanthèmes-soleils — jaunes comme du jaune d'œuf — quand il avait versé et qu'il s'était brisé à nos pieds.

Il téléphona à dix heures, comme si de rien n'était, et dit d'acheter au marché une daurade pour le soir. Le matin, il les avait vues à un prix peu élevé et les avait trouvées magnifiques. Pour son compte, il nous attendait chez Mademoiselle pour le déjeuner et le concert. Nous jouâmes un autre week-end ce jeu triste, angoissant, ne dîmes rien. Nous feignions d'être sans douleur et sans remords. La nuit, Ibelle persévérait, tenait à venir me rejoindre. Nous restions l'œil fixé sur la pendulette verte, l'oreille tendue au moindre bruit de l'escalier, avec sans nul doute le secret espoir qu'une marche grinçât et que notre peur trouvât sa proie. Nous ne faisions pas l'amour : faisant l'amour nous écoutions le silence. Je puis affirmer que c'est sans profit. Quand nous nous retrouvions tous les quatre, nous parlions tous avec l'égalité d'humeur ou l'indifférence d'un homme ou bien d'une femme qui coupent leurs ongles en papotant.

« Il y a Annie qui va passer.

— Mademoiselle m'a longuement parlé du traité de paix de Vereeniging.

— Voilà que j'ai raté la sauce béarnaise. »

Seinecé s'attablait plein d'appétit. Il se penchait, goûtait la sauce, une sorte de panade verte qu'il était en train de confectionner — nullement une sauce béarnaise —, ajoutait du poivre, du fenouil. Il s'agissait encore de poissons, ce soir-là, de rougets au fenouil. J'avais froid, j'éternuais. Ibelle se tournait vers moi. Isabelle me disait :

« Donne-moi encore un peu de sel. Tu peux prendre la bouteille. Tu la débouches. »

Tout à coup les yeux de Seinecé s'emplirent de larmes. J'étais en train de tendre le sel à Ibelle. Le visage de Seinecé s'était soudain décomposé.

« Qu'est-ce qu'il y a ? » demanda Ibelle en le regardant, comme si elle avait peur.

« Ah ! fit-il.

— Quoi donc ? » demanda Ibelle.

Il était plié en deux.

« Mais qu'est-ce qu'il y a, Florent ? Qu'est-ce qu'il y a ? » s'écria-t-elle en pleurant.

Il me montra du doigt.

« Tu... tu le tutoies ! » dit-il.

Nous nous regardâmes. Ces regards — pour définir ces regards je songe à des gouttes de pluie, je songe à ces débuts de pluie d'orage où les gouttes sont énormes et extraordinairement lentes, et suscitent une espèce d'impatience pour le chaos, la catastrophe, la rapidité de l'averse que l'on sent suspendue au ciel.

La petite Delphine entra, sentit l'orage, fit le bébé et demanda que son père la mît sur sa chaise.

Je me souviens de la toile cirée à motifs de petites violettes et de petites jonquilles bleu électrique et jaune citron usée, brillante, lumineuse comme une laque très odorante, presque écœurante — et si j'ose dire plus que graisseuse, collante, plus que collante, gluante, plus que gluante, presque adhésive, plus qu'adhésive, presque préhensile à l'instar du pied d'un escargot ou d'une limace jaune qui s'égare sur la paume alors qu'on désherbe ou qu'on plante. Je ne me souviens pas du repas, ni si nous mangeâmes. Je crois que nous mangeâmes. Nous ne parvînmes pas à rompre le silence. Le silence était extraordinaire. Même Delphine était gagnée par lui et l'accroissait de son propre et rarissime silence. Je la revois étalant précautionneusement une couche de sucre dans son assiette, peignant ses quartiers de clémentine à la fourchette comme s'il s'était agi d'une grappe de groseilles — les alvéoles grenues du fruit tombant lentement, sans bruit, dans le sucre, scintillant dans la lumière de la suspension.

Le silence était tel — c'est un travers atroce que j'ai, presque une infirmité — que le rire me gagna en voyant pour la cinquième fois tomber par terre, du fait de la maladresse imperturbable de Delphine, un quartier de clémentine soudain sur le carrelage. Je n'éclatai pas de rire, mais je ne pouvais réprimer une sorte de gondolement silencieux, nerveux. C'étaient de petites plaintes. Des couinements.

« Qu'est-ce que tu as encore à rire ? » me cria Seinecé violemment en tapant des deux mains tout à coup sur la table. Verres et assiettes sautèrent. Delphine, le nez dans son verre d'eau, pleurait dans son verre d'eau. Je ne parvins pas à étouffer ce fou rire dont chaque éclat maintenant était en moi comme un coup de fusil-baïonnette, un déchirement de remords, une piqûre de douleur à l'état pur. Florent hurla.

CHAPITRE III

La villa
de Saint-Martin-en-Caux

Mon seul don est je ne sais quelle oreille
interne dont la nature m'a gratifié pour souffrir.

Wieland

Nous nous taisions. C'était un de ces silences dont on dit étrangement mais admirablement qu'ils sont à couper au couteau tant ils imposent en effet l'idée de couteaux suspendus dans l'air et de meurtres sursis. On avait le nez dans son assiette. Tout le soin du regard consistait à éviter un regard. Nous semblions prêter l'oreille au son que rendait le silence. C'est ce soir-là que nous nous séparâmes et nous nous séparâmes dans ce silence. Nous ne dîmes rien, nous ne nous regardâmes qu'à peine, cette séparation entre Seinecé et moi avait quelque chose de fatal. Sur le bord de l'assiette : la tête d'un rouget au fenouil. La tête était grisâtre. Je vois cet œil aveugle. Nous avons été poissons. Mais les plus sages d'entre nous sont demeurés, jadis, dans les lacs du carbonifère. Ils comptent parmi les vertébrés qui ont préféré le silence.

Delphine ouvrait une boîte en fer, elle prenait un berlingot et pour la dernière fois je vis l'enfant qui tendait un berlingot à son père. Et quoique je n'éprouve pas une grande attirance — cela va jusqu'au mépris — pour ces bonbons qui ne sont au bout du compte que la triste et radine réutilisation des déchets des sirops de sucre qui ont servi à la fabrication des fruits confits et qui conservent encore, comme une tare ou un symptôme, la couleur des différents fruits qu'ils ont enrobés et baignés — et quoique cette haine ne justifie pas ce souvenir même —, là, dans les petits doigts roses et gluants de Delphine s'approchant de la bouche de son père, dans mon souvenir je les trouve d'une délicatesse et d'une translucidité semblables à certains vieux vitraux bleus, ou roses, ou jaunes, d'une ancienne église qu'on visite un jour maussade, et qui sont tout à coup éclaboussés par un rayon de soleil. Mais dans ce cas, plus loin que leur éclat cerné de plomb obscur, ce que je revois encore et admire, c'est la beauté des filets blancs — tel le filetage des violes anciennes — qui parcouraient les berlingots et qui ne disparaissaient pas à la succion pour peu que Delphine ôtât le petit tétraèdre poisseux de sa bouche pour le faire briller dans la lumière de la suspension électrique, paraissant étrangement préoccupée.

Ibelle et Florent divorcèrent. Je m'appelais François Ravaillac. Je venais de Touvres. J'étais présent rue de la Ferronnerie. La roue du carrosse était boueuse et haute. J'étais monté sur l'essieu. Je tenais dans la main un couteau. On dit que François Ravaillac aurait déclaré au président Harlay : « Voilà une bonne chose de faite ! » avec un air singulièrement satisfait. Ibelle n'avait pas exactement cet air. Pour moi, j'avais cet air. Même, j'éprouvai durant trois ou quatre semaines un sentiment proche de l'exaltation — mais qu'on cherche à masquer, à contenir — et le contentement, mais plus excité, plus actif, que l'on éprouve en effet quand le drame, longtemps pressenti, repoussé, comprimé, déborde tout à coup. Ce sentiment n'était pas loin du plaisir plus ou moins catastrophique et de l'impression de joie, et du désir de bénédiction, et de l'assouvissement pour ainsi dire physique et de la bondissante et religieuse satisfaction que l'on ressent quand éclate enfin le dieu orage.

Il y avait en effet quelque chose de l'orage dans cet ultime dîner. Il y avait un mort : je revois cet œil de poisson aveugle. Au reste il me semble qu'au cours de ce dîner où la tension était extrême nous avions mangé des pommes de terre avec un peu de sauce béarnaise — du moins avec la panade au fenouil qu'avait préparée Seinecé — et je revois maman, à Bergheim, cherchant à nous apprendre à bien parler le français et disant sévèrement à Lisbeth : « On appelle les défauts des pommes de terre des yeux.» Et c'était comme si elle avait dit qu'il fallait éplucher les êtres comme une pomme de terre et en sortir les yeux à la pointe du couteau. Et il est vrai que, comme elle nous regardait avec insistance ou réprobation, avec la puissance propre de ses yeux, elle sortait un à un de notre tête les défauts, les fautes, les menaces et les rêveries de vengeance les plus sombres et les mieux dérobées.

Ils décidèrent de se quitter. Je m'enfuis. Du moins un quart d'heure plus tard, je m'étais enfui. Seinecé avait une sorte de rictus figé. Les doigts de ses mains étaient crispés sur le rebord de la table et sur un rond de serviette. Ils étaient blanchis à force de cette crispation. Son visage était enlaidi, pétrifié par cet effrayant rictus propre aux hommes particulièrement lâches — ceux qui ont juré de ne jamais pleurer. Plus tard Ibelle me raconta que peu de temps après, quand ils s'étaient revus pour décider du sort de Delphine et des conditions de leur séparation, cela avait été en vain. Ils n'avaient pas réussi à parler. Finalement Seinecé s'était approché d'elle avec ce petit sourire ironique et suffisant — et très vain protecteur du malheur — qu'il était impuissant à contrôler. Il se pencha. Il posa doucement les lèvres sur les yeux extrêmement lar-moyants. Il partit, le dos secoué par une espèce de tic nerveux et en poussant d'étonnants petits cris de basse-cour.

Les discussions qui suivirent furent plus âpres — Seinecé cherchant à obtenir, et obtenant finalement la garde de

Delphine. Ibelle fut grossière et malheureuse. Elle sanglotait de façon saccadée : « Il faut que je mette les pieds, les pieds dans mes chaussures. Il faut que je mette les pieds, les pieds dans mes chaussures ! » Et elle répétait des heures durant ces phrases ou des phrases semblables sur un ton désespéré.

Tous deux fondèrent les accusations sur des riens, de vieilles poussières — des séquelles de sirop de vieux fruits confits — puis, dans une cuve infernale, ils fondirent et mêlèrent de façon vindicative ces vieux morceaux collants. Ce n'était plus qu'une grande phrase terrible. Le jugement définitif ne fut prononcé qu'au printemps 1965. Je me souviens que c'était à quelques jours de la mort de la Belle Otéro. Hélas, la mort de la Belle Otéro n'est pas notée sur le petit agenda que je consulte. Ils souffrirent sans nul doute et, d'une certaine manière, ne se remirent jamais tout à fait de ces entrevues dépourvues de pitié et assez épouvantables. Mais paradoxalement Ibelle me disait qu'elle s'étonnait que la souffrance, qu'elle éprouvait cependant jusqu'au délire, tardât tant à se manifester vraiment. Elle souffrait mais il lui semblait, jour après jour, que la souffrance qu'elle aurait dû ressentir n'éclatait pas en elle, ne ruisselait pas en elle comme la souffrance purement physique — ou totale, avec quelque chose de mortel — qu'elle attendait peut-être.

En mars 63 nous nous rencontrions dans un salon de coiffure. En mai 64 nous étions libérés et les meilleurs amis du monde. En novembre 64 nous nous séparions sans mot dire — sur un fou rire nerveux devant des rougets morts. Fin novembre Ibelle me demandait si elle pouvait vivre chez moi. Je m'empressai de répondre oui. Elle quitta Delphine. Il avait neigé. Le ciel était noir. Il neigeotait encore. Ibelle me tendit deux valises et la petite Delphine se tenait debout devant la grille brune du petit jardinet de Chatou, sans larmes, sans le moindre regard dans ma direction, faisait « au revoir » avec la main ou plutôt esquissait ce geste, allait à trois ou quatre pas de la maison, cassait le cou en direction du ciel, bouche ouverte, où elle recevait un ou deux flocons de neige. Tour à tour elle esquissait un geste d'au revoir et elle buvait la neige, ou un reste de nuage. Puis elle était rentrée retrouver Florent en se pourléchant avec application.

Ibelle termina l'année scolaire au lycée de Rueil. Elle couchait parfois chez Louise et André Valasse lorsque ses cours commençaient tôt le lendemain. Je la voyais les week-ends. A Noël nous allâmes dans les Alpes, dans le petit village de Valloire. J'aimais ce village point trop neuf, point trop encaissé. Il ne neigea pas. Il plut. Nous bûmes. Nous passâmes le temps à boire. Curieuse passion que j'exerçais sur elle : elle hoquetait de sanglots. Elle ne pensait qu'à Delphine et à Seinecé. Nous aimons tellement jouer à nous faire pleurer. Je n'aimais guère cette vie, ces voyages en Quatre-chevaux perpétuels vers des plaisirs à demi sans plaisir, cette passion sans véritable joie, sans véritable avidité, ces geignements assis dans les cafés, ou sur les lits, comme sur les rives de l'Achéron, ou comme sans cesse descendant au Shéol. Ibelle dormait onze, douze heures par nuit et je veillais. Il n'y a pourtant rien à protéger, à sauvegarder entre deux êtres, qui les unisse. Je me souviens que toute une nuit je considérai avec Didon la difficulté — l'impatience douloureuse où j'étais de tout rompre — sous tous les angles. Ces angles étaient raboteux et certains même étaient aigus comme les épines de l'acacia.

Didon était au fond un chat sévère, irrémissible. Pis que le dieu janséniste, elle serrait toujours ses pattes sous le ventre. Je pense qu'elle pensait qu'il n'y avait pas d'élus humains auprès de Dieu. Cela ne faisait pas l'ombre d'un doute — à peine l'ombre d'une hésitation de pure courtoisie. Ses joues gonflées d'assurance et d'une passion tout épiscopale, son double menton de moine appartenant à une congrégation

115

juteuse ou de psychanalyste ayant réduit en compote le voisin, ce buste sans bras et en quelque sorte maternel la plupart du temps me donnaient tort. Didon — que j'aimais plus que tout — était un chat qui ne parlait pas, ce qui est peu croyable. Et en refusant de me répondre elle me donnait non seulement tort de vouloir bouleverser ma vie, de vouloir rompre avec une jeune femme d'un excellent acabit — morgueuse, hautaine comme elle était elle-même — à laquelle elle s'était finalement accoutumée, mais elle me donnait en outre systématiquement tort de bouleverser sans cesse l'ordre des heures, des jours, des saisons et de l'univers en ne me couchant pas de la nuit.

Je ne pris aucune décision. Je sursoyais. Cette année-là je travaillai avec acharnement le violoncelle sostenuto et l'archet Tourte avec Uwe, puis les abandonnai brutalement pour me spécialiser dans le violoncelle baroque et les violes de gambe ténor et basse avec Klaus-Maria et Stanislaus Arraucourt. Je traduisis une biographie de Forqueray pour Le Seuil et une biographie de Jenkins pour Gallimard. En février puis au début avril 65 je corrigeais les épreuves dans un bureau rue Sébastien-Bottin qui était minuscule et obscur, situé dans les combles d'une pièce qui avait dû être magnifique et où, en fin d'après-midi, Ibelle venait me retrouver parfois avec des pâtisseries de chez Constant. La fenêtre donnait sur un jardin : des tilleuls, des acacias décharnés. La fin de l'hiver donnait même de la beauté à cette terre couverte de grésil, à ces arbres hauts et nus, au gravier humide, à la fontaine sans eau et sombre, au pavillon en fausse perspective et comme un décor de théâtre adossé au fond de la scène. Les couloirs étroits, labyrinthiques et sombres étaient ceux d'un couvent. La voix ne s'y élevait pas. Nous chuchotions. Nous étions des lézards dans un palais tombé en ruine et nous fuyions la lumière.

C'est cette année-là, me semble-t-il, en Normandie — nous étions partis durant les vacances scolaires de Pâques — que je vis pour la première fois de près, à quatre pas de moi, sur la falaise, mêlé aux mouettes, un goéland brun et gris marchant, puis hurlant, puis s'élevant, puis planant interminablement. Ibelle avait l'usage, près de Saint-Martin-en-Caux, d'une belle villa donnant sur la vallée et sur la mer. Non seulement nous y allâmes huit jours à Pâques mais nous y retournâmes l'été. Une forte femme, âgée de cinquante-cinq ans, aux joues tannées, aux blouses fleuries, au regard bleu transparent, sévère, d'apparence quaker, prénommée Georgette, entretenait la maison et faisait la cuisine le midi et le soir. Elle vivait dans une petite maison de gardien, au demeurant assez loin de la grille et qui avait été autrefois — selon Ibelle — un pavillon de marqueterie et de reliure. Au début « Madame La Georgette » — c'est ainsi qu'il fallait l'appeler, et surtout pas « Georgette » — me terrorisait par la brutalité de son comportement et la virulence de ses jugements, mais dans mon souvenir sa sécheresse, son importunité, sa rugosité se sont approfondies. Elle avait une façon hallucinante de mimer de tout le corps le moindre détail des personnages dont elle rapportait les propos, ou de reproduire des bras, des cuisses — qu'elle avait volumineuses — et de la tête les circonstances de l'intrigue qu'elle relatait. L'entendre raconter un film procurait un effroi très supérieur — mais aussi beaucoup plus durable et insistant : deux ou trois heures pour un film d'une heure et demie — à celui qu'on aurait pu éprouver en allant le voir dans la salle paroissiale de Saint-Martin-en-Caux. C'était, me semble-t-il maintenant, un de ces êtres originaires qui nus et grelottants et simiesques — à supposer que ces qualificatifs aient cessé de s'appliquer à nous — se métamorphosaient dans l'animal qu'ils suivaient à la trace au point de mettre sur leur peau et sur leur visage leur fourrure et leur masque. Proies qui étaient plus eux-mêmes qu'eux-mêmes et qui avaient conduit ces premiers êtres à les figurer admirablement sur les parois des grottes — l'œil encore imprégné de leur cible unique, de leur pain unique, dans une apparence d'affût renouvelé qu'on

117

avait appelé depuis peinture — alors qu'ils étaient dans l'incapacité de donner une image d'eux-mêmes, faute d'être aussi nourrissants pour eux-mêmes que les proies qui les nourrissaient, sinon des petits motifs géométriques sexuels et ridiculement puritains.

Une des premières choses que Madame La Georgette m'avait dites alors qu'à peine arrivés elle ne nous laissait pas le loisir de sortir nos sacs et même mon violoncelle de la Quatre-chevaux, nous enjoignant de passer à table — elle portait une soupière fumante emplie d'une de ces soupes de légumes salés et mis en pot qu'elle préparait elle-même et auxquels elle ajoutait l'eau, le vin, le pain rassis —, c'était : « Ça ne va pas vous abîmer le trou du cul ! » qui m'avait laissé pantois et fait toucher du doigt à quel point j'étais sans doute aussi puritain qu'un troglodyte du pleistocène pour me choquer de la sorte de jugements qui ne manquaient pas exactement de vraisemblance. Aussi bien un jour me fit-elle réellement peur, m'expliquant un film qu'elle avait vu à la télévision la veille au soir, se levant tout à coup en renversant sa chaise et me menaçant au point de me toucher la joue d'un couteau à découper en s'écriant : « Non, Monsieur le Commissaire, vous ne m'aurez pas vivant ! » Sainte, pieuse, rogue, subtile au demeurant, ou du moins perçante, comme le lynx ou la baudroie, volumineuse et toujours ensevelie dans un tablier à manches et montant au cou parsemé de minuscules petites fleurs sombres.

Le matin, dans la vallée, je voyais se lever le soleil et la brume et se défaire les formes incertaines, encore noirâtres et gluantes du sommeil. Et cette brume peu à peu pénétrée de soleil — et comme faite de grains ou de larmes — transformait l'apparence des choses, des arbres, des buissons, du ciel, des maisons, des silhouettes d'une façon vivante et bouleversante. C'était, parfois, d'une beauté sans nom. L'amour aussi a ces traits — et dans mon souvenir, à la réflexion, je ne sais plus quel transfigure l'autre. L'amour, les premiers temps de l'amour ont quelque chose de ces brumes que le soleil pénètre et qui transforment l'apparence de l'univers. Ils miraculent. Ils l'ôtent du passé, et l'ôtent de l'avenir. Dans le fond, je n'ai jamais aimé qu'Ibelle. « Si belle » — en effet —, si mince, si longue, si nue. Elle se dévêtait avec une gêne et une grandeur que je n'ai jamais revues chez une femme qui se déshabille. Elle n'ôtait pas ses vêtements : elle donnait l'impression — dans sa confusion, dans la confusion du désir — qu'elle ne parviendrait jamais à être nue. Le désir que l'on éprouvait pour elle était provoqué aussitôt et empêchait qu'on la vît en effet vraiment nue, empressé qu'on se trouvait de s'aveugler et de l'étreindre. En elle, la nudité même vêtait quelque chose — et ce n'est pas pour faire un trait d'esprit que je parle de cette façon. Et il me semble encore que, quand on désire beaucoup autrui, quand on fouille dans la nudité d'autrui, on cherche dans le corps d'autrui quelque chose qui n'est en aucune statue et sur aucun squelette. Ce secret est peut-être en nous et pourtant — dans notre propre nudité, prenant un bain, se dénudant devant un entérologue, un dermatologue, passé au jet d'eau, nu, en file indienne, dans la cour d'une caserne — rien ne le signale jamais. Rien n'y fait même songer.

Ibelle dormait la bouche un peu ouverte, les narines très ouvertes. Son sommeil tout à coup était traversé de gestes brusques, de coups de pied dans le vide. Les seins épais et courts et chauds se soulevaient comme des joues alors qu'on mâche. Je me levais toujours avant que le jour se levât. Je posais mes lèvres sur eux, sur les cheveux. Son corps était abandonné à autre chose qu'à moi — et je trouvais que c'était tout à fait judicieux —, tout entier à un rêve, tout entier occupé à une vieille haine ou à une vieille peur qui lui donnait de la sorte l'assurance qu'elle était bien elle-même. Brusquement, c'était un frisson. Tout ce grand corps de femme poussait tout à coup un immense soupir — qui faisait craindre qu'on l'eût éveillé — et changeait de position ou se retournait

119

lourdement. Tout ce corps et son poids ensommeillé se confiaient à la vision et dédiaient à on ne sait quel univers la beauté de ses muscles ; je sentais sous mes doigts la chaleur et la douceur de la peau à l'intérieur des cuisses, l'haleine parfois sur mes joues, sur mes lèvres. Le jour n'était pas loin. Je me glissais vivement hors du lit, je refermais doucement les portes derrière moi. Il faisait à peine nuit dans la cuisine. Je faisais chauffer l'eau. C'était un vieux fourneau qu'il fallait tisonner, dont il fallait ôter les couronnes concentriques de fonte avec un crochet — plaisir édénique infini les premiers jours, véritables plaies d'Egypte les jours suivants —, mettre du charbon, froisser des journaux, s'empresser de remettre les couronnes concentriques. Cela faisait un bruit considérable, les flammes s'élevaient au-dessus du fourneau, incendiaient la cuisine, léchaient la main. Je posais la bouilloire, je disposais le beurre, le pain, les œufs, les fruits, le sel, la confiture, la viande. J'allais prendre un bain. Je lisais durant trois ou quatre heures des partitions, des biographies de musiciens. Par contrat avec Le Seuil et avec Gallimard, j'étais censé traduire de l'anglais ou de l'allemand une biographie par an. Et c'est ce que je fis — les dictant au magnétophone — jusqu'à l'âge de quarante ans, où mes enregistrements me permirent d'abandonner ces tâches tout à la fois peu rentables, pleines d'intérêt et méprisées — fastidieuses aussi dans la mesure où elles m'astreignaient à feuilleter sans cesse des revues de musicologie françaises, allemandes, américaines, anglaises assez ahurissantes et fourmillant d'articles arrogants et de paradoxes et de mots d'ordre intimidants. A huit ou neuf heures je cessais de travailler et j'allais préparer des Spätzle ou des pommes de terre et Ibelle prétendait que toute cette odeur de cuisine l'écœurait sitôt levée, mais elle cédait à la voracité foncière qui nous habite et picorait, si je puis dire, ou la Kipper, ou la viande hachée crue, ou le quartier d'orange, sirotait un fond de verre de Tokay. Ibelle me reprochait de me lever si matin — dès « poltron minet » ainsi qu'elle disait —

120

ou plutôt Ibelle estimait que parce qu'elle se levait avec un tel retard sur moi — le jour depuis si longtemps dévoré, sa lumière inutile —, par cet horaire — dû à l'insomnie et à l'enfance — je lui faisais reproche de la durée de son sommeil. Ce reproche m'a souvent été adressé par les quelques femmes qui ont eu l'indulgence de vivre avec moi, et pas plus que je n'aurais songé une seconde à lui tenir grief de ce long sommeil dont elle avait le bonheur de pouvoir profiter — elle, elle avait au moins la chance de mourir longuement chaque jour —, je n'éprouvai jamais à cet égard le moindre embarras ni le plus petit dépit. Ces heures de solitude sont une bénédiction dans ma vie. Les êtres qui aiment croient leur présence indispensable et font de la colle au baquet un principe comme ils font de l'exclusivité une fin. A vrai dire rien n'est plus suave qu'un congé de quelques heures de qui on aime comme rien n'est plus judicieux que l'alternance quand on fait l'objet du mauvais coup d'une passion.

A quelque plaisir où Ibelle m'eût conduit, quelques marques d'amour, d'abandon, d'audace qu'elle m'eût si généreusement données, pour simple, âpre, drôle, belle qu'elle fût, une distance se creusait de plus en plus, s'ouvrait à chaque fois davantage peut-être, peu à peu entre Isabelle et moi, et — quelque étonnant que cela me paraisse à moi-même — c'était à chaque fois dans le plaisir, dans le moment où le plaisir venait faire flotter sur son visage une sorte de sourire, une espèce de triomphe. Mélange de compassion plus ou moins meurtrière, de connivence, de divination et de pied sur la nuque que ce sourire sans mémoire, que ce sourire de derrière le sourire que les voyantes ont parfois et dont il semble qu'ils vous pardonnent à l'avance d'une faute que l'on ignore. De même quand elle me demandait de l'argent et que je lui en donnais — je devais alors l'argent dont je disposais non à une biographie de Jenkins qui à vrai dire ne se vendit que six ans plus tard mais à l'achat, grâce à Raoul Costeker que je connus de cette manière, et à la revente d'un violoncelle fabriqué par Salomon et qui avait appartenu à Cupis, puis à Duport, et que je regrette encore — elle avait ce sourire désagréable, divin, avide, méprisant et stupide.

J'ai conservé des photographies d'alors. Ibelle très grave, accroupie sur ses talons, pareille à une princesse du sang en collet monté ou en fraise qui apprendrait la méditation en za-zen. Isabelle la bouche hilare, debout, avec des foulards ou des plaids sur les épaules, devant des petits pommiers. Isabelle nue — tel un héros de l'Iliade — cherchant à ôter des deux mains une botte. Isabelle la nuque ployée, mettant un corsage. Ibelle se déshabillait avec une brusquerie, une fierté, un désordre qui me laissaient médusé et qui me faisaient presque honte de mon corps. Que haïssait-elle pour être si impétueuse en se dénudant et pour être si agressive à l'égard du linge qui l'avait revêtue ? Sa peau lui était pourtant un souci obsédant — et comme une sorte d'obligation pesante ; elle la soignait, la badigeonnait de laits divers. Elle se perdait chaque soir près d'une heure dans son propre reflet et elle y voyageait. A vrai dire le soin qu'elle se consentait à elle-même ne débordait pas toujours immensément en direction d'autrui, mais elle était si belle.

Il est difficile de rappeler à la lumière l'apparence d'un corps aimé, de décrire sa beauté et le désir qu'on en avait, alors que le corps subsiste, vieilli, et détourne de cette pensée, quelque indulgence qu'on lui accorde et quelque douceur qu'on trouve à ce souvenir — ou quelque satisfaction qu'on éprouve à cette vengeance. Nous nous disons souvent que tout, pour peu que nous y mettions un peu d'application et de hardiesse, devrait pouvoir se dire, qu'il s'agit moins d'une capacité propre à celui qui éprouve que d'une espèce d'accord ou de dosage entre deux ou trois univers, tels que le réel, nous-mêmes et la langue. Et pourtant il semble qu'il n'y ait pas de langue pour décrire l'amour, la beauté d'un corps, le souvenir de gestes indécents et miraculeux et communs à tous. Ou plutôt il semble alors que non seulement la langue fait défaut, mais aussi soi, et que la mémoire et le réel même se dérobent. Les mots qui disent les parties du corps obtiennent peu d'énergie de l'argot où au contraire ils touchent souvent à la fadeur ou au patois puéril. Les mots dont usent les garçonnets, les adolescentes — la plupart des militants — m'ont toujours paru roses, et sales parce que roses, et impropres parce que apeurés. Les mots qui disent les parties du corps n'obtiennent pas davantage d'énergie ni de précision du latin ou du vocabulaire scientifique, pour peu qu'on se soit un peu frotté dans l'enfance, pour le malheur, aux langues plus anciennes. Loin d'ennoblir, la « fellation » ou le « cunnilingus » font aussitôt penser à des amants porteurs de nœuds papillon, de loupes-binocles, et d'avant-bras lustrés. Ces mots cherchent moins à désigner qu'ils ne cherchent à vêtir. Et ils vêtent. Celui qui veut décrire sa passion n'a le plus souvent rien de mieux à faire que se taire et rougir. Et les scènes qui ont le plus compté dans sa vie et qui l'ont rendu le plus heureux, en aucune façon il ne peut les exprimer ou, quand il s'y résigne ou cherche à en approcher, il erre entre le silence et la grossièreté. Si je cherche à désigner un appendice qui gêne parfois dans la marche à pied, dans le sommeil ou dans le plaisir que l'on peut éprouver à monter sur un vélo de course, les mots sont bien vite décevants ; verge, queue, bitte, l'un fait trop biblique, l'autre exagérément primate, le troisième est si portuaire. Pénis, mentula : le premier paraît si savant, si pudibond, le second trop pédantesque. « Sexe » lui-même est trop aseptique et presque asexué et, désignant indifféremment deux mythologies qui s'opposent, il ne pourvoit pas là de ce qu'il ôte ici. Ce mot est un caleçon. « Non, ce n'est pas cela ! » disons-nous dans la hargne. Pauvreté de notre langue quand elle doit dire un objet qui n'est pas exactement un objet. Tout objet ou toute scène n'est pas indifférent ni même égal pour qui nomme. Il est plus facile de décrire Vénus accueillie par les Saisons et parée par les Heures et surprise par le Soleil alors qu'elle étreignait Arès — il est plus aisé d'évoquer ce qu'entr'aperçut du corps de son amant Psyché à la lumière de sa petite lampe à huile, ou du corps de la reine, Gygès caché derrière un rideau, que l'entrecuisse qu'on a sous la main et dont il faut bien convenir qu'il est le sien. Je dis alors tout bas : le sexe « hirsute », incroyablement hirsute d'Ibelle. Le mot « hirsute » finalement était comme son nom, ou son prénom, du moins dans mon souvenir.

Au demeurant je ne suis plus si certain de moi autant que j'argumente et que je songe. Peut-être n'entr'apercevons-nous rien. Et c'est pourquoi Eros disparaît sur-le-champ. C'est pourquoi la reine de Lydie exige de Gygès qu'il sorte du repli du rideau et qu'il l'épouse. Je suis si bouleversé et si aveugle pour ce qui se dévêt. Tout se jette et confond et entraîne au mouvement, à la prédation, à la succion, au désir. Nous devenons brusquement millionnaires en perspicacité, ou en tristesse, ou en cynisme, devant ce qui se rhabille et certes nous pouvons l'exprimer : mais c'est qu'alors nous ne désirons plus. Ce ne serait plus s'unir qui animerait cette volonté de dire ou de décrire, ce serait se séparer. La langue à l'égard des parties honteuses fait songer à ces femmes mondaines et d'une maîtrise qui nous laisse stupéfiés quand nous les rencontrons durant la journée d'une manière imprévue : leur voix est lisse et raffinée et a oublié parfaitement ce qu'il leur est arrivé de crier dans la nuit. Et quand nous les retrouvons la nuit venant, elles nous font part de leur trouble quand elles nous ont vus durant le jour, que leur voix a manqué les trahir, et nous ne les croyons pas, et nous avons tort de ne pas les croire. Toute appréhension se dérobe et le plus bouleversant retourne aussitôt à l'inarticulé. En sorte qu'il faut peut-être dire que l'étreinte n'est pas couronnée par un morceau de langage — qu'elle ne sera jamais — mais par un morceau de cri, de gémissement, ou de vague silence.

On pouvait prendre par la mer, longer la falaise et les roches et accéder à la ville par un petit chemin raide et sablonneux et sentant un peu l'ordure humaine, tenace — sans nul doute plus tenace que l'excrément des papillons, des guêpes ou des mouettes. On dit dans la Bible que Dieu apparut à Moïse sur le mont Sinaï sous la forme d'un buisson brûlant tout à coup mais qui ne se consumait pas. Juste avant le pont du chemin de fer — la voie avait été désaffectée — sur la route de Neuville quand nous allions à Saint-Martin-en-Caux, nous passions près du « buisson de la wassingue ». Nous l'avions baptisé de la sorte parce qu'à cet endroit, il émanait du remblai de la voie ferrée une odeur putride, de serpillière humide, urineuse et pourrie.

De loin je ne pus jamais voir — même durant les plus beaux jours qu'il y eut durant l'été — l'eau de la Durdent, toujours couverte de brume ou de pluie au fond de la vallée. A marée basse nous empruntions un sentier de pêcheurs assez raboteux, long et difficile. On descendait par les roches jusqu'à une crique très sonore, dont les parois paraissaient crayeuses, jaunes, couvertes parfois d'un peu d'herbe rose et grise, de saxifrages, de thym, quand nous descendions, et qui devenaient noires, presque anthracite pour peu qu'on levât la tête et qu'on les regardât du fond de la crique. Jusque vers deux ou trois heures le soleil donnait sur le sable. Puis nous rentrions déjeuner. Quand la marée était montante, ce petit panneau de sable était assourdissant. Même quand la mer était d'huile, sans une ride. Il y eut une dizaine de jours, durant l'été, où il fit très chaud. Les mouches, les moustiques, les insectes pullulaient.

Il me semble que c'est cette année-là que je vis un macareux-moine, sur la falaise, dans les herbes. Le macareux-moine semblait creuser un terrier, ou déloger je ne sais quel animal. Sans doute cherchait-il à y déposer son œuf. Isabelle souffrait de façon atroce de ne pas avoir sa fille auprès d'elle, et de s'être prise de querelle avec ses parents qui avaient réprouvé le divorce. Il lui semblait qu'elle trahissait tout. Elle me reprochait de ne pas songer à parler de mariage. Nostalgie, manque, déception, je ne saurais dire au juste quels sentiments Ibelle éprouvait. Elle me disait tout à coup qu'elle songeait à sa fille. Je songeais moi-même à Delphine, à ses petites mains qui jouaient dans mes cheveux ou qui auraient joué dans le sable, déshabillé des pêches, déterré des carottes dans le potager situé derrière la maison de Madame La Georgette, collectionné des coquillages ou des algues. Mes propres insomnies, pensais-je, avaient commencé dès l'enfance, quand maman était partie. Enfant, je ne dormais pas, je glissais mes mains le long des cuisses comme un chevalier gisant, je restais immobile, je cherchais à apaiser le rythme de mon cœur, et j'écoutais passer les voitures ou les charrettes dans la petite rue pavée de pierres grossières et roses qui longeait la propriété.

Le 15 ou 16 juillet le divorce fut prononcé entre Maria Callas et Giovanbattista Meneghini et il se mit à pleuvoir. Je demandais une chambre pour travailler à l'écart d'Isabelle. Elle-même s'enfermait dans la chambre où nous nous étions aimés depuis notre arrivée. Elle contemplait l'âtre vide et balançait des heures durant si elle ferait du feu. La chambre était froide. Sur la console des cartes postales de Delphine — rédigées par Seinecé d'une maladroite, feinte, touchante écriture d'enfant — étaient posées les unes à côté des autres, en rang d'oignons. Il n'y avait pas de chaises. Seul le lit à main droite.

Delphine devait venir passer neuf ou dix jours durant l'été, à la fin du mois. Nous étions par instants très excités et à d'autres moments très inquiets à l'idée de la revoir. A considérer l'état dans lequel me mettait sa venue, et la culpabilité que je ressentais vainement à l'égard de l'enfant, je puis avoir idée de l'impatience, du délire qui s'étaient saisis d'Ibelle. Moi-même, je me souviens de rêves étranges d'alors : tayaut-tayaut des hallalis de l'enfance, débusquant à cor et à cri, à cheval ou sur le dos les uns des autres, chaussés de pantoufles en grosse laine blanche, les proies cachées derrière les portes, les rideaux, le bas des lits, les fauteuils et les coffres. Il y a aussi une scène du *Baron de Münchhausen* qui ressemble à cela : le baron de Münchhausen perdu sur son traîneau dans la forêt d'Estonie va le plus vite qu'il peut. Il fouette violemment son cheval. Puis il fouette violemment le loup qui a dévoré son cheval. Puis il fouette violemment lui-même qu'a dévoré le loup.

Nous couchions dans un grand lit de bois teint, vernissé, de style néoclassique, avec une poire électrique elle-même en bois d'acajou qui pendait à hauteur de nos têtes. La présence de cette poire électrique au-dessus de nos têtes — Ibelle tendait le bras en l'air — est une des rares choses qui l'avaient rendue parfaitement, enfantinement heureuse.

Le matin vers neuf ou dix heures — à supposer qu'elle ne fût pas encore descendue à la cuisine — j'allais lui porter du café ; je l'éveillais ; j'avais déjà dévoré depuis des heures mes Kipper, mes Spätzle, bu du Tokay. Nous faisions vigoureusement l'amour. Ce qu'elle aimait le plus au monde, alors, après que nos corps s'étaient séparés, c'était brusquement se lever et, nue, ouvrir la fenêtre, replier bruyamment les volets de fer, inonder la pièce de lumière, se précipiter à la salle de bains — me laissant somnoler seul sur le lit avant que je me mette à travailler le violoncelle.

Seinecé demeurait en elle le souvenir insoutenable, et mille

127

souvenirs si attendrissants, si délicieux que nous ne pouvions nous empêcher d'évoquer, nous ne pouvions nous empêcher de les voir toujours accompagnés de cet ancien visage, si prévenant, si mobile, si beau que nous lui avions connu — qu'elle lui avait connu bien avant moi, alors qu'il lui parlait de vie commune jusqu'à la mort, l'entretenant des cent lieux où ils vivraient ensemble, où ils mourraient ensemble, les dessinant, les aménageant, les modifiant, imaginant tels gestes, telles habitudes, quelles occupations ils y auraient, évoquant la douceur de sa peau nue, la tendresse de son sommeil, le grain sourd de sa voix. Mais je n'étais pas lui. Je rêvais peu des lieux ni de l'avenir. Jeunot, peureux, je me protégeais. En moi avec la culpabilité remontait l'enfance mi-catholique, familiale, mi-protestante, celle du pensionnat — remontaient des souvenirs sans cesse bibliques. J'étais Judas Maccabée défaisant Apollonius — et je lui dérobais son épée magique. Il est vrai, au surplus, que la maison de Bergheim était emplie de vieux bois gravés — de regravures — de Wende représentant des scènes de la Bible, Suzanne au bain, Judith égorgeant Holopherne, Salomé — les seins humides de sueur après qu'elle a dansé — touchant avec la main le plat sur lequel repose la tête de Jean le Baptiste. Maman leur préférait les gravures de Cozens et celles de Girtin.

Cependant nous nous aimions. Beaucoup d'heures étaient douces. Nous partagions nos angoisses vaines, nos remords peu nourrissants, nos craintes. Nous rigolions. Je craignais les sons, les râles inarticulés, les bruits autonomes que le corps fait, les odeurs de nourriture vomie et mêlée de bile, les glaires blanches ou translucides sur les trottoirs où le pied perd l'équilibre, les corps immobiles qu'on lave avec un gant de toilette, toutes odeurs douceâtres et parfumées. Ibelle au contraire craignait plus que tout la barbe qui pousse en silence, les mâchoires qui rentrent dans le visage, les êtres qui titubent dans la rue et qui s'écroulent comme des chiffons sans un mot.

Elle était plus petite que moi et pourtant me paraissait très grande tant elle se déplaçait, s'asseyait, se dépliait de façon étonnante. La transparence confondante de ses yeux dissimulait sa pensée. Je regardais son regard sans jamais rien comprendre. La mobilité de ses cils me semblait un pouvoir de fée. Elle avait le sexe tiède, nerveux, doux, exigu, délicieux. Dans le plaisir, dans l'espèce de tressaut qui y correspond et qui fait que, parfois, dans l'incohérence des mouvements qui subjuguent le corps, les lèvres des bouches se séparent dans le temps même où elles se recherchent, elle ne criait pas mais émettait une sorte de rire grave, une sorte d'hilarité qui chantait aussi un peu.

Nous étions jeunes. Nous barbotions encore, si je puis dire, dans l'intimité intimidée des êtres qui sont jeunes. C'est quand le corps promet beaucoup moins qu'il n'a su faire qu'il commence à dénouer les entraves de la honte et qu'il use d'un savoir et s'accorde des joies dont il est hélas devenu un piètre dédicataire. Corps devenu une victime de plus en plus indigne du dieu auquel elle cherche à s'offrir. Mais pour être franc, vieillissant, je me dis qu'il n'est peut-être pas de don auquel le donateur fasse injure. Peut-être n'était-ce pas cela seulement. Notre amour était plus grand que notre désir. Le moyen que nous ne fissions pas mal l'amour ? L'amour n'est pas bien fait pour l'amour. C'étaient des caresses violentes et, quelque fréquents que fussent ces instants, c'était toujours robuste et gauche. Pour mon compte, le remords, l'ardeur même m'embarrassaient.

Alors qu'à Pâques j'avais emmené Didon à Saint-Martin-en-Caux, je me gardai bien d'agir de même durant l'été — ne dormant plus, courant les champs, les bosquets, les chemins, les vergers à sa recherche. Je n'avais plus guère de curiosité pour les douleurs de l'abandon. Je confiai Didon à un riche et étrange ami de Klaus-Maria qui restait l'été à Paris, enfermé dans un immense appartement rue d'Aguesseau, et qui s'appelait Egbert Heminghos. On dit souvent que celui qui désire ne veut pas que du bien à ce qu'il désire. Isabelle m'aimant, ou flattant certains de mes désirs, était comparable à Didon mangeant avec impatience, un empressement étonnant, un soin minutieux — elle laissait l'arête — une sardine à l'huile, la croquant avec avidité, ses dents jaillissant, surgissant avec de brusques éclairs. Isabelle aimait, plus que le plaisir, cette violence, cette apparence de promptitude et de faim. L'essentiel du désir qui nous porte vers un autre corps veut le corps qu'il désire comme le prédateur sa proie, comme l'herbe l'eau. Aussi tout corps qu'on aime cède la place brusquement et se retire comme une mer. Toute envie a envie de se débarrasser de l'aiguillon même de l'envie et le plus souvent, comme elle le confond avec l'objet, cherche à se débarrasser de l'objet. Et de façon atroce tout ce qui apaise est un petit baptême qui ressemble assez à ce à quoi sert peut-être la mort.

A cela s'ajoute un autre motif qui dans l'amour me fait peur et qui m'a toujours peu ou prou — plus prou que peu — subjugué. Ce qui affleure et menace dans le plaisir même, c'est que les plaisirs les plus certains ou les rêves qu'on en tire, comme ils ne sont nullement propres à l'homme, comme il faut les nommer inhumains, cette inhumanité de nos joies que nous partageons avec les rats, les crocodiles, les babouins et les hippopotames laisse bouche bée. Ce qui affleure et menace dans le plaisir est quelque chose d'autant plus terrible, d'autant plus épouvantable que par définition prodigieusement agréable, prodigieusement voluptueux, prodigieusement surhumain, c'est-à-dire hors du pouvoir de la langue, c'est-à-dire ineffable. Ce qui angoisse le désir et le nourrit de l'excitation et de la crainte, c'est le chaos même où jette ce qui est terriblement agréable. Nous ne tremblions peut-être pas de peur mais je tremblais de peur. Nous étions jeunes, maladroits, muets, avec à peine quelques regards brusques en dessous. Ce sont presque des souvenirs d'enfants que je conserve de l'amour qui me portait vers Ibelle. A Regnéville, près de Coutances, dix ans plus tôt, sous un pont où ne coulait plus de rivière — « Drochon » était peut-être le nom de ce filet d'eau que l'été asséchait —, avec une petite fille plus âgée que moi, âgée de douze ou treize ans, nous entrions dans l'obscurité humide, nous reniflions la vase sèche, sous la voûte basse en forme d'arc. Nous repoussions du pied des excréments. Nous nous asseyions dans la gêne. Nous parlions à voix basse. Nous nous adossions à l'une des piles épaisses et grumeleuses. Nous nous pressions maladroitement la main, les seins, les lèvres, le sexe. Cela faisait assez mal. Nous pincions. Nous nous aimâmes si intensément, durant neuf jours. Nous oubliions toujours d'étreindre nos doigts de pieds. Jamais les doigts de pieds.

« Allez, vous n'allez pas vous sucer la bouche comme cela toute la journée ! » disait Madame La Georgette.

Nous allions nous baigner à la crique — un petit panneau de bois lui donnait le nom de Pierre-qui-glisse. Sortir de l'eau de la mer et s'étendre doucement sur une serviette-éponge brûlante posée sur le sable, et somnoler vaguement dans le plaisir d'un songe idiot, c'est un plaisir intense et auquel s'ajoute la satisfaction peu convenue que rien ne peut l'ôter — et que l'indigence la plus extrême peut le goûter. L'invraisemblance, la romance même du songe est un bonheur comme l'essoufflement du corps que les vagues ont longuement frappé, le battement du sang aux tempes, le bonheur d'éprouver les membres et le volume et la chaleur, comme la tiédeur de l'air atmosphérique à quoi un curieux destin nous a soumis.

J'aimais ses jambes — lorsqu'elle était allongée sur la plage au soleil — où quelques grains de sable et de petits morceaux de coquillages étincelaient. Nous allions chez Amaury, chez Dominique — chez des amis d'enfance d'Ibelle. En remontant le sentier de la falaise, de loin, on voyait Amaury et sa femme accoudés au balcon et la villa méridionale et gothique et lourde, datant du début du siècle. On voyait la robe claire de Marion voleter un peu autour des piliers de la lourde balustrade de ciment. De très loin ce n'étaient pas des êtres, mais des taches menues, déposées là par hasard, sur le fond vert et assombri de la colline, situé à l'est. Ces taches colorées, ces morceaux de linge regardaient au loin des bateaux, des morceaux de voiles colorées, de linges colorés sur la mer.

La venue de Delphine rendit un autre son que celui que nous avions cherché à anticiper. Il fut pire. Delphine était butée. Elle me haïssait — ou ma propre gêne la conduisait à me haïr. Elle était magnifique, avec des joues rouge foncé, comme si elle avait eu les joues teintes avec du bois de Pernambouc. Ibelle n'était pas plus souple ni tendre. Elle avait vu Seinecé. La morgue d'Ibelle s'était accentuée jusqu'au silence. Elle crachait quelques mots. J'irritais la mère et la fille. Pour l'une j'avais volé la mère. Pour l'autre un « artiste » aux horaires maniaques et débutant et désargenté — « Tu pourrais mettre un peu de beurre dans le pinard ! » me disait-elle les jours où elle me voyait regimber à l'idée d'aller au cinéma de Saint-Martin-en-Caux ou aux cafés-restaurants de Villefleur ou de Neuville — remplaçait difficilement un « chartiste » plein d'avenir — ou du moins que le malheur avait empli d'activité vengeresse et en effet brillante, multipliant les articles d'érudition, les présentations de catalogue, les expositions, les projets. Je regardais Ibelle maigrie, fière, rageuse, furieuse parce que Seinecé lui avait offert — comme à une « invitée », disait-elle, et pour « Karl et toi », avait-il eu l'audace d'ajouter — une boîte de caramels au beurre salé — des « chiques de Caen » — dont je lui avais dit, naguère, combien je les aimais lorsque petits enfants nous passions nos vacances dans le Cotentin, près de Coutances. Je me disais regardant le regard d'Ibelle fuyant mon regard — tout en répétant de la sorte une des plaisanteries favorites de mes sœurs quand je boudais : « C'est Götz von Berlichingen renvoyant l'émissaire de l'empereur les fesses à la main. » Quelquefois nous louions des bicyclettes à la journée. Nous allions vers « l'intérieur des terres », dans des lieux déjà tristes et déserts, roux, lumineux. Nous pédalions silencieusement, harmonieusement, un peu tristement. Ou nous pédalions avec rage. Les plus belles journées, nous les passâmes à la crique — à la Pierre-qui-glisse. Delphine s'amusait à monter sur les roches, à s'élancer en hurlant et à atterrir à pieds joints près de ma tête. Je devenais fou. Cela durait des heures, jusqu'au moment où l'eau montait, inexorable. Delphine se précipitait avec une espèce de tension ou de rage. Elle amoncelait le sable que l'humidité avait déjà gagné. Elle aplatissait bruyamment avec ses paumes ces sortes de pics marron. L'eau venait en ronger la base avec une insensibilité et un rythme éternels. J'avais sous les yeux la pyramide du roi Chéops, la pyramide du roi Chéphren, la pyramide du roi Mykérinos. Déjà la mer et l'écume les entouraient. Delphine tout à coup en devançait la ruine et s'acharnait, tapait sur ces petits îlots montueux de sable qu'elle avait édifiés. Elle les piétinait. Elle les piétinait et elle criait en les piétinant.

L'on fit des confitures de prunes lorsque les nuages furent réapparus. Au marché les barquettes de groseilles rouges ou blanches pullulaient et ne valaient rien. Moi-même, j'essayai de faire des confitures épépinées de Bar-le-Duc. Avec Delphine nous allâmes à la ferme, obtînmes des plumes d'oie, les taillâmes et cherchâmes à épépiner la groseille rouge ou blanche que les doigts écrasaient. Cela intéressa vivement un paysan plus normand que nature. Je cherchais le pépin lentement à l'intérieur du grain et la présence du paysan me gênait considérablement. Puis je rebouchais la plaie avec le petit lambeau de peau et la jetais entière dans le sirop de sucre bouillant. Ce ne fut pas un grand succès. Ibelle et moi parvenions à épépiner une groseille sur vingt. Les dix-neuf restantes étaient mangées par Delphine. Un autre fermier nous vendit un lapin de garenne et à notre grande surprise le lapin de garenne aux groseilles épépinées fut sublime.

« Quand j'étais petite — expliquait longuement Ibelle à sa fille — je ne voulais pas être fabricant de confiture mais écrémeuse d'écume. » Delphine voulait être pêcheuse de soles avec un immense filet carrelet capable de sortir en ruisselant de la mer au moyen, si possible, d'une grue géante. Ibelle, un jour, m'a dit aussi qu'elle avait rêvé, enfant, être blanchisseuse pour pouvoir trousser haut les manches et papoter grossièrement en lavant des vêtements intimes et en tapant dessus. Ensuite, dans les vergers, sur des ficelles, en chantant avec d'autres petites filles des chansons ravissantes, elle aurait pendu avec des pinces de bois des enveloppes de cadavres vigoureusement essorées, des peaux vides et ruisse- lantes. Ces images m'avaient laissé tout à la fois admiratif et pénétré d'une certaine inquiétude.

Il faisait froid. C'étaient les derniers jours de juillet en Normandie. Le feu dans la cheminée du salon ne chauffait pas. Il nous semblait que tant que nous ne serions pas à la place des bûches, nous ne ressentirions pas de chaleur. Nous nous couvrions de chandails. Il y avait un soufflet crevé. Le feu servait à délasser Ibelle qui, accroupie ou carrément à genoux plusieurs heures par jour, jouait du bout du tisonnier à déplacer les braises.

Parfois, cependant, oubliant la haine qu'elle était tenue de me marquer, Delphine montait sur mes genoux, venait se blottir et sucer son pouce en contemplant le feu et sa mère accroupie en train de mouvoir davantage ces branches section- nées et mourantes et les flammes hautes. De temps à autre,

« Henri IV voulait se battre », me disait-elle en baissant la voix. Je portais mes lèvres à son oreille : « Henri III ne voulait pas », soufflais-je.

Un jour de pluie, allongé par terre à côté de Delphine, je dessinais une maison de rêve — ainsi qu'elle faisait elle-même. Nous concourions. C'était, cachée derrière la maison de Mademoiselle Aubier, la maison de Bergheim, la roseraie, le parc, la mare, la vaste baie au bow-window et aux brise-bise, et les six chiens-assis des chambres, les cheminées, les hêtres. Après l'avoir terminée, tandis que Delphine s'amusait à cracher des noyaux de prune sur son propre château Louis XIII tout à fait magnifique, à quarante-deux fenêtres, grandiose — encore qu'un inexplicable gondolement fît parfois chevaucher la réception et les combles —, la maison que j'avais dessinée, que j'avais coloriée en imitant le geste de Delphine et même le rythme de sa main — « Un, deux, trois, disait Delphine, crayon vert ! T'es prêt ? — Oui », répondais-je —, et alors qu'elle commençait à chanter une chanson lancinante selon laquelle jamais on n'avait vu et selon laquelle il était vraisemblable que jamais on ne verrait la queue d'une souris pendre de l'oreille de Didon, la maison coloriée dont j'imaginais qu'elle avait l'apparence de celle que nous possédions à Bergheim me regarda. C'était une grosse face qui avait une expression épaisse et triste. Comme si j'avais devant moi le visage d'un mort. Je pensais à ma mère sur le lit de l'hôpital Necker. Mon beau-père était là et, je ne sais pourquoi, quelque âgé que je fusse, devançant la répugnance qu'il m'inspirait, la tension où sa vue me mettait, la révolte même que son corps suscitait en moi, je m'étais précipité sur lui et l'avais embrassé — tandis que mes sœurs aînées détournaient la tête et que Cäci me soufflait dans l'oreille la vieille injure suprême : « Lèche-cul ! » J'avais regardé ma mère sans doute — et même le doute ne m'est pas permis — mais je n'en ai conservé aucun souvenir. Sinon que la cortisone l'avait rendue énorme. Cette maison cossue — c'est-à-dire ce visage bouffi — représentait maman mourante. Je conserverai autant que j'aurai et conscience et souffle la date de sa mort, le froid, l'odeur. On avait entendu à la radio John Fitzgerald Kennedy annonçant le blocus de Cuba. Tante Elly, Fräulein Jutta, Holger, mes sœurs et moi étions arrivés les uns après les autres demi-heure après demi-heure dans l'appartement de Neuilly. Seule Marga, enceinte de Markus, n'était pas venue. Puis nous étions tous montés dans la grosse camionnette de l'entreprise de Holger. C'était le 25 novembre 1962. C'était Luise, perfide, qui avait tout fait — perfidement tout fait — pour que maman fût reçue à Necker, non seulement parce que son cancer y trouverait les soins les plus savants et les plus appropriés, mais parce que c'était au-delà du temps, me semblait-il, la rapatrier dans un mot qui avait quelque chose d'allemand, quelque chose des rives du Neckar. Depuis des années Luise avait totalement cessé de parler le français. Et ses cinq enfants n'avaient pas eu la possibilité d'étudier cette langue.

C'est avec gêne que je regardais mon dessin, je n'osais pas le chiffonner, non seulement comme si j'avais ressuscité un être, mais encore comme si j'avais commis un meurtre. Je prenais le dessin de Delphine et, discutaillant sans fin avec elle, la gorge un peu serrée, je glissais mon dessin sous le sien. Nous ne mîmes pas aux voix quel était le plus beau (je ne sais pourquoi c'était toujours elle qui faisait les dessins et les coloriages les plus beaux).

Cette année-là les papillons furent sublimes. Dès le séjour de Pâques, et de même lors du long séjour en juillet et en août. Je n'étais jamais allé si au nord en Normandie. Je découvris, je marchai. Je pédalais. Je cueillais des bouquets de chardons ou de valérianes, ou d'œillets sauvages presque blancs et d'une imperceptible, lente et lointaine odeur — des

136

séquelles de pluie, de mer, de vieilles larmes divines ou de rosée peut-être. Isabelle parlait de moins en moins, elle entretenait le feu dans le salon, les lèvres un peu en avant, toujours un peu boudeuses. Nous avions peine à imaginer que quatre jours plus tôt, dans la chaleur torride, nous allions nous baigner au bas de la falaise dans la crique que l'eau envahissait — nous laissions le sac, les serviettes-éponges, les vêtements, les montres sur des roches plates plus hautes en saillie telles des « patiences », telles des « miséricordes » qui pointent dans les fauteuils des chapitres en bois ouvragé ou dans les stalles de pierre des anciennes basiliques, et qui permettaient aux vieux prêcheurs et aux vieux sacrificateurs de s'asseoir à demi. Je ne savais que faire. Je jouais alors près de six heures par jour. A Pâques il m'aurait fallu des mitaines comme celles que portaient tous les Chenogne — tous les organistes de Bergheim durant des siècles dans l'hiver. Mes doigts, l'extrémité des doigts de ma main gauche étaient si couverts de corne — en ce temps-là — qu'ils étaient presque devenus insensibles et difformes. Pour me réchauffer, pour occuper les heures vides, pour rompre le silence d'Ibelle, je rentrais le bois coupé que Madame La Georgette avait amassé en tas sur la pelouse, élaguais hors saison, cisaillais hors saison et rien ne me paraissait plus fastidieux.

L'odeur persistante de bois humide et fumant de la cheminée qui avait envahi la maison instillait dans nos têtes une migraine perpétuelle, ou du moins ni intermittente ni constante, mais à l'image de la mer, avec des mouvements d'avancée et de lentes extinctions, si lentes, si insensibles que je n'éprouvais même pas la joie de les sentir disparaître, ni même celle de les découvrir disparues — outre, par moments, la sensation, tête nue, de porter, enfoncé jusqu'aux yeux, un chapeau de mousquetaire, avec un immense panache en volute encerclant le front, ou un béret de peloton d'un régiment du Train des Equipages à Saint-Germain-en-Laye.

Les chandails de laine que nous étions contraints d'enfiler avaient une odeur mêlée de feu de bois trempé et chuintant, de pelouse humide et grasse et de lombric qui soulevait le cœur peu à peu. Nous nous baignâmes encore, début août, dans le froid — avec pour tout horizon un rideau de pluie semblant sans cesse être à deux pas de là. Le monde était sans profondeur, l'océan sans étendue. Nous nagions moins dans l'eau que dans d'immenses bancs d'algues brunes en suspension, que la tempête avait arrachées, et que l'on traversait à la brasse avec dégoût, avec l'ardeur du dégoût et qui — quand on nageait sur le dos — donnait l'impression de progresser dans des épluchures et parmi des animaux morts.

Pour se réchauffer Isabelle prétendait faire de l'ascension, évoquait Lons-le-Saunier où elle avait vécu enfant et adolescente, escaladait les roches, s'agrippant et tâtonnant des pieds et des mains en quête d'une prise, s'écorchant les doigts, les cuisses et les genoux — ce qui à vrai dire n'ôtait pas vraiment de leur attrait (sans que cela y ajoutât toujours) — et me faisait regretter alors la grâce, dans ces sortes d'entreprises, que possèdent les chats — ou le génie qu'ont à coup sûr pour monter le long des troncs, des murs ou des falaises les escargots et les limaces. Outre la crainte toute complaisante et narcissique et douillette qu'ont souvent les musiciens d'y mettre en péril leurs doigts.

Particulièrement vexante pour le lys des vallées, le narcisse de Saron que j'étais, Madame La Georgette me blessait à coups de hache. Ainsi quand après avoir aimé Isabelle au sortir de son sommeil, après avoir passé un pyjama avant de descendre avec Isabelle à la cuisine pour y prendre quelque joie, si Isabelle suggérait que ma culotte de pyjama — il n'y avait pas de pointure de pyjama dont les miraculeux rétrécissements pussent me protéger du froid tout à fait — m'allait comme un « plumier à un fagot », Madame La Georgette amplifiait aussitôt. C'était alors comme une « fraise au cou de Notre Seigneur Jésus-Christ » — remarques, vexations qui me laissaient bouche bée. Isabelle passait la journée — les plaisanteries intarissablement répétées étant de celles qui tiennent le plus chaud — à multiplier les comparaisons flatteuses. Peut-être mes caleçons m'allaient-ils comme une perruque sur la tête de César. Les pantalons de velours côtelé que je portais alors pour me protéger de la chaleur de la côte normande au mois d'août m'allaient, bien sûr, comme une paire de lorgnons sur le nez d'Attila. Mes slips de bain — l'escalade menant le plus souvent à la grandeur — figuraient dans l'océan comme un citoyen américain dans les ruines de Ninive et ma nudité — par voie de conséquence mais cela, il me faut convenir que je suis astreint à l'imaginer et qu'il y a sans doute beaucoup de charité à l'envisager de la sorte — comme un citoyen de Ninive dans les grottes de Lascaux.

Le froid se fit de plus en plus vif. J'achetais des bouteilles de vin cuit, des apéritifs passés de mode — dont Ibelle raffolait —, des boudoirs aussi que Madame La Georgette et elle plongeaient, comme deux vieilles, dans leur verre après avoir déjeuné ou dîné.

Et c'est ainsi que l'amour était devenu fastidieux comme la sagesse de Salomon, ou comme les piques raides et quelque peu agressives que Madame La Georgette me lançait quand elle arrivait vers dix ou onze heures du matin et qu'elle préparait le déjeuner. Nous avions peu à peu cessé de croire que l'amour exigeait de nous que nous nous jetions l'un sur l'autre, les nerfs tendus à rompre et les mâchoires serrées. Nous avions peu à peu cessé de nous étreindre jusqu'à l'écrasement, jusqu'à la contusion.

Quand il arrivait encore qu'Isabelle s'offrît, il me semblait qu'elle n'était plus là tout entière. Enveloppée de son apparence, elle reculait en elle-même. Je ne touchais plus à

139

chaque fois qu'un bout de peau rose, douce et tiède, un ongle lisse, l'espèce de ficelle des cheveux, l'ivoire des dents que montre une petite bête carnivore tout à coup un peu humble voire attendrie. Cela ne portait plus le nom « Ibelle ». Je ne parvenais plus toujours à la désirer. Pourtant, accompagnée de ce corps, c'était elle que j'aimais.

Faute de geindre ensemble, Ibelle aimait s'accroupir ou s'asseoir à même le plancher et j'éprouvais quelque vergogne et quelque suffisance à dominer le sommet de son crâne du haut d'un fauteuil, d'une chaise, ou du lit. Nos discussions s'étaient elles-mêmes considérablement transformées. Au « Tu te souviens quand je t'ai vu pour la première fois ? » avait succédé : « Qu'est-ce qu'on fait ? » Au « La première fois où j'ai senti que tu... » avait succédé : « En 66, promets-le-moi, il faudra que nous... »

Nous évitions de prononcer le nom de Florent comme si ce son était capable de blesser à chaque fois. A chaque fois que ce nom sortait de l'oubli où nous nous efforcions de l'ensevelir — et c'était sans cesse — quelque chose en nous se déchirait et c'était du sang liquide que nous perdions. Seule Delphine nous entretenait volontiers de ce que faisait son père, et de ses prodigieux mérites, et de la chance extraordinaire qu'elle avait eue — disait-elle légèrement, comme en passant — que son père eût obtenu de la garder auprès de lui. Et le menton dans les genoux, elle suçotait et lissait avec le doigt des tessons bleus et verts de bouteilles fracassées qu'elle avait ramassés sur la plage et que le mouvement de la mer avait polis.

Veules, Saint-Martin, Sotteville, Yport, ce ne sont plus tout à fait des souvenirs. C'est presque devenu en moi une petite vignette légendaire : un petit hameau sauvage au pied de la falaise. Nous étions si hauts. On ne distinguait pas les mouettes des linges qui séchaient. Et la tour grise et le clocher se mêlaient aux mâts des bateaux de pêche.

A mi-côte, on arrivait à un petit jardin. C'étaient quelques massifs de fleurs, du gravier moussu et des ronds de lumière. On passait la grille. On marche dans l'herbe et on tombe nez à nez sur un buisson qui sanglote. On songe à un dieu du Proche-Orient dont le nuage originaire s'est sans nul doute égaré, et définitivement divisé, sur l'océan Atlantique. (Dans ces régions il se trouve beaucoup de dieux uniques qui se sont égarés ; on ne prie plus ; on lève la tête.) On plonge la main dans les feuilles luisantes. On tombe sur une enfant la bouche ouverte et qui vous regarde. On tend la main. On l'attire. On l'embrasse. Elle a une part de l'aurore sur la joue.

Madame La Georgette elle-même, à mes yeux — et je crois que je me trompais —, me paraissait avoir changé. Elle me paraissait être devenue un personnage hargneux, détestable, vieille sorcière moralisatrice — c'est-à-dire démoralisante, maussade, brusque, revêche, âcre, disciple de saint Acaire ou de celui qu'elle nommait Notre Seigneur Jésus-Christ — ne cessant de dire à chaque bon sentiment, à chaque consolation, à chaque théorie, à chaque discussion entre Ibelle et moi : « Qu'est-ce que cela signifie, Ibelle, veux-tu me le dire ? » Puis, s'en prenant brutalement à Delphine : « Si tu as faim, mange ton poing ! » lui disait-elle quand elle traînait dans ses jupes — ses jupes se résumaient à vrai dire en un grand pantalon marron, lâche, usé, en jersey brillant.

A Neuville il y avait sous la fenêtre, près de l'évier, dans la cuisine, des galoches en caoutchouc brun dans lesquelles Madame La Georgette, dès qu'il pleuvait ou pour peu que la terre fût demeurée détrempée, exigeait que nous emboîtions nos chaussures. Nous n'y parvenions qu'avec de grandes contorsions et, au retour, avant même d'ôter nos cirés, nous les défaisions avec une difficulté relativement moindre et les reposions, humides, recouvertes de boue et de petites feuilles jaunes collées, luisantes, sur le carreau de la cuisine. Madame La Georgette nous accueillait avec des mots peu chaleureux : « Voilà une mare dans ma cuisine. Vous voilà beaux ! Vous êtes trempés jusqu'au saint Greluchon ! »

Nous nous changions. Nous faisions un feu. Comme un jardinier entoure de soins, de tuteurs, de regards une plante rare, Ibelle cultivait le feu. Nous brûlions de vieilles souches de pommier. Delphine s'était peu à peu apprivoisée et — sur l'exemple sans doute de sa mère — s'amusait à y lancer des pommes de pin encore vertes qu'elle avait ramassées et qu'elle tenait entre ses petites mains, dans sa jupe, assise devant l'âtre, gloussant et chantant au fur et à mesure qu'elle les lançait.

Un matin, enveloppé dans un ciré glacial et jaune, j'étais descendu au port acheter du poisson. Je rencontrai Raoul Costeker et Sylvette Miot.

« Oh ! Karl, dit-elle, vous avez pleuré en dedans ! »

Je m'approchai de la charrette de poissons. Il y avait des petites daurades. J'hésitais à en acheter une. Costeker me prit par le bras, me secoua vivement, m'embrassa les joues.

« Rentrez à Paris ! La Normandie ne vous réussit point. Elle ne réussit qu'à l'herbe et aux mares ! Il faut que vous rentriez à Paris ! répétait-il.

— Je prendrai un petit morceau de bavette ou de macreuse », dis-je.

Le marchand de poisson me faisait répéter. Il me regardait avec de grands yeux. Ma main tremblait. Costeker continuait de me presser de repartir pour Paris.

Je refusai. C'est comme un choral de Bach. Nous tâtonnons comme dans les ténèbres. Nous titubons comme sous l'ivresse.

En allemand Bach veut dire ruisseau. Et c'est d'ailleurs sous cette forme qu'il apparaissait dans mes rêves. Je fais l'objet depuis l'âge de quatre ou cinq ans d'un cauchemar récurrent. Un arbre énorme et complètement creux, une espèce d'eucalyptus grouille de perce-oreilles. Une casserole pleine de feuilles d'eucalyptus et bouillante est posée sur un poêle de faïence noirâtre et grasse ou en fonte. L'odeur très forte envahit la pièce mais on laisse trop longtemps la casserole sur le feu. L'eau s'est évaporée. Au fond de la casserole chauffée au point que le fond est rouge, les feuilles d'eucalyptus se transforment en perce-oreilles. Le fond de la casserole, à vrai dire, est une oreille sanglante, qui grouille de perce-oreilles. J'étais cette oreille. Les perce-oreilles rongeaient le cerveau.

J'ai fait souvent ce cauchemar. Soit une oreille, soit un poêle, la porte entrouverte, et ce sont des salamandres et non des perce-oreilles. Un poêle qui n'est pas celui de Bergheim — en effet en faïence — un poêle qui m'était interdit, et je ne sais plus d'où. Je revois la porte du poêle en fonte. La petite poignée de cuivre me tente. Elle tente mes doigts tant cette porte m'est interdite. Sur la porte, une scène biblique — sans que j'en puisse savoir le nom ni en saisir le sens, quoique la connaissance des noms n'accroisse pas particulièrement le sens de ce qu'ils désignent. Une femme aux seins pleins de lait et pointus tient une serpe et l'approche des cheveux d'un homme immense qui dort. Il a posé la tête sur ses genoux. Au loin, un autre géant attaché par le cou et les mains tourne autour d'une meule. Je me souviens que je croyais voir là le Kabold et que je mêlais les traits de la femme à une vache plus ou moins fée mais d'un goût discutable qui déféquait la nuit du sable dans les yeux. Tel est le premier souvenir de ce cauchemar : j'étais blessé. J'avais quatre ou cinq ans. J'étais monté au prunier. Une branche avait cédé. Je m'étais cassé le bras. Ma mère, à une ou deux semaines de là, de retour de Caen — et non

143

de Neuilly — était entrée dans ma chambre. J'étais alité mais elle ne traversa pas la chambre jusqu'à moi. Elle dit :

« Mais qu'as-tu donc au bras ?

— Je suis cassé, avais-je répondu.

— Voilà qui s'appelle jouer de malchance ! » me dit-elle et, sans m'embrasser, elle passa dans la chambre de Lisbeth. Ce défaut de baiser — et comment parler d'un baiser absent, des effets presque volubiles d'une absence de baiser ? — me cuit encore la joue. Ou, pour user d'une autre image, il a ouvert en moi une plaie généreuse et que je sens presque inguérissable, et une impatience à racler la corde, à gratter le papier, qui ne connaît pas de pause.

La tour grise sur le port de Saint-Martin-en-Caux me faisait songer à la fois à la tour Guillaume à Regnéville — mais aussi à la tour en pierres bleues de Bad-Wimpfen. A Bad-Wimpfen il y a un célèbre Christ articulé qui lui aussi a pénétré mes rêves, a épouvanté mon enfance. Il était coiffé de vrais cheveux. Maman aussi avait de vrais cheveux.

Je fus pris d'une tristesse singulière, qui n'était jamais douloureuse mais que rien ne rompait. Cette tristesse bien sûr affectait l'amour que je portais à Ibelle. Je me sentais doucement déserté de l'émotion qui naît le plus ordinairement et le plus quotidiennement de la présence d'un corps qu'on aime. Il y a des sons et des odeurs qui mesurent l'attachement que des êtres se portent. Ils sont des jougs sur la nuque, des chaînes aux pieds, des anneaux autour des mains qui mesurent la passion. Mais les sentir — sur la nuque, ou sur les doigts, ou sur les chevilles, ou dans les narines, ou dans le lobe d'une oreille — est déjà en soi une manière de trahison. Les entendre est déjà un minuscule adieu que l'on adresse à l'être qu'on aimait.

La transfiguration avait abandonné nos corps. La capacité

de demeurer des heures à s'occuper d'un corps sans connaître l'ennui, la capacité de contempler sans finir la beauté de la lumière sur un corps et le caractère fragile, merveilleux, indiscutable de ses formes, son ventre, un doigt, la cheville, l'oreille, une cuisse — ces capacités peu à peu s'étaient défaites. Tout devenait humilié et cru.

Il me semble qu'il est difficile de contempler longtemps des organes qui ne sont pas profondément originaux et qui, à vrai dire, pullulent, et d'éprouver des sentiments qui pullulent eux-mêmes. Encore que cela soit peut-être faux : on admire longtemps et merveilleusement et beaucoup les organes génitaux des plantes. On les nomme les fleurs. On passe son temps à les offrir. « Veux-tu un petit organe génital ? » Je lui parlais des rythmes en nous de l'ombre et du jour, Isabelle haussait les épaules. « Tu parles, Charles ! » disait-elle. Cette plaisanterie peu méchante a beaucoup blessé mon enfance. Elle ne croyait pas que l'accoutumance, comme elle pouvait intensifier l'entente entre deux corps en extirpant peu à peu la maladresse, la pudeur ou la gêne, pût aussi bien l'émousser. Elle ne croyait pas que la compagnie sépare, ni que la tendresse est un peu barbante — sentiment par nature toujours plus ou moins mêlé d'ennui, de douceur ou de somnolence. Il n'y a pas d'ombre qui n'ait son corps. L'ombre du corps, du seul corps dans laquelle nous vivions désormais — qui assombrissait tout — était celle de Seinecé.

Nous ne voulions pas avouer ce nom. Delphine seule le clamait. Nous étions mécontents de nous-mêmes, et les reproches que nous commencions à nous adresser sans cesse pour des riens, l'un à l'autre, il aurait été plus judicieux de nous les adresser à nous-mêmes. Nous dînions ensemble, nous nous vêtions, nous nous parlions, nous nous épiions, nous nous heurtions de façon lasse et appliquée. Nous nous taisions de plus en plus souvent, et ce silence même où nous tombions était devenu plus complexe, plus fermenté, plus lourd de pensées, de rancœurs, de rêveries non partagées, que les quelques reparties éculées par lesquelles nous cherchions sans grande conviction à nous déchirer.

« Je suis gaie comme un pensum », disait Ibelle en se forçant, avec la pauvre volonté d'être sarcastique.

« Moi aussi, cette vie me déplaît, répondais-je.

— Je me déplais, tu te déplais. Tu te déplais, nous nous déplaisons... », hurlait-elle, tout en prétextant qu'elle avait tout quitté pour moi, me bourrant de légers coups de poing dont je ne savais s'ils étaient affectueux ou s'il s'y assouvissait une part de haine.

Nous eûmes des discussions plus pénibles, plus âpres. Ibelle devait reconduire Delphine à Chatou et décida — par rétorsion — après qu'elle aurait redonné Delphine à Florent, de passer trois jours auprès de ses parents à Lons-le-Saunier. Je me retrouvais seul dans la maison de Saint-Martin-en-Caux. Il pleuvait. J'allais fermer les volets lourds et pleins, inégaux et qui jouaient. Je rentrais, j'allumais quelques lampes pour que cela parût vivant et que moi-même j'en emprunte un peu de vie ou de lumière. Je dépliais un journal sur la table de la cuisine, j'allais chercher une dizaine de pommes du jardin, plissées, tavelées, je voulais faire une sorte de compote.

Madame La Georgette ne venait que durant la journée. Je me retrouvais seul. La nuit, la lenteur de la nuit, l'insomnie me font peur. Dormir seul m'est peu agréable. Les ongles des mulots qui couraient dans le grenier tapaient par brusques saccades et la présence de ces animaux me paraissait odieuse, sinon monstrueuse. Ma main pendait hors du lit — je la ramenais sous le drap, crainte qu'elle fût rongée.

Je ne m'endormais pas. L'intense lumière de la lune filtrait par un losange dans le bois du volet. Je repoussais doucement le drap.

Il est des souvenirs, des hasards qui demeurent toute une vie paradisiaques, presque sans vraisemblance. Lorsque je me réveillai, c'était un de ces rares jours de soleil éblouissant. Et peut-être au bout du compte, sur la côte normande, tout le miracle était-il là Je travaillai quelques heures puis je m'empressai de descendre à la crique. Du sentier, je vis qu'elle était occupée — trois baigneurs étaient étendus. J'hésitai un instant à descendre les roches. De la falaise je voyais la Pierre-qui-glisse, au loin, noire comme l'encre, qui se détachait sur la mer. Le ciel, la mer étaient d'un bleu admirable, laiteux — bleu comme le bleu des porcelaines de Meissen. Je pris le parti de descendre. Je passai le petit oratoire. Je passai le buisson à la wassingue cachée. Je descendis, je désirais le soleil. Je commençai à me dévêtir, passai le baigneur et les deux baigneuses qui — allongés sur le ventre — visiblement dormaient. J'étendis une serviette à la limite des vagues. Je nageai quelques instants, m'ébrouai violemment et revins m'allonger sous le soleil de dix heures à la limite des vagues.

C'est le plus souvent au soleil — comme une plante toute chlorophyllienne — que j'ai senti monter en moi, à proportion de la chaleur et de la beauté de la lumière quelque chose d'éternel, de foncièrement vivant, un oubli, une gratitude réelle, un sentiment de vie. Je m'endormis.

L'eau montante me mouillant les pieds me tira de mon rêve. Je me levai et étendis ma serviette un peu plus loin, à deux pas du groupe des deux baigneuses et du baigneur. Je m'allongeai de nouveau. Je rêvassai. Entrouvrant les yeux par instants, je vis une des baigneuses — la plus brune, la plus méridionale — qui me regardait. Je lui souris. Elle me sourit.

Le désir est étrange. Tout à coup nous sommes de plain-pied, nous sommes d'intelligence avec un autre corps. Nous nous regardions avec satisfaction et presque camaraderie. Plus tard, elle se leva, entra lentement dans la mer. Elle avait le torse vaste, le corps un peu raide, droit, très marqué dans ses formes — mais ce caractère un peu d'idole, et le dos sportif et hiératique, m'en imposent toujours. Nous nageâmes, nous bavardâmes, nous rîmes.

147

Rejoignant la crique, nous nous allongeâmes l'un près de l'autre et elle me décrivit ses vacances. Elle était grecque. Elle venait de Paris, se dirigeait avec ses amis vers Bordeaux, puis rejoindrait la Provence, son mari, sa fille avant de regagner la Grèce. Je m'appelais Karl Chenogne. Elle s'appelait Photini Gaglinou. Son mari s'appelait Stephanos Gaglinos. Elle cessa de parler de lui. La peau, mouillée d'une sueur plus salée, se faisait plus odorante. Chaque mouvement dégageait des odeurs de plus en plus chargées et de plus en plus désirables. L'odeur grise. Comme l'herbe folle dans un parc qu'on a laissé à l'abandon, le désir envahissait. J'épiais ces perles de chaleur hésitantes, hasardées, coulant peu à peu dans la rigole des seins. Je lui caressais la main. Elle serra mes doigts. Nous nous tînmes quelque temps comme deux enfants de cinq ans, mis en rang dans le préau, en blouse grise, avant de pénétrer sous le regard du maître dans la salle de classe glaciale. Puis nous approchâmes nos corps. Nous suçâmes nos lèvres. Elle approcha sa bouche de mon oreille :

« On peut aller chez toi ? » demanda-t-elle.

Je craignis Madame La Georgette qui devait alors préparer le déjeuner. Je préférai l'hôtel. Il ne restait de libre qu'une petite chambre meublée — faux acajou 1950 — au deuxième étage, dans l'anse même du port. Nous nous aimâmes dans une joie, une absence de sentiment, une faim et un plaisir indescriptibles. Je l'entraînai manger dans une ferme-restaurant à Ouville-l'Abbaye, près d'Yvetot. Nous revînmes. Nous dînâmes à Fécamp.

Je me fais l'effet du baron de Münchhausen qui raconte sans finir des histoires de chasse plus incroyables et plus vantardes les unes que les autres. Je me construis l'image flatteuse d'un séducteur à succès. Il faut rétablir la vérité : les corps que j'ai non pas violemment mais longuement désirés se comptent sur deux pauvres doigts d'une seule main. J'ai sans doute été séduit par cinq ou six femmes. J'en ai séduit moins encore. Dans mon enfance sur les huit femmes qui m'entouraient je n'ai retenu l'attention que de Marga et de Luise — et un peu de Hiltrud. Le premier, Seinecé, m'avait offert, plus loin que la camaraderie, un peu d'affection désintéressée. Quelque chose qui me paraissait l'apanage des héros d'Homère — mais certes pas des dieux, ni des disciples de Jésus. Depuis lors, sur cinq femmes qui ont vécu quelques saisons avec moi, trois m'ont abandonné. Et il faut croire que j'en ai le désir, et que cette éventualité même de l'abandon m'attire pour une part en elles, et cela dès la première avidité qui m'engage vers elles.

Photini était d'une beauté singulière, musculaire, lourde, irradiante, sportive, communicative. La beauté n'est jamais intérieure. Elle ne saurait d'ailleurs l'être sans contradiction. Ce serait encore quelque reflet qui la découvrirait à nos yeux et qui serait encore apparence pure. Elle ne dit pas un mot d'amour — d'une franchise, d'une santé, d'une gaieté que je n'ai jamais revues. Elle parlait, me semblait-il, excellemment le français et passait à l'anglais lorsqu'un mot lui faisait défaut. Mais nous parlions peu. Ce n'est qu'incidemment que je sus que son mari était un industriel et pour quelle raison il se trouvait alors à Nice avec sa fille. Mais j'en ai perdu le motif. L'amour, depuis les chants les plus anciens, non pas depuis les chants des oiseaux ou ceux des dauphins mais depuis les chants humains les plus anciens, depuis l'invention de l'arc (il semble que j'aie mes entrées pour pouvoir parler de la sorte avec tant d'assurance de choses dont il ne reste aucun vestige, mais en effet, comme tous les musicologues, j'ai mes entrées), les hommes l'ont comparé à une flèche unique, brusque, improviste, terrible. On se dit : « Tiens ! Une immense blessure s'ouvre au fond de mon âme et je vois que d'instant en instant elle s'étend ! » Et à chaque fois c'est la révélation. Et à chaque fois, impuissant à reconnaître ce que la révélation révèle, on ne s'en remet pas.

Nous nous aimâmes une quarantaine d'heures. Le second jour, de nouveau, il ne cessa pas de pleuvoir et nous restâmes dans la chambre — sortant pour petit déjeuner, pour déjeuner, pour goûter, pour dîner, pour faire médianoche. Ce corps était d'une beauté vigoureuse, drue, terrestre, gourmande, sublime. Pourquoi des parties qui peuvent paraître le plus souvent assez malodorantes, et dont on dérobe volontiers la vue, et qui par ailleurs ne sont jamais tout à fait propres, l'idée de les lécher fait-elle battre le cœur ? Cette journée — cette double journée — fut une joie qui ne discontinua pas. Et il me semble presque qu'à l'égard de ce corps il me reste quelque chose du désir.

Photini quitta Saint-Martin-en-Caux — avec le couple qui l'accompagnait — pour le Mont-Saint-Michel puis la Provence. Nos adieux furent brusques, pudiques, peut-être émouvants. Nous ne cherchâmes même pas à nous communiquer nos adresses. Nous ne nous revîmes jamais. J'en retiens ce nom étrange : Photini Gaglinou — ce génitif asservissant et étrange, Gaglinou : celle qui appartient à Gaglinos, et qui résumait le destin de ces heures. J'attendis le retour d'Isabelle — de celle qui n'avait pas été tout à fait « Seineçou ». Je n'ai jamais su faire des jeux de mots qui convainquent et entraînent le rire. J'en éprouve du regret. La pluie était revenue et elle était inlassable.

Les soirs de pluie — de pluviotement tenace — sont lancinants et atroces. Je ne hais rien tant que le clapotement de la pluie sur le ciment ou sur la pierre des perrons, et les ricochets de l'eau qui s'écoule en rigoles le long des murs. J'éprouve aussitôt le sentiment de quelque chose en moi qui s'écoule furtivement, et qui n'ose pas ruisseler, et qui ronge. Au contraire la pluie tempétueuse, fouettante sur les carreaux me donne plutôt de l'excitation et du bonheur.

Isabelle revint, maussade, angineuse, tussive, enrouée — et je prends conscience que ce ne sont toujours que des sons qui me reviennent, des sons de toux, de voix qui se perd tout à coup, de nez qui renifle, et non des couleurs ou des étoffes. Le retour d'Ibelle de Lons-le-Saunier, le bruit de la pluie sur le ciment et le perron, le son de l'amour — un halètement enroué —, tout cela fait revenir en moi la plainte à proprement parler respiratoire de la pompe de la citerne et le rejet violent de l'eau dans la bassine de la vaisselle ou dans le seau. Et c'était la citerne de Bormes. Et c'était le début de mon amour pour Ibelle. Et là encore il s'agissait de sons. Et plus encore, cette plainte de la pompe de la citerne, elle était presque devenue le son de mon corps, le son scellant mon corps du nom d'Ibelle, son qui portait le témoignage de la première fois où mon corps s'était durci vers elle, s'était porté vers elle autant qu'il se refusait à son désir. Et, aussi bien, je m'en étais désormais détourné. Je cessai de l'aimer un soir — sans que j'aie su alors que j'avais cessé de l'aimer. Je ne sais plus quel pouvait être au juste ce soir — mais un soir il arriva que nous nous heurtâmes les dents. Un instant nous fûmes comme des morts. Le bruit des dents, le claquement de l'émail des dents avait été extraordinairement fort, mat, indésirable, réel. Et il s'agissait encore d'un son, d'un avertissement sonore — ou encore d'une partition plus profonde que celle qui est à la merci de la langue, et touchant même peut-être au réseau sonore qui la sous-tend, et dont elle n'est peut-être qu'un surgeon fallacieux et pervers. Une passion s'était diluée — s'était mêlée à la bruine, à la pluie, et comme au son de la pluie. Tout paraissait extraordinairement fragile, fastidieux, temporaire, transitoire. Nous transitions. Nous transitons. Nous avions les pieds glacés — nous avons les pieds glacés, le nez qui goutte, un peu de brume sur les lèvres. Et nous nous resserrions dans l'encoignure. Nous nous serrons.

Nous transitons, cela veut dire aussi : nous allons vers le passé. Et c'est totalement, tout entier, que nous allons vers un passé total. Il y avait à une quarantaine de kilomètres de là, sur les bords de la Seine, près de Notre-Dame-de-Gravenchon, des cercles de sable qu'un vieil homme nous avait montrés du doigt et dont il prétendait qu'ils étaient mouvants. Les pieds y enfonçaient vite et pour peu que le corps s'entravât plus profond dans cette poudre inconsistante, les efforts mêmes qui cherchaient à se soustraire à l'enfouissement enlisaient davantage. Et notre amour s'enfouissait davantage. Peu à peu, semblable à une eau qui cesse d'être agitée, la surface granuleuse se refermait sur des visages et des corps qui étaient devenus invisibles. Et notre amour, à mes propres yeux, était devenu étrangement invisible. Le passé, la mort est ce sable qui se meut et qui boit tout de nous. Le sable même, ce sont de véritables montagnes qui sont désagrégées. Ce sont des souvenirs. Et hélas c'est tout ce que je suis, c'est tout ce que je fais, c'est tout ce que j'écris. Supposé que nous prenions une poignée de sable sur la plage et que nous entrouvrions un peu notre poing, c'est une montagne qui file entre les doigts. Et c'est une falaise qui susurre.

Le matin, vers quatre ou cinq heures, j'allais porter la poubelle de caoutchouc noirâtre, pesante, puante sur la route. Vers onze heures j'allais jusqu'à la Grand-Rue de Neuville acheter du pain et, à l'épicerie, acheter des bières, du vin, des gâteaux secs. Je me mis à faire la cuisine, faute qu'Ibelle la fît. Je ne sais plus pour quelle raison, Madame La Georgette ne venait plus préparer le repas de midi. Ibelle s'était désintéressée de tout cela ; l'amour avait ses devoirs et c'eût été manquer à l'étiquette que le malheur se salît le bout des doigts et songeât à l'épicerie. Je prenais un balai vaguement vers le soir — ou un morceau de chiffon — à la condition qu'Ibelle ne me vît pas. Comme disait Klaus-Maria qui était féru de méditation assise : « Bouddha n'est pas plus dans le temple que dans le balai des toilettes.» Ibelle me répondait avec à-propos, et non sans vraisemblance, que pour mon propre compte je ne pouvais quand même pas envisager de résider dans le temple, et qu'il fallait alors me résigner. Il est vrai qu'il ne s'est jamais trouvé un précepte religieux, même indien, pour m'apaiser. J'avais garde de ne pas toucher aux vêtements d'Ibelle jetés en désordre au travers de la chambre.

Les femmes que j'ai rencontrées dans ma vie — et qui l'ont illuminée sans nul doute, principalement aux heures de grand soleil — étaient si remarquables et avaient une idée si haute et si juste de leur valeur qu'elles ne faisaient à peu près rien qui l'eût avilie et qui de ce fait les eût abaissées à leurs yeux — rien de très concret, au-delà de posséder un corps. Rien de ce qui les nourrissait ou qui concernât les lieux, les couleurs, les pensées et les sons ne les remplissait d'enthousiasme. Rien aussi bien qui pût nouer des liens complexes et variés et qui fût capable d'attacher beaucoup ni longtemps — encore que les discours idéologiques aient quelque chose à mes yeux de profondément attachant, parce qu'ils tiennent du refrain de l'enfance, du plaisir du refrain, et peut-être même — où elles excellaient, mais en quoi n'excellaient-elles pas ? — du plaisir médusant et profond du ran-ratapataplan.

Il était neuf heures. J'avais cessé de traduire. Le soleil était de retour, avait inondé la chambre où je travaillais. J'étais descendu au jardin. Je m'étais installé au plus haut de la pelouse. J'avais traîné deux fauteuils en rotin pour bien marquer à Ibelle que j'avais convoité sa présence. De nouveau le soleil du matin était presque brûlant. Je voyais la

153

mer vert foncé et huileuse au loin derrière les pins parasol et les chênes. Je me souviens que je lisais et préparais des partitions de Sebastian Lee et de Goltermann et je m'ennuyais un peu. J'eus un sentiment de bouleversement tout à coup, comme si une décision qui tardait à venir s'était prononcée à mon insu. Voilà : je n'aimais pas cette musique, j'aimais les œuvres du XVIIe siècle, ou du début du XVIIIe siècle, je quittais Ibelle, je rentrais à Paris, je ne me souciais plus que de musique baroque, je devenais un grand violiste, j'entrais chez Arraucourt, on s'effaçait devant moi, « Qui est-ce ? » demandait-on sur mon passage, « C'est le nouveau Sainte Colombe. Vous ne le reconnaissez pas ? C'est le nouveau Marin Marais. C'est le nouveau Cupis ! » répondait-on tout bas avec respect. Je décidai de partir, de rejoindre Paris, de changer ma vie. Je me mettais à haïr la Normandie. La Normandie me semblait toute à l'image de la toile cirée à motifs de petites noisettes roses et de petites fougères vert pomme que Madame La Georgette essuyait — s'il est possible de dire — après chaque repas avec un chiffon humide et huileux. Cette toile cirée était brillante, lumineuse comme un pré gras et détrempé dans la lumière, sous la suspension, au milieu de la cuisine, aussi onctueuse et engluante qu'une passion finissante.

Quoi que ce fût, toute cette herbe, ces pluies, cette mer, cette femme m'étaient devenues source de détestation. Les roches, les berniques sur les rochers, les coques brisées coupant le pied, les algues glissantes, les bancs de moules et de baigneurs, la vulgarité de tous les vivants, le sentiment de la banlieue à l'égard de la ville — le sentiment de la villégiature à l'égard de la vie tout court, sorte de banlieue temporelle, voie sans issue et dans le temps et dans le cœur et dans l'espace. La sensualité incessante, proche de la traite à l'étable à heures fixes ou du prurit maladif d'une plaie vaguement purulente et dont on a le sentiment qu'il suffirait de ne pas la gratter durant un jour ou deux pour qu'elle s'apaise et se résorbe. Les chagrins aussi, les chagrins incessants, rendant humide la pelouse et si révoltant de s'asseoir au jardin. La multitude des guêpes, des moustiques, des abeilles, des mouches cette année-là. Les méduses sur le bord du rivage, les moustiques la nuit. Je me saisissais d'un vieux roman plein de mélodrames — la mort sadique d'un fils de menuisier, des femmes très belles se montrant nues à des hommes et les assassinant ou, affamées, mangeant leurs nouveau-nés, et le cordon ; et jusqu'à leur délivre — et j'écrasais avec passion les moustiques. Quand j'en avais tué un je me disais : « Tiens ! voilà que la Bible sert à quelque chose ! » Le 6 août j'étais à Paris. Le 8 août je restaurais un privilège. J'étais à Saint-Germain-en-Laye et j'embrassais Mademoiselle Aubier.

Quand j'arrivai, dans ma Quatre-chevaux vrombissante — quatre chevaux, c'est l'attelage des quadriges, des triomphes —, Mademoiselle Aubier quittait la maison en marchant avec prudence, avec un porte-cartes vert Empire sous le bras. Je m'arrêtai brusquement et ouvris la portière. « Saperlipopette ! dit-elle. Est-ce bien vous, Monsieur Chenogne ? Quelle surprise délicieuse vous me faites ! »
Je garai la voiture. Elle m'accompagna jusqu'à la grille. Je retrouvai Ponce, le chien de Mademoiselle Aubier — et nous nous serrâmes la main et nous nous frottâmes le nez.
« Prenez la clé de la maison, me dit-elle. Denis est dans l'Iowa (elle prononçait « aïe au ouah ! » comme un petit cri douloureux adressé à Ponce) pour deux mois ! Je dois faire une course mais vous ne serez certainement pas encore au Pont-Neuf que je vous aurai rejoint ! »
Mademoiselle Aubier était vieillie. Elle avait une robe de crêpe gris et un magnifique chapeau avec des papillons gris aux ailes tachées de violet, une voilette de tulle gris, le chignon bas et fort maladroitement noué. Elle avait soixante-

dix-neuf ans mais elle avait encore une espèce de beauté douce, affaissée, recroquevillée sur elle-même. Lorsqu'elle fut de retour — lorsque nous fûmes à prendre le thé, à manger des tuiles aux amandes et des éclairs — je m'ouvris à elle de mon amour pour Ibelle.

« Oh ! Je connais le fourbi ! » me dit-elle avec un ostentatoire mépris qui me blessa — et en portant méticuleusement sa main à sa bouche, tenant son mouchoir, tapotant ou essuyant un déchet de tuile ou une larme imaginaire de thé ou de salive.

Je ne lui cachai rien des difficultés que nous connaissions.

« Vous savez, rétorqua-t-elle, je ne suis pas arrivée à mon âge sans m'être fait une petite idée sur les sentiments humains. Vous croyez aimer Isabelle. A mes yeux cela ressemble aux délicieuses disputes à mort des écoliers dans la cour de récréation des écoles primaires. Je connais bien un remède que je vous soumets. C'est le seul que je sache que l'expérience n'ait peut-être pas démenti. Je crois qu'on peut, avec mesure bien sûr, vaporiser légèrement le matin la literie à l'essence de serpolet. Mais convenez que c'est une entreprise bien ambitieuse, et tellement inutile. Dites-moi, répondez-moi franchement, Charles, a-t-on jamais vu deux corps n'en composer plus qu'un ? Mon opinion est que ce sont des rêveries de gens qui sont tombés sur le chapeau. »

Mademoiselle Aubier, tantôt cynique, tantôt bégueule et nettement collet monté, m'expliqua qu'elle avait toujours proscrit les attouchements inutiles — n'était une fois, convint-elle. Il s'agissait d'un familier du grand Stéphane-Raoul Pugno. Elle était toute jeune. Elle avait dix-neuf ans. C'était en 1905. « Il me semble que c'était en 1905, dit-elle, parce que c'est cette année-là que nous avons dû quitter l'appartement de la rue du Quatre-Septembre à cause des travaux du métro, insupportables de poussière et de bruit. Pourtant papa aimait aller travailler à la Bibliothèque Nationale... »

Mademoiselle Aubier s'interrompit. « Si nous buvions un

peu d'alcool maintenant, pour nous remettre de ces conversations si profondes ? Si nous faisions cornemuse ? » dit-elle en se levant. Je pris conscience que cela faisait déjà deux ans que ce mot de cornemuse appartenait à notre idiome — comme à celui de Florent Seinecé. Mademoiselle Aubier ne supportait pas et trouvait même singulièrement vulgaire qu'on dît « apéritif ».

« Puis-je dire un mot de charretier ? » suggérait-elle à chaque fois en minaudant lorsque sonnaient les douze coups de midi à la minuscule pendule Directoire. « Et si nous nous rincions un peu la cornemuse ? » disait-elle en portant la main devant sa bouche comme une petite fille qui pouffe ou qui feint de pouffer. Aussi ne disions-nous plus « prendre l'apéritif » mais « faire cornemuse ».

Elle me servit un peu de vin cuit, emplit son verre à ras bord et développa, dériva sur la musique, sur sa mère. « En janvier 1899 maman, qui était une amie de Jane de Théza, a chanté pour la première et la dernière fois de sa vie en public, à la Société philharmonique de La Rochelle. Elle avait précédé Mademoiselle Menjaud, qui avait interprété brillamment les *Berceaux* de Fauré. Mais maman s'était taillé elle-même un joli succès même si, suivant la modestie qui était la sienne, elle répugnait à en convenir, avec *Te souviens-tu* de Guiraud...

« Voulez-vous que je vous le chante ? » me demanda-t-elle tout à trac. Je n'osai refuser. Nous quittâmes le jardin — pour moi à regret. Nous nous étions assis devant le perron, près du saule. Il faisait un temps merveilleux. Sitôt arrivé, j'avais sorti les chaises longues. Mademoiselle Aubier s'était abritée sous son en-cas pour manger son éclair au café et siroter son thé ou l'une de ses fiasques de vin cuit.

Nous dûmes gagner lentement le salon de musique si humide, sous le perron. Je lui tenais le bras.

Il fallut m'asseoir au piano et l'accompagner comme je le faisais naguère. Mademoiselle chanta tout d'abord le *Te souviens-tu* qu'avait chanté sa mère. Nous finîmes pas *Arbre*

157

charmant qui me rappelle... et nous revînmes près du saule. De nouveau, comme nous étions allongés sur nos chaises longues, elle renoua spontanément la conversation que nous avions eue.

« D'un côté je me dis : Charles Chenogne est tout à fait dans les brindezingues, cela se voit comme le nez au milieu de la figure, il faut le consoler. Mais d'un autre côté, je me dis : ce genre de choses ne se rapapillote guère, ensuite c'est plutôt un plaisir qu'un drame, et ça fouette le sang. L'âge, je vous le promets, c'est une tout autre paire de manches. Et ce n'est pas si rigolo. Et cela ne fouette rien du tout...

« Ah ! voyez-vous, reprit-elle tout à coup à voix forte, personnellement, que la conscience du monde et des êtres cesse avec la mort, je trouve que c'est une chose extrêmement désagréable.

— Mais bien vraisemblable ! criai-je avec la conviction, l'arrogance propres à l'âge que j'avais alors.

— Je suis un peu *dingo* (me dit-elle plus bas en soulignant ce dernier adjectif, employant un mot alors " moderne " comme pour se mettre à ma portée), allez-vous penser : j'aurais tellement aimé voir ce qui se passerait après ma mort. Et, dans le fond, peut-être aurais-je aimé un peu survivre aussi, peut-être... »

Elle s'était mise debout, s'appuyant sur son en-cas. Elle réfléchit longuement :

« ... Quelques années », souffla-t-elle.

Je quittai Mademoiselle quand elle s'offrit à préparer le dîner. Mais j'acceptai de grignoter avec elles les restes de macarons et de tuiles — non plus d'éclairs — qu'elle était allée acheter après qu'elle m'avait vu sur le chemin qui menait à sa maison. Je dévorai deux macarons.

« Monsieur Chenogne, me dit Mademoiselle Aubier, vous me faites tellement plaisir. Il est vrai que vous êtes une espèce de géant. Moi, j'ai été des années à croire que le bout de l'expérience humaine, c'était manger une tartelette aux pruneaux chez Rumpelmeyer, rue de Rivoli.

— Et ce n'est pas le bout de l'expérience humaine ? » demandai-je, tout à coup anxieux.

« Non, dit-elle. Ce n'est pas le bout de l'expérience humaine. Mais c'est le sommet de la sagesse. » En la quittant, voyant au loin après que je me fus retourné sa petite silhouette grise découpée sur l'obscurité des buis, je découvris alors dans quelle solitude — solitude absolue, hors du temps sinon hors de l'espace, mais d'une certaine manière déjà hors du monde — elle vivait. Denis ne reviendrait des Etats-Unis qu'en septembre. Remonté dans la Quatre-chevaux, le menton sur le volant, je rêvais tout haut. J'étais un enfant. Isabelle prétendait ne jamais concevoir le moindre regret de l'enfance — prétendait haïr la vie de famille, les pendules à contrepoids, les brioches trop peu cuites, à peine dorées, l'existence horrible des orties, des mouches, des guêpes, des frelons, des poules. Moi je n'étais pas si sûr qu'on quittât jamais l'âge où l'on s'effraie sans mesure des sons extraordinaires quand on ne parvient pas à trouver le sommeil, l'âge où l'on n'est pas aimé, l'âge où on découvre le piano, où on pince pour la première fois les cordes sur un quart de violoncelle — cet âge où on ne se mesure qu'à la taille encore immense et souveraine des adultes. Pour mon compte, pour la première fois je nourrissais de l'aversion pour ma taille excessive et du dépit devant la faiblesse de mon âge. J'aurais voulu avoir l'âge et la taille si minuscule de Mademoiselle Aubier. J'étais haut comme trois pommes et je passais le mètre quatre-vingts. Et j'étais maigre alors comme un clou que la rouille a rongé.

Je revins à Saint-Martin-en-Caux le 9 août. Pour tout aiguillon j'avais l'angoisse, le désir d'en finir, le remords, un début de pitié vers Ibelle, un déclin de mendicité au fond de moi. Je rapportais à Isabelle une petite chaise basse ravissante

— ou du moins que je trouvais telle — en faux ébène, paillée rouge et bleu. Combien ces souvenirs sont vains. Les petits rubans tue-mouches fixés aux suspensions et aux poutres, c'est ainsi que je vois ce livre peut-être ou plutôt ces pages. Ces rubans étaient jaunes. Au hasard de son vol une mouche venait coller ses ailes à la glu jaune et mourait prodigieusement lentement. Elle émettait un bruit considérable en regard de sa taille. D'autres mouches dansaient autour d'elle. Ces rubans mêmes ne sont plus. Enfant, quand je tenais une mouche prisonnière dans mon poing refermé, cette présence sèche, grouillante, vrombissante, chatouillante me contraignait très vite à desserrer les doigts. Pour moi, cette image de mouche aux ailes sèches et affolées, cette présence titillante, c'est le désir. Mais le désir s'était perdu. Ibelle avait posé la chaise noire, rouge et bleue, elle approcha ses lèvres, ses mains. Elle me vit penaud, gêné. Il me semble que les lumières, dans ses yeux, s'éteignirent. Et elle me dit brusquement :

« Tu ne m'aimes plus. »

J'ai connu tout enfant ces désertions du désir, ces envies paniques de partir, de mourir. La petite et grasse Gudrun me captivait. Ses seins sous son chandail me paraissaient passionnants. J'ai longtemps été captivé par le tressaut des seins de Gudrun quand elle marchait vigoureusement. A Bergheim j'avais mené Gudrun dans le coin le plus éloigné du parc. C'était un lieu hideux — hideux sans doute parce qu'il était invisible de la maison. Un fil était tendu entre deux arbres où le linge séchait. La discussion par ma faute avait été hautement scolaire et le lieu et la honte et le désir me rendaient maussade. Je regardais les gouttes qui tombaient d'une culotte blanche qui appartenait à l'une de mes sœurs. Je me disais : « Le rythme des gouttelettes d'eau qui tombent de la culotte blanche est dactylique ! » J'avais regardé Gudrun. J'avais quitté Gudrun en la repoussant. Ce linge qui séchait, ce corps potelé, ce latin, tout cela me choquait, il n'y avait plus de désir sur terre. Je m'étais levé sans que Gudrun comprît et j'étais parti en courant.

Durant la nuit de mon retour à Saint-Martin il en fut de même. Le corps d'Ibelle était devenu plus lointain et répugnant un peu. Les souvenirs m'envahissaient — comme à chaque moment de ma vie où je trébuchais et m'empêtrais dans une sorte de dépression, décommandant les concerts — et ils me détachaient du monde ou plutôt des proches. Je connais bien désormais l'ordre dans lequel se présentent ces hantises. Je revoyais Heinsheim, Bergheim, la pêche à la perche et au brochet sur les rives de la Jagst et sur celles du Neckar, les lieder de Hans chantés par Fräulein Jutta — mais aussi chantés par la Schwarzkopf :

> *Je reviendrai sous forme de brochet,*
> *Aussi luisant, aussi cruel...*

Je détestais ces souvenirs qui revenaient comme des pelures pelées de la douleur, des œillères, des manteaux, des passe-montagnes de laine rêches et pelucheux. J'ai entendu enfant Elisabeth Schwarzkopf à Bad-Wimpfen. Mais Bad-Wimpfen pour moi, à quelque Schwarzkopf que je m'efforce de rêver, c'est le terrible Christ articulé recouvert de cheveux humains. Ce souvenir me donne encore le désir de hurler. Coiffé de vrais cheveux — des cheveux d'une victime humaine. Ses bras articulés vont vous saisir.

J'épiais les retours d'Isabelle. Je redoutais les heures où elle était là. Je ne voulais plus rencontrer ses yeux, voir son corps. Je ne voulais plus entendre sa voix. Je ne voulais plus d'elle, même pas de son souvenir, même pas du souvenir de son nom. J'avais décidé de rompre mais je n'y parvenais pas. En revenant de Paris — où j'avais vu Costeker et qui m'avait

161

finalement parlé de la même façon que Mademoiselle, « les daurades, disait-il, ne chassent pas dans l'océan » — je m'étais répété comme une scie une de ces sentences à la Bouddha qu'inventait ou que récitait Raoul Costeker : « Tous ceux qui suivent la route se perdent. » (Je ne savais pas combien j'avais raison.)

Je ne voulais plus la voir et pourtant j'épiais par la fenêtre. C'est ce que Cäci appelait « jouer au jeu de Yahvé », parce que la Bible disait de Dieu, c'est un des plus beaux chorals : « Il guette par la fenêtre, il épie par le treillis. » Je marmonne ce psaume. C'était ma chambre, à Bergheim, je regardais par la fenêtre mon père attendant ma mère, ou hurlant sur la pelouse contre elle. Je n'entendais rien. Je regardais, enfant, par une vitre où une bulle d'air était prise. Je l'aimais. Je regardais au travers de cette espèce de gondolement ou de protection qui gondolaient l'oiseau, qui ployaient le nuage que le soleil mourant dorait, qui tordaient le petit sentier gravillonné qui tournoyait dans la pelouse et descendait au loin derrière la mare en contrebas, avant le mur. Bulle d'air dans la vitre qui fait songer aux gouttes d'un sirop de sucre séché sur le carrelage, aux gouttelettes de sperme à peine émises sur la main ou sur la cuisse avant qu'elles se diluent et se fassent transparentes, ou encore à la progression hésitante des gouttes de cire sur les flancs de la bougie avant qu'elles se solidifient. Matières qui n'étaient pourtant ni collantes ni poisseuses, et qui n'étaient transparentes ou opaques que peu de temps, selon la qualité de la cire ou l'âge de la semence. Et là j'épiais, déformé par la vieille bulle d'air — dont on dit que les rayons de lune les modifient — le corps étrange, hautain, cambré, muet, fermé de cette femme si belle dont je redoutais tellement le retour. Et c'était l'éclat de ses yeux, la tension effrayante qui envahissait les pièces, la fascination devant ces yeux immenses et qui me donnaient tort et qui avaient raison et qui me terrifiaient.

Quelquefois le deuil est un tourment effrayant. Le remords me semble peut-être pire que le deuil et, pour mon propre compte — étant sans nul doute moins épatant que mes congénères —, il l'a toujours accompagné. La jalousie est peut-être pire que le remords, encore que dans le deuil, dans l'abandon, dans le remords, dans la trahison, la jalousie règne. Nous sommes coupables — tel est sans doute le lit de nos sentiments — et quand nous réfléchissons avec application, il est tout à fait vrai que nous sommes coupables. Vrai que nous avons envié la place d'un autre, vrai que nous avons jalousé, vrai que nous avons nourri le désir de mettre à mort et de dévorer — et c'est notre convoitise de mordre, de déchirer des dents en effet, qui dans le remords se retourne contre nous.

Je prétends que les phrases au conditionnel passé sont les pires du monde. Ces phrases sont comme les pattes des crabes qui marchent de travers, ou comme les pinces des langoustines qui ne coupent pas mais arrachent et déchirent. « Elle aurait aimé que... », « Il aurait dit... », « J'aurais voulu... ». L'étreinte de ces serres est pire que l'étreinte des seules serres du passé.

Au reste ce n'est pas la morsure même, peut-être, qui provoque l'épouvante, ou qui tire tout à coup du cauchemar dans la sueur et le cri — c'est le geste de mordre qui précède, c'est la gueule béante et les dents mises à nu, le retroussement des lèvres à quoi tout ce qui est un jour troussé se réfère presque absolument, le rire absolument sérieux et absolument agréable de celui qui s'apprête à manger, à engloutir la proie ; et c'est pourquoi le rire ne peut venir que sur les lèvres d'un animal carnivore qui désire, qui bondit, qui prend, qui tue et qui déchire des dents. Et c'est en quoi le rire n'est pas le propre de l'homme mais aussi de l'hyène ou du lion : il est simplement le propre d'un animal voyant sa proie trébucher et qui y entrevoit un bon, un excellent morceau — et il est vrai que, pour peu qu'on nous fasse la grâce de trébucher beaucoup autour de nous, nous rions tellement.

En pleurant, ou juste avant qu'elle pleurât, sa lèvre supérieure remontait et se fronçait avec des petits coups précipités. Elle était adossée au manteau de la cheminée, le menton dans les mains. Je cherchais à lui parler. Quelque effort que je fisse, elle ne répondait pas. C'était comme un rêve, ou un conte : au jardin, un jour de printemps. J'entends sonner la cloche suspendue à la porte de bois qu'il faut forcer un peu à cause du lierre qui l'envahit. J'ouvre. Je m'efface déjà pour laisser passer celui qui sonne, mais rien, il n'y a personne. Je m'efface et il n'y a personne.

« Je rigole comme une baudruche, disait-elle avec rage. Je suis malheureuse comme un poisson dans l'eau.

— Autant dire comme un poisson en villégiature sur la côte normande. »

Je l'entraînais sous la bruine. Une dernière fois nous passâmes près du buisson de la wassingue introuvable — tels ces petits bonshommes cachés dans le dessin des ramures d'un arbre, dans le dessin que font les branches d'un buisson, et qu'il faut retrouver. Il est des êtres à qui il manque une sorte de chlorophylle qui leur permette de fixer le bonheur — ou du moins qui leur permette de l'associer à la synthèse de l'âge, de la mémoire, du corps et de la circonstance présente. A vrai dire cette espèce de chlorophylle fait sans doute défaut à tous les hommes, et c'est pourquoi nous sommes si blancs, ou si jaunes, ou si noirs — alors qu'à l'évidence la seule couleur qui sur nous eût été délicieuse eût été le vert pomme. Avec un chapeau à fleurs.

Je trouvai le courage de lui dire que je ne savais plus si je l'aimais.

« Je le sais ! C'est Florent que tu aimes, me dit-elle. Tu t'es trompé en partant avec moi. Va le rejoindre. »

Nous pleurâmes. En reniflant, je lui proposai, pour nous quitter, de faire une promenade, d'aller à Yvetot, de faire une confiture ou une compote aux mûres. Les mûres avaient envahi les buissons tout le long de la corniche à mi-falaise qui surplombait la mer. Nous le fîmes. Nous repassâmes à la maison. Nous remplîmes un bidon de lait vide. Nous reniflions. Nous nous tenions la main. Les jours qui avaient précédé je n'avais pu faire l'amour avec Ibelle. J'avais usé d'autres ressources et peut-être avait-elle joui. On dit que le cri de l'orgasme — qui peut toujours par là même être feint — est une réplique au premier vagissement — dont nous n'avons pas gardé, semble-t-il, une mémoire particulièrement enchantée. Je songe aux cris brutaux, irrités, nerveux, agressifs qu'Ibelle prêtait au plaisir. On aurait pu dire aussi bien : le cri de l'orgasme est une sorte de vague et aigre écho — à tout le moins anachronique — du cri de l'agonie.

Je rêvais de Photini Gaglinou. Mais je n'avais même plus l'avidité qui m'eût donné le goût d'éteindre le désir du corps de Photini dans le corps d'Isabelle. Ce n'était pas que le désir m'eût abandonné — tel un serpent laissant après lui l'enveloppe vide d'un autre âge. Pour moi, ce qui jour après jour ne m'ôtait pas à vrai dire toutes les apparences du désir mais m'empêchait de plus en plus souvent sinon de conclure — ce qui est peut-être prétentieux et passe sans aucun doute les possibilités de la virilité —, du moins de terminer la phrase, c'était l'impression atroce, enfantine, dans le salon de Bergheim, de me voir là, agrippé, raclant. D'être là à racler comme je l'étais, enfant, rejeté aux temps des culottes courtes et de l'indifférence universelle — mais en quoi avais-je rompu cette glace judicieuse ? —, les genoux nus incrustés dans les éclisses du violoncelle, arc-bouté, les ongles blanchis sous l'effort et poussant un son qui grinçait. Alors qu'à l'évidence,

165

enfant, je ne me suis jamais vu jouer du quart de violoncelle. Et je me voyais penché de la sorte, comme si je m'étais vu. Dans les yeux de ma mère je me vois. Lors de ses rares visites. Et sans qu'elle levât les yeux du catalogue des porcelaines de Meissen ou de son fume-cigarette. Et aucun son.

C'était le matin. Le vent était tombé mais il faisait toujours froid. Le brouillard était là, dense, poisseux. Je frissonnais, tirant la poubelle — le camion-benne passerait là un peu avant sept heures. Assez loin du portail, près des buis, j'entr'aperçus dans le brouillard une silhouette. Je m'approchai en criant « Qui va là ? », sans doute dans le souvenir affamé et lugubre des nuits de garde à Saint-Germain-en-Laye. Je reconnus la silhouette d'Isabelle. Pieds nus dans l'herbe trempée, en chemise de nuit dans le brouillard, tenant dans ses deux mains un bol de café au lait qui fumait dans le froid.

« Tu es folle, criai-je.

— Laisse-moi, je te prie », me répondit-elle sèchement.

Le silence de la campagne paraissait absolu. Le brouillard lourd, pesant. L'humeur sombre.

« Allez, viens ! »

Elle repoussa mon bras. Je rentrai, trempé par la brume, les gouttelettes de brume s'amalgamant sur les cheveux et sur mon pull-over. J'allai à la cuisine. Je fis chauffer de l'eau, du lait — je ne hais pas boire une tasse de lait à la chicorée, le matin, puis une tasse de chicorée pure, puis une tasse de café. Ibelle rentra en éternuant.

Ce fut moi qui tombai malade. Je ne supportais plus Ibelle mais lâchement toute ma haine s'était reportée sur Madame

La Georgette. « Je veux être seul ! Partez, partez ! Attendez ! Pendant que vous y êtes remportez-moi tout ça ! Le pain n'est pas grillé, il est brûlé. Le beurre est infect et il a goût de margarine. Cette tasse de foin mouillé, c'est de l'urine de vache, c'est de la maladie à l'état liquide ! Et puis *vous me laissez seul.* » Je me retournais vers la fenêtre, en sueur. Une porte claquait. La mer sentait une odeur de poisson mort, de pourriture. Je voyais les bateaux des petits ports qui longeaient la côte. Glacé, en sueur, je voulus m'habiller. Je voulais aller à la gare. Je voulais prendre le train pour Paris. Je délirai durant trois jours. J'étais en Normandie et je cherchais en effet à prendre un train et je n'y parvenais pas parce que c'était toujours un pédalo. Il y avait une maison comme celle-ci — mais plus près de l'océan. C'était un jour de crachin. Le train sifflait au loin sur la mer. Le crachin se mêlait à la brume. C'était une brume lourde et basse. C'était une petite maison aux moellons de granit, le linteau gravé, le toit d'ardoises luisantes. C'étaient des larmes. La mer gémissait. Il y avait une fenêtre ovale — une unique fenêtre allumée dans le jour presque déjà nocturne. Isabelle poussa la porte de fer du jardin. Elle grinça. Je songeai tout à coup : « Ils se sont aimés là. Ils sont venus si souvent. Ils y avaient du plaisir. Ils étaient heureux. Ils venaient là s'aimer. Ils arrivaient de la gare en courant. Ils poussaient en courant la porte de fer du jardin. Ils... » Je ne pouvais entrer. J'avais le cœur sur les lèvres quelque sèche que fût ma bouche. Je restais plié en deux, la main sur la grille de fer.

« Seinecé ! disais-je. Seinecé ! »

Je me souviens que j'entendais les sirènes des bateaux ou des trains sur la mer. Je prenais un train que tirait un pédalo. Ce train avait quelque chose de peu normal. Le wagon avait des murs extrêmement épais, de plus d'un mètre de large, tels des murs de blockhaus, et je m'enfouissais la tête dans le sable du wagon. Le contrôleur passait. C'était une petite fille de trois ou quatre ans qui avait le visage traversé par la cicatrice effrayante d'un coup de sabre. Elle portait la casquette d'un contrôleur et tenait à la main un œuf de bois poli à repriser, offert sans doute par Mademoiselle Aubier, avec lequel elle me tapotait sur la tête. Je tremblais de peur. Je disais : « Bonjour, Mademoiselle Aubier ! »

Il m'est si désagréable — quand même plus de vingt ans se sont écoulés — de rapporter le souvenir de ces cauchemars, de ces hantises, de ces délires. Les souvenirs se mêlaient aux rêves. Je ne connais qu'un homme qui ait un répertoire, une mémoire aussi précis que les miens. C'est Claudio Arrau, dans son salon de Douglaston. Le souvenir était des plus simples : c'est en train en effet que nous allions à Regnéville-sur-Mer, chaque été, rejoindre le jardin clos et labouré, presque japonais — clos de murs prodigieux de deux mètres de haut et d'un demi-mètre de large. Nous y sommes allés douze ou quinze ans de suite. Tout se resserrait, se tassait, se comprimait tout à coup dans ces rêves de fièvre. Je les revois encore et ils m'effraient encore. C'était l'arrivée en gare de Coutances — les flèches de la cathédrale sublimes dans le ciel, puis les rives noires de la Soulle, le ruisseau de la Bulsart, les rives de la Sienne, la D. 49. Je vois ces chiffres. On n'arrivait pas à Regnéville par la mer. Je vois les superbes maisons datant de la reine Mathilde baignant leur pied dans l'océan et il est vrai que le style sévère, parfait, glacé, gris foncé, des maisons de la région de Coutances constitue pour moi le rêve austère d'habiter, d'habiter absolument. On arrivait par l'intérieur, si je puis dire, et c'est tellement notre sort. Je songe qu'il y avait dans le nom même de Regnéville une difficulté qui était propre aux cinq enfants de Bergheim : enfants à deux langues, c'est-à-dire enfants dédiés à quatre oreilles, à deux amours, c'est-à-dire sans amour, c'est-à-dire sans langue. Nom dont la forme nous avait attirés tout d'abord comme « Règneville », nous obligeant ensuite à changer de prononciation et à passer du règne — de l'enfance peut-être, la plus lointaine — à la leçon suprême et universelle qui consiste à le renier, et à le renier — « Regnéville-sur-Mer » — au-dessus des flots, au-dessus de la mer, au risque de couler. Tous les cinq nous parvenions à faire sortir et à soustraire sans fin, enfants ou adolescents, dans le nom même du village où nous passions chaque année nos vacances le conflit terrible de ce qui reniait et de ce qui régnait face à la mer, face à l'abandon de notre mère — face à l'embouchure de la « Sienne ».

Je joue comme je jouais enfant avec le mot de Regnéville-sur-Mer et si j'examine ce jeu de puzzle sonore compliqué et puéril, c'est encore le visage de Seinecé qui s'y trouve peut-être enfoui. Ce sont les sottises merveilleuses et pipelettes et incessantes de la conversation de Seinecé : les larmes de saint Pierre lors du reniement lorsque chante le coq et je ne sais plus quoi qu'il développait volontiers alors sur ce chant du coq dans l'aube, les plumes de ce coq que les écrivains recherchaient afin d'écrire enfin d'irrésistibles chefs-d'œuvre, le brasero dans la cour du grand prêtre Anne, dans la cour du beau-père de Caïphe.

En ce temps-là les ormes vivaient encore. La maison sévère, aux volets blancs, et les murs épais de pierres plates qui bornaient le jardin clos en étaient longés. Ormes, hommes, Bormes, les noms s'échangeaient insensiblement dans mon faible délire. J'avais déjà quitté Ibelle.

C'est à Regnéville que ma sœur aînée, Elisabeth, avait connu Yvon Bulot — maman se prénommait Yvonne. C'était le même nom que les buccins caoutchouteux que nous mangions interminablement, qu'on servait sempiternellement en entrée à Regnéville. Tout à coup la flèche de l'église datant de l'époque romane, datant d'avant l'époque romane, me paraissait la plus vieille église du monde, du temps où allaient à la messe l'homme de Darmstadt avec sa femme, la Vénus de Lespugue.

Le plancher gémit parfois. L'armoire craque. Le ressort d'un fauteuil répond. La corde d'un violoncelle se détend. Le bois du lit appelle. Toutes les maisons du monde — surtout l'été —, desséchées et sonores, s'effondrent très lentement travaillées par la destruction, à une échelle qui n'est pas humaine. Ma chambre sans cesse s'assombrissait. La pièce était basse. Le plafond s'affaissait peu à peu et il m'écraserait. Le mur de la villa opposé à la baie, près du violoncelle, devenait confus, dans une espèce de brume marron ou de pénombre. Dès l'enfance j'ai peut-être toujours perçu l'arrivée de la pluie d'abord à l'état de la lumière dans les chambres. Alors, je ne m'approchais jamais des fenêtres. Je n'écrasais pas le nez sur la vitre pour considérer la progression et la noirceur des nuages, ni la grosseur des gouttes, ni les rafales déportant l'averse de droite ou de gauche. Je me détournais des fenêtres. Je m'enfonçais dans cette pénombre qui leur était opposée, je cherchais un coin, un fauteuil près d'une lampe. Que je lise, que je rêve, je tâchais d'oublier le ciel, le monde dehors, la violence de la bourrasque, l'espèce de nuit qui est propre à cette violence, l'espèce d'égarement où elle plonge, ou plutôt l'espèce de sidération qu'elle exerçait sur moi, l'angoisse qu'elle m'inspirait. J'allumais et je me blottissais dans le halo qui dépendait de cette lumière, dans le halo qui était comme l'armure de la lumière.

Plusieurs fois par jour, visiblement irritée, Ibelle venait aux nouvelles, venait voir si la fièvre tombait, si la congestion s'effaçait. Je m'étais, avec beaucoup d'application, persuadé qu'Ibelle était jalouse de ma maladie. Elle restait debout, sombre, sceptique. Puis tournait vivement le dos et partait. La villa de Saint-Martin-en-Caux possédait une seule salle de bains, avec une grosse baignoire en fonte ancienne, verte, aux pieds courbes à forme de pattes griffues de lion. Elle ressemblait aux deux baignoires jaunes, crémeuses de Bergheim encore que les robinets n'eussent pas la tête de cuivre à quatre branches rongées, malades, verdissantes.

Pour faire tomber la fièvre, le vieux médecin plus ou moins retraité de Saint-Martin-en-Caux avait conseillé à Ibelle et à

Madame La Georgette de me faire prendre des bains tièdes. Elles me dévêtaient et me menaient à la salle de bains — située au rez-de-chaussée, près de la cuisine — et me surveillaient, me laissaient délirer ou me donnaient l'impression qu'elles me gardaient et redoutaient plus que tout que je ne trouve le moyen de m'enfuir. Très hypocondriaque — au reste avec le temps cette passion s'est reportée sur mes instruments de musique, et j'ai cessé de m'entourer de médecins pour leur substituer, où que j'aille, des luthiers et des archetiers que je tarabuste jour et nuit — je m'étais mis dans la tête que j'avais été blessé. C'était ce qui expliquait que je me sentisse si mal. Or, nulle part, nu, dans la baignoire aux pieds de lion, je ne voyais de plaie. J'avais beau m'examiner. Mon corps était si intact. D'où venait la maladie ? D'où venait la douleur ? Je scrutais, je ne découvrais nulle part la trace d'une plaie. Ibelle marquait un parfait mépris pour son malade, se moquait, me traitait à l'égal d'un bébé, me parlait en bêtifiant : « Je sommes peut-être malheureux ? Je n'avons pas vu votre sourire. Avons-nous faim ce soir ? » J'enrageais.

Je me rétablis peu à peu. Un jour, j'ouvris la fenêtre et il me sembla que le fond de l'air était un seau d'ordures. J'allais mieux, sans que la fièvre tombât beaucoup. Je souhaitais consulter deux médecins à Paris. Du moins je le prétextais. Je souhaitais revoir ma sœur Margarete. Au téléphone, Marga avait laissé entendre que des examens qu'on venait de faire sur Luise n'avaient pas paru exactement mirobolants. Je ne me sentais pas la force de conduire. Je prétendis que je reviendrais chercher la Quatre-chevaux dès que la fièvre serait tombée au-dessous de trente-huit degrés centigrades. C'étaient autant de prétextes dont je m'entourais comme un enfant de mots d'excuse.

Vint le jour du départ. Ibelle ne savait pas conduire et ne

171

pouvait me déposer à Dieppe ni au Havre. Elle comptait m'accompagner à pied à la petite gare de Saint-Martin-en-Caux. La brume avait envahi la colline. Elle s'accrochait aux branches des pommiers et des chênes. Elle se déchirait à d'autres branches, craignait les maisons, paraissait se détourner des maisons, de la chaleur des maisons.

Il faisait froid mais — sans que cela fût ensoleillé — l'on sentait que la lumière allait gagner le ciel. Les couleurs étaient belles, le chemisier vert d'Isabelle, le teint de brique de son visage, la campagne sombre et luisante. Il était six heures. Elle s'était levée plus tôt qu'elle n'y était accoutumée. Nous ne nous étions pas embrassés.

« Salut ! » avait-elle dit brusquement en me lançant une sorte de claque sur le bras. La voix était un peu enrouée. Ou peut-être l'ai-je rêvé.

Elle s'était détournée et avait regagné la villa.

A huit ou neuf heures nous partîmes pour la gare.

La brume s'était dissipée. Une espèce de bruine imperceptible, pour ainsi dire enfant, et par instants toute mêlée de soleil lui avait succédé. A Saint-Martin, près de la petite librairie, la pluie nous surprit. Nous nous abritâmes sous une porte cochère. Nous ne parlions pas, nous ne nous touchâmes pas. Un rayon de soleil miracula la rue et jusqu'au vert épinard de la librairie où il vint se poser. En nous ébrouant nous sortîmes de la porte cochère où nous nous étions abrités quand l'averse nous avait surpris. Nous longeâmes le vieux marché couvert qui est au centre de la place de Saint-Martin-en-Caux. C'est alors que je perçus le visage d'Isabelle couvert d'une sorte de pellicule humide, placide, les yeux brillants, un masque figé de surprise, la bouche ouverte, et qui semblait crier silencieusement. Je notai que curieusement la lumière semblait monter du sol, et porter plus sur le cou, les narines, les yeux, que sur les cheveux, le front, ou l'arête du nez. Je compris — et cela me fut extraordinairement difficile de le comprendre — que la lumière descendait moins du ciel que son reflet ne montait des pavés humides et brillants et accroissait l'impression de douleur.

Elle me prit par le bras. Je transpirais. J'entendis le timbre de la porte de la pharmacie à deux pas de là — un intervalle de quarte, une quarte juste, bondissante, aigrelette.

Je me souviens d'une scène d'enfance. C'était à Coutances. Le ciel était sombre. Je quittais la Villa Marthe d'un pas saccadé en répétant soigneusement : « Bonjour, Monsieur, je viens chercher le tersinol et la farine de lin que ma maman a commandés ce matin. » Je marche sur des graviers. Puis je marche sur les pavés. La rue était étroite et elle était sombre et montait — et à chaque enjambée je pressais le pas. J'entrais avec beaucoup de résolution dans la pharmacie. Un homme en blouse blanche, à la barbe maigrichonne et grise, avec des lorgnons lui mâchant le nez se tournait vers moi et me disait : « Bonjour, Monsieur. » Je disais : « Bonjour, Monsieur, je viens chercher le tersinol et la farine de lin que ma maman a commandés ce matin. » Cérémonieusement le pharmacien m'invitait à m'asseoir sur une chaise de bois noir, ronde, vernissée, froide sous les cuisses. Parfois je risquais un coup d'œil sur les hauts rayonnages de l'officine. Pour l'essentiel, je contemplais mes genoux nus.

J'entends tout à coup : « Monsieur Chenogne ! » Je rougis. Je me lève. Le pharmacien referme une boîte en carton vert buvard et il me la tend. Il me met dans la main une boule de gomme.

Nous contournâmes la halle et prîmes la ruelle dite du Vent-du-Diable. La lèvre d'Ibelle tremblait. Elle me serrait le bras et il me paraissait qu'elle voulait me retenir. Je voulais tellement partir. Je prenais à cœur sottement de ne pas céder, de ne pas marquer d'émotion. « Je ne suis pas gentil, me disais-je. Il faudrait être l'ami d'un pharmacien et lui dire : Tiens, Ibelle, voilà le tersinol et la farine de lin ! »

Il devait y avoir un vendeur de journaux qui passait alors, et la pluie devait tomber de nouveau, ou chercha à nouveau à tomber. Car j'entends encore le bruit si particulier, mat et ample, des gouttes de pluie qui s'écrasaient sur le papier journal. Nous arrivâmes à la gare. Je ne me souviens plus si elle était moderne, grise, bétonnée, vitrée, ou s'il s'agissait d'une de ces petites chapelles style Napoléon III mêlé de petits motifs gothiques soulignés par des briques. Je me souviens en revanche merveilleusement, comme si j'y étais demeuré cloué, fixé, de la couleur verte de son chemisier. Et tout à coup il se brouille sous mon regard. Comme si la couleur verte de son chemisier et le bleu de sa jupe jouaient encore dans mes larmes.

CHAPITRE IV

La muette
sur les bords de la Loire

Vous ne scruterez pas les rêves.

Le Lévitique

Je n'essuyais pas mes larmes — ou en m'en souvenant j'en éprouve le désir. Elles roulaient sur mes joues. Le vert du chemisier de satin, le bleu des yeux, le bleu de la jupe droite, la forme si haute des seins, celle des mains, celle du visage — tout se brouillait à mon regard. Je ne portais pas à mes yeux de mouchoir dans la crainte d'écraser ces couleurs et ces chairs en épongeant ces larmes au travers desquelles je les apercevais. Ma gêne ou ma douleur trouvaient peut-être une sorte de joie à disloquer ce corps, cherchant encore une dernière fois à s'y confondre au risque que tout perdît forme.

Durant sept ou huit ans j'oubliai tout. Je retrouvai la rue Jacob, la N.R.F., l'école de musique de la rue de Poitiers. Je retrouvai Costeker, Egbert Heminghos, Ferdinand Groy, Uwe, Jean, Klaus-Maria — qui partit alors pour les U.S.A. Madame de Craupoids m'assura comme à vie la classe de violoncelle baroque et celle des gambes. Je quittai la rue du Pont-de-Lodi. J'étais endeuillé de ma Quatre-chevaux mais je différai de la remplacer. Je louai — grâce à un des nombreux amants de Raoul Costeker — une minuscule et assez laide

175

maison d'un étage quai de la Tournelle, peu avant la rue de Pontoise, mais qui, pour laide qu'elle fût, était merveilleuse. Quatre pièces très petites, deux au rez-de-chaussée, deux au premier étage, avec un escalier étroit, malcommode. Mais par-dessus tout cette petite maison présentait l'avantage d'offrir — sur un quai le plus souvent désert — deux pièces si isolées que personne ne pouvait être incommodé par le son du violoncelle ou du piano et que je pouvais travailler à quelque heure que ce fût.

Une nouvelle fois, je parvins à vendre — pour Raoul Costeker — une admirable viole dotée d'une exceptionnelle, épouvantable tête de Méduse sculptée en cerisier, avec un coffre admirablement fileté, mais au son très impur, très « pâte à papier ». A l'aide de cette commission je rachetai une gambe d'exercice et une médiocre réplique d'un clavecin de Hemsch. Je connus une espèce d'ivresse. Enfin j'habitais sur un quai, comme Marie d'Agout — puisque toutes proportions gardées j'avais connu le même sort qu'elle —, d'abord totalement allemand, ensuite totalement français. Ne me faisait plus défaut que le château de Croissy.

Quand tout fut prêt et tout fut habitable, ou du moins me convint, je partis trois jours à Stuttgart dans le studio de ma sœur Luise, où Marga s'était installée, et qui donnait sur les arbres du Schlossgarten. Je vis Luise, peu inquiète, et son fils Vinzenz. Marga m'entraîna jusqu'en France, à Pfulgriesheim, où son mari avait acheté une petite maisonnette de campagne. Tout à coup, je ne sais pourquoi, je décidai de revoir Bergheim. Je voulais — je ne sais — marquer le coup, tourner une page, pèleriner, obtenir une bénédiction d'un lieu de mon enfance et, à vrai dire, quand je posai le pied sur le débarcadère de Bergheim, seul, venant de Heilbronn, à cinq heures de l'après-midi, il me sembla que je pénétrais à l'intérieur d'une carte postale très plate et très vieille, connue par cœur, extrêmement brillante au fond de ma mémoire. Cela faisait huit ans que je n'étais pas revenu. En 1962, lors du service pour ma mère morte, à Neuilly, j'avais refusé de raccompagner, dans un petit car noir, le corps jusqu'à Bergheim. La lumière du soir donnait une apparence de dorures jusqu'aux bandes blanches sur la chaussée, jusqu'aux chromes des voitures. Peut-être la couleur du ciel était-elle plus éteinte — ou moi plus malheureux. Mais comment aurais-je pu être plus malheureux qu'un enfant ? « Alors, me disais-je, peut-être le bleu du ciel était-il moins usé qu'aujourd'hui. » Cela fait des millénaires que la voûte céleste vire extraordinairement aux yeux des hommes qui la contemplent et qui vieillissent. Je suppose qu'à l'origine le ciel était d'un bleu de violette, d'un bleu presque noir, d'un bleu de requin, plus proche de l'indigo ou du bleu de Sèvres que du diable Cobalt ou de la fleur de pervenche. Puis le ciel, autant que le temps, a passé. Je me souviens que cette année-là — en 1965 — on venait de fermer la grotte de Lascaux.

Je retrouvais l'odeur de Bergheim, l'odeur écœurante et douce, une vague, imperceptible odeur de purin chaud qui fermente. J'allais boire chez Florjan, une petite auberge près de la gare. La langue allemande, la langue haïe, me venait aux lèvres par petites vagues, par petites bouffées. Le rythme, les conversations que j'entendais autour de moi, je les comprenais par effluves, par impressions presque chimiques, presque tactiles, mais le détail des mots ou la finition du sens m'échappait. Huit ans étaient passés et c'était comme si c'était plus ancien encore, et que j'étais autre. J'allai à l'église du bas et je la trouvai fermée. J'allai demander la clé à Herr Geschich, le souffleur à pédalier de l'orgue, qui ne me reconnut pas. J'avais un peu grandi, j'avais treize ans quand j'avais été mis en pension. J'en avais vingt-deux. Lui-même avait extrêmement vieilli — n'était le regard. Herr Gustav Geschich avait beaucoup de la barbe blanche et un peu de la beauté du visage du calife Haroun al-Rachid sur les gravures des Mille et Une Nuits. Ma tante Elly, Fräulein Jutta et mes sœurs prétendaient qu'il vidait des tonneaux entiers de vin

177

dignes de ceux devant lesquels s'attablait la princesse Palatine, dont on racontait qu'elle avait des goulées de deux litres chacune. Il était violent. Mademoiselle Aubier eût dit qu'il rendait son culte à saint Pansard et à saint Dégobillard, et il était si luthérien qu'il se pardonnait tout. « Nous sommes soumis au péché ! » s'écriait-il et il buvait et il frappait sa femme. « Je suis humble devant mon péché », disait-il en pleurant et il se remettait à boire et il battait un peu plus fort sa femme. Au demeurant, le meilleur des hommes — encore qu'il y eût un véritable mystère en ce que le pédalier-sacristain d'une église de rite catholique, où à dire vrai la messe n'était plus célébrée, fût à ce degré féru de Martin Luther.

Les Wurtembergeois sont des méridionaux. Il pleurait de joie et poussait des petits soupirs et des petits bégaiements en m'étreignant. Je lui dis que de toute façon je n'irais pas à la maison. Tout d'abord, je voulais rendre un hommage à mon père — et peut-être à tous ceux dont je portais le nom. Il prit cela avec gravité. Il m'accompagna. Je montai à la tribune. C'était un orgue ancien à deux claviers, à seize registres, à ripieno, plus ou moins mal rénové au cours des siècles, de facture à l'origine italienne, restauré dans les années 1720 par Gottfried Silbermann, au buffet à volets et à l'allure rococo — une pâtisserie couverte de sucre semoule —, avec une soufflerie à pieds, l'électrification commencée durant la guerre n'ayant pas été achevée. Si bien que l'orgue avait non seulement un titulaire mais un souffleur attitré : il me fallait déranger Herr Geschich pour qu'il vînt souffler, vaste corps d'Haroun al-Rachid marchant dans mon dos avec une prodigieuse lenteur, comme pris par les sables mouvants.

La console (l'orgue est un instrument qui souffre douloureusement du délire de grandeur et le seul mot de console est par lui-même une provocation) avait été rafistolée à la fin du siècle dernier. Elle était compliquée mais je la connaissais par cœur. Je m'amusai sur des thèmes de Bach à tirer les jeux, les accouplant, les combinant — tout un univers commandé des deux mains et des deux pieds et dont l'effet n'arrive sur vous qu'avec sans cesse un retard qui ne peut être comblé, une espèce de contrepoint rudimentaire de l'onde sonore au retour de la nef, et qui rend l'organiste inapaisable. J'aimais que les marches ne fussent pas blanches : des petits carrés de palissandre. Les feintes de même n'étaient pas encore devenues noires — mais des petits rectangles en tilleul. Je tirai les Bärkpfeife et les Sordun et les Schalmei. Les tuyaux à bouche et les anches étaient plus que désaccordés : c'était la guerre ouverte. N'importe. J'étais heureux.

Au bout de trois ou quatre quarts d'heure de musique — d'hébétude — nous sortîmes. J'entraînai Herr Geschich à l'épicerie où j'achetai quelques bouteilles pour lui puis, sur la place, un gâteau pour Frau Geschich. Nous étions convenus que je coucherais chez eux. Puis il rentra. Je me promenai. Je vis Kurt. Je passai chez Anna.

C'était le soir. Je revins chez Herr Geschich. Dans l'enclos derrière la maisonnette, un champ de carottes, des pommiers surs, âpres. Frau Geschich avait préparé un lit dans la chambre de leur fille — qui avait trouvé un emploi de secrétaire à Mannheim — en sorte que je restai deux jours.

Nous dînâmes dans la cuisine, devant la cheminée rose et bleu. Herr Geschich me dit qu'à deux reprises la maison avait été mise en vente, puis retirée de la vente.

« Je n'ai pas d'argent », répondis-je et j'en souffris. Je crois que c'est une souffrance qu'il n'est pas exceptionnel de partager. Il se soûla pour me fêter, en évoquant les anecdotes familiales sempiternelles : son arrière-grand-père avait déjà soufflé pour mon arrière-grand-père. Frau Geschich, quand elle avait su que je dînais, avait confectionné, en hâte, des sortes de beignets de carnaval dont elle avait entouré le gâteau. C'était ma joie — la plus haute des joies — lorsque j'étais enfant.

Je n'ai fini les beignets que le lendemain, levé un peu avant le jour. Le village était dans la brume mais cette brume ne ressemblait nullement à celle que j'avais connue quelques mois plus tôt, en Normandie, à Saint-Martin. Elle était plus épaisse, comme des draps, des draps déchirés. Des linceuls. On ne distinguait pas la fontaine au centre de la place. Je quittai le village et montai plus haut que la Schlehe. Je pénétrai dans le petit cimetière. Le soleil se leva, un minuscule soleil, de faibles rayons qui léchaient les tombes et les acacias. Je m'arrêtai, je lus des noms et je me tus.

Je quittai le cimetière, je repoussai la grille qui poussa un hurlement juste avant que je me retrouve dans le bosquet qui le précède. Les nuages se séparaient. Le soleil filtrait par-delà. Je voyais Bergheim. Les prés étendus au soleil, des petites maisons toutes claires qui étaient comme des jouets posés sur les prés. Une légende chinoise raconte que le vieux Li Po se contentait de sourire sans répondre quand on lui demandait pourquoi il se retirait dans les montagnes bleues.

Frau Geschich avança les chaises, fouilla dans le buffet à la recherche des verres de cristal, déboucha une bouteille de tokay, tendit l'assiette de biscuits.
« Racontez-nous. Pourquoi avez-vous quitté le pays ? » demanda brusquement Herr Geschich. Il martelait des doigts la table. Ils écoutaient en hochant la tête et avec de grands mouvements d'yeux, avec des haussements de sourcils, des froncements de sourcils. Ludwig Erhard venait d'être réélu chancelier. J'essayais de détourner le cours de la conversation. Ils ne voulaient rien entendre.
En descendant du cimetière, après avoir passé les prunel-

liers, j'avais vu tante Elly qui passait à mi-côte, le long du calvaire, et qui rejoignait la maison. Elle serra plus fort son châle. Fit comme si elle ne me voyait pas. Me tourna le dos. Je découvris que je ne cherchais que de l'introuvable. Je découvris que je n'aimais pas me retrouver dans un lieu qui n'était pas situé en lui-même — mais dans le temps. J'avais présumé de mes forces et je m'étais abusé sur mon désir. Encore maintenant je n'aime guère l'émotion où me plongent ces retours à Bergheim — ces journées de retour —, cette aimantation, avant l'arrivée à la gare ou à l'aérodrome d'Echterdingen, le taxi pour Stuttgart, le bateau sur le Neckar, les voitures des amis, cette image en moi, irréelle, du lieu, du son du lieu, de la lumière du lieu, même de la taille du lieu qui m'attire autant qu'elle me blesse. Je descends de l'avion, du train. Je sors de la gare, je reste là les bras en suspens, bouche bée, à la vue de ce qui est trop connu, à la vue d'une sorte de réel trop visible. Les odeurs et les sons se jettent les uns contre les autres, jouent des coudes pour s'avancer jusqu'à moi, finalement meurent piétinés avant que j'aie pu les étreindre. On monte le coteau, on dit : « Tu es le thym, tu es la menthe. Tu es le tilleul de Frau Minge. Tu es le seringa de Florjan. Toi, tu es l'odeur de la soupe de Frau Geschich, ici cela va être la boulangerie de Pauli et là l'enclume de Leonhard, là les chiens des Kirsten, le carillon, la scie du menuisier, le garagiste et son cercle d'odeurs d'huile, de goudron, de pétrole. Ici l'odeur de lait caillé aigre du bas de la rue, là l'odeur de poussière de la place, là l'odeur de poudre de riz de Fräulein Jutta qu'il me faut embrasser, l'odeur de cire de la poste, l'odeur de cuir frais de la papeterie, l'odeur de savonnette de la vieille Frau Hageschard ! » Je suis un chien dans son univers olfactif, pleurant d'émotion aux souvenirs de chairs, de sites et de formes, commémorant tel ou tel aliment. Je suis ce chien. Tout à coup je me surprends en train de croître en dignité dans l'échelle des êtres — quoique je n'aie pas encore atteint la dignité d'aboyer ni celle de me taire.

181

Les bois ou plutôt les bosquets des vallées du Neckar et de la Jagst exercent sur moi un attrait tenace jusque dans leur lumière. Ce sont les petits arbres où j'ai passé mon enfance. Ce sont des lumières qui sont sporadiques et secrètes, des ciels changeants et si rarement purs, des vignes sur des coteaux brusques, des fourrés de framboises, de vieilles mains ridées et jaunes égrenant des myrtilles. Je consacrai l'après-midi à errer. Les villes, ce sont toujours pour moi des choses dénaturées, des pavés de marbre de porphyre dans une mare, des livrées prétentieuses mêlées de boue et de pourpre. Sans doute la mare réfléchit autant que l'océan le ciel et les nuages, le soleil couchant et l'univers. Je lui préfère la ramure d'un arbre. Elle ne réfléchit pas l'univers. Elle ne mire rien et en cela elle est plus ancienne et plus vaste. Et elle murmure sans fin dans l'incompréhensible des feuilles, dans les caprices incompréhensibles des brises, dans l'existence incompréhensible des oiseaux et dans celle, incompréhensible, des fruits.

A la fin du jour je repris le bateau pour Stuttgart. Je songeais à l'eau de la Seine, au quai de la Tournelle, à Paris, à Ibelle, à l'eau de la Durdent. Je me disais : « Laisse monter et descendre le flot. Achète des légumes et de la viande. Téléphone à Marga pour qu'elle rentre plus tôt. Fais couler l'eau du bain. » Pendant que Dante promenait Virgile aux Enfers, des enfants jouaient sur le bastingage, des amants pressaient leurs corps et se touchaient les seins. Un Prussien sinistre et emphatique faisait la leçon à sa femme : c'était d'une façon particulière qu'elle devait tenir son sac à main si elle ne voulait pas qu'on le lui volât.

Ombrageux — ombrageux cela se dit d'un homme qui prend peur à la vue d'une ombre —, j'étais ombrageux. Ombrage au contraire se disait de ce qui protège et soustrait au soleil. Le travail, tel était mon ombrage, la monotonie du travail, l'anesthésie que cette monotonie dispense. Je prenais le car. A Stuttgart j'achetai de l'Allgäu, des parts de gratin aux poireaux, du vin de la Tauber et des pâtisseries — celles de la Königstrasse. Luise n'était pas là. Je dînai avec Marga tête à tête. Je partais le lendemain. Marga était drôle. Elle disait : « Si c'est l'orage que tu guettes, tu ne le sauras vraiment que foudroyé ! » et cela la faisait rire. Nous buvions peut-être beaucoup. Nous riions. Nous évoquions des souvenirs — j'avais l'impression, comme en cachette, que nous trichions un peu, que nous dérobions une petite part de joie. Tout mécompte, toute mauvaise fortune qui nous décourage, quelque malchance dont nous fassions l'objet, nous ne doutons pas un instant qu'ils sont nôtres, qu'ils sont les nôtres. Mais supposé que par incroyable un beau matin se dépose sur nous comme une goutte de rosée de quelque chose qui s'apparenterait au paradis ou au bonheur — comme une larme de bonheur —, alors aussitôt nous croyons que nous l'avons détournée à notre profit, sans nous en rendre compte, alors qu'il était tout à fait invraisemblable qu'elle dût nous revenir. C'était l'heure de nous coucher. Bientôt j'allais ouvrir un canapé — auprès du petit Markus qui dormait sur un étroit matelas par terre. Il avait alors deux ans. Autrefois, quand c'était l'heure de nous coucher, sous la férule et l'injonction si impérative de Hiltrud ou de tante Elly, nous passions par la cuisine où, dans une petite pièce attenante, sur une table, le régiment des lampes Pigeon — commandées par les lampes à pétrole — nous attendait. Tous les cinq, comme des petits vieillards, lampes Pigeon à la main, précautionneusement, à la queue leu leu dans l'escalier, nous gravissions les marches. Nous regagnions nos chambres. Nous créions sur les murs plus d'ombres que de lumière.

J'avais peur, je ne regardais pas autour de moi, tête baissée, dents serrées, je me concentrais sur la collerette de cuivre dentelé qui enserrait le petit globe de verre et, tapant du pied bruyamment sur le sol pour effaroucher les monstres, je m'enfouissais à toute allure dans les draps glacés, les cauchemars intermittents, la guette sonore terrorisée.

Je retrouvais Paris comme si j'étais retourné à ce que les prêtres ou les pasteurs nommaient autrefois le diable, le siècle, le monde. Pas même une meute cherchant à dévorer vivante sa proie. Pas même un unique désir, une compétition de tous dans le désir de rapter une mythique Hélène. Pas même des enfants chercheurs d'or, d'attributs virils, de symboles. Faute d'y percevoir l'enfer, je retrouvais la cour de récréation de l'enfance, le lieu où l'on se toise. Et cela m'attendrissait peu. On se mesure et on se tue avec des regards farouches, des crève-cœur, de l'honneur. L'on prisait en un coup d'œil la qualité de la flanelle de la culotte courte, on jugeait aussitôt au revers la main maternelle ou l'existence du tailleur et on s'étranglait de rire en montrant du doigt.

Je retrouvais Didon. Je retrouvais chaque soir Didon assise sur le napperon de la console de l'entrée — dès que j'ouvrais la porte, quai de la Tournelle. Elle m'examinait, durant une fraction de seconde. Elle sautait à terre après que j'étais passé et nous allions tous deux à la cuisine, prenant soin — par pure dignité — de ne pas marquer trop de précipitation ni d'appétit, quelque faim qui nous tenaillât à tous deux le ventre.

Nous parlions durant des heures. Etais-je malheureux ? Je ne sais. J'étouffais comme je pouvais quelque chose de triste et de diffus. Je travaillais plus que je n'avais jamais travaillé. Je commençais d'enregistrer. Je commençais de jouer régulièrement à l'étranger. Je dormais cinq heures chaque nuit. Je travaillais la gamba six heures par jour. J'étais l'empereur Léopold tapant du pied tout le jour pour qu'on lui laisse le temps de se mettre un peu à l'épinette. Je travaillais surtout l'archet baroque et le poids du corps sur l'archet. On commençait à peine alors à remettre en vigueur la vieille règle selon laquelle toute note doit finir en mourant. J'excellais à ces vieilles ruses. Les biographies que je traduisais pour occuper mes nuits, les lectures que je multipliais à cette fin, m'enseignaient peut-être des vieilles notions qui s'étaient perdues lors de l'invasion de la musique romantique et des méthodes et des institutions napoléoniennes qui en avait découlé. J'enregistrais pour la première fois — il s'agissait de sonates de Lœillet — avec Nicolaïevna au pardessus et George Shire au violoné. On critiqua notre façon d'orner trop « rococo » les adagios. On critiqua nos poussés trop appuyés. On nous fit grief d'enregistrer en studio, avec montage, fausse réverbération. A vrai dire toutes ces critiques étaient justifiées, sauf sur ce dernier point. Je ne pense pas que chaque époque ait toujours eu à sa disposition les instruments qui convenaient le mieux à la musique qui lui était propre. Les instruments ne sont que des accessoires, seule la musique est une chose merveilleuse. Elle ne réside ni dans les sons, ni dans les instruments, ni dans les partitions, ni dans les interprètes. Elle est un rêve pour l'oreille. Chaque morceau hèle un instrument qui n'existe pas. On ne peut rien restituer de ce qui fut. Plus tard, j'enregistrai des œuvres plus anciennes. Je me suis heurté à plusieurs reprises, au cours d'entretiens radiophoniques ou d'émissions de télévision, à des musiciens trop étroits appartenant au Concertgebouw ou au Concentus musicus. Je choquai beaucoup en enregistrant au violoncelle deux des neuf *Suites lugubres* de Sainte Colombe mais ce n'est pas le lieu de parler ici boutique, musique. Parfois il me semble qu'il y a toute une part de ma vie, que l'essentiel de ma vie est inaccessible à la parole. Ici je ne veux que rendre hommage au souvenir d'un homme que j'ai aimé. Et qui ne l'a jamais su à vrai dire que de la façon la plus elliptique, la plus embarbouillée et la plus malencontreuse qui se puisse trouver.

L'Ecole internationale de musique avait rouvert ses portes le 1ᵉʳ octobre. Tous les mardis, j'allais rue de Poitiers. A partir

185

du 1er janvier 1966 j'allais travailler de façon plus régulière, deux fois par semaine, aux Editions Gallimard, où je remplaçai durant six mois Ferdinand Groy parti pour un semestre aux Etats-Unis.

Certaines émotions inattendues nous instruisent sur des craintes que nous ne savions pas, ou percent tout à coup le secret d'un cauchemar. A la fin de l'hiver, alors que je travaillais dans le bureau de Ferdinand Groy, le téléphone sonna. Je reconnus la voix. Une sorte d'eau brusque me couvrit le visage. J'eus un hoquet de sang : je reconnus la voix d'Isabelle. A la vérité je m'égarais, je ne faisais que désirer cette voix. Il ne s'agissait que de Nicolaïevna qui souhaitait m'avoir à dîner.

Il arrivait aussi que Mademoiselle Aubier m'appelât. De rares fois, elle m'invitait à Saint-Germain, le dimanche. Ou elle me remerciait de l'envoi d'une traduction ou d'un disque — « Monsieur Chenogne, permettez-moi de vous dire que j'ai un peu feuilleté votre dernier livre et qu'à proprement parler, je me lèche les badigoinces à l'idée de vous lire... » — ou encore, sans qu'elle s'abandonnât jamais à se plaindre des absences de Denis Aubier, elle évoquait les mauvaises nuits, l'insomnie dont elle avait souffert la nuit qui précédait. « Voyez-vous, Monsieur Chenogne », me disait-elle d'une façon que je trouvais tout à fait digne d'admiration, « ainsi que le disait toujours maman : tant qu'on se retourne dans son lit, c'est qu'on n'est pas encore arrivé dans l'autre monde ! » Et elle riait d'un petit rire particulièrement grêle et triste, dans le combiné téléphonique.

La fenêtre de mon bureau aux Editions Gallimard découpait un petit rectangle de jardin, froid, couvert de neige. Hébété, un peu las, mon regard passait de la vieille fontaine vide — on avait coupé l'eau à cause du froid qui s'était abattu sur Paris depuis janvier — aux arbres exfoliés, dont les branches, immobiles, blanches, se dressaient en tous sens vers le ciel, qui était bas, très sombre.

Dans une société extrêmement civilisée les aveux que nous hésitons à faire parce qu'il coûte de les prononcer et parce qu'ils blessent l'amour-propre ou, plus piètrement, parce qu'ils sont de nature à altérer l'image que nous rêvons de donner de nous-mêmes — toute image est si pauvre, dénuée d'expression, plate comme une carte à jouer, mince comme un cheveu d'enfant, éternellement sage comme tout ce qui est sans vie —, ont un charme très grand. Plus encore, ils présentent — en fin de journée, l'hiver, la nuit venue, dans le petit bureau de la rue Sébastien-Bottin où Costeker, ou bien Klaus-Maria, ou Egbert Heminghos passaient me prendre ou bien venaient rêver à haute voix — un attrait que l'heure ou la fatigue rendent vite irrésistible. Le fait même de se dégrader un peu aux yeux d'autrui, d'écarter doucement les lèvres d'une petite blessure commune nous fait croire très illusoirement parfois que nous rehaussons l'estime — celle-là même que nous feignons de perdre — par le courage, la méticulosité périlleuse dont nous donnons le témoignage. Mais plus profondément, c'est la sensation que nous communions alors avec ce qui fait l'étoffe de tous ; nous confessons une appartenance qui nous pardonne ; il nous semble que nous sommes tous des animaux aux fonctions assez basses et plus ou moins féroces et au nombre très limité. Nous éprouvons un apaisement et presque de la gratitude à l'idée de nous contenter d'être semblables au plus commun. Et nous prenons enfin, comme il est si rare, plaisir à ne plus nous différencier.

J'avais retrouvé ce lien ou ce plaisir auprès de Raoul Costeker. Il dure encore. La librairie de musique existe toujours sous les arcades de la rue de Rivoli. Des vitrines très basses, chargées de livres, étaient éparpillées avec beaucoup d'art dans la librairie. Elles sont devenues moins nombreuses. Aucune vitrine, alors, qui donnât sur la rue. Les murs couverts de rayonnages de bois sculpté. Quelques toiles anciennes et quelques toiles très modernes étaient alors posées à terre ou fixées à de petites tringles de cuivre jaune

187

qui devançaient les étagères. C'est un homme dont l'apparence est glacée. Raoul était alors âgé d'une cinquantaine d'années, toujours habillé comme une photographie de mode, aimant les hommes, du moins dans l'instant d'en jouir, mais sur-le-champ, dans le dégoût de les revoir jamais. Etre d'une solitude et d'une subtilité et d'une détresse qui ne se mesurent pas. La librairie date de 1822. Il n'y a pas de lieu, le soir, qui m'apaise plus, où je préfère me retrouver, avant que Costeker ferme et que nous allions dîner chez lui. La librairie est vide — tant les clients éventuels redoutent l'austérité et l'espace du lieu, la présence des fauteuils autour des vitrines, l'absence de vitrine donnant sur la rue, le prix intimidant des instruments, des manuscrits et des livres. Je me mets dans un fauteuil, dans un coin de la salle et je ne songe à quasi-rien en regardant la lumière jouer sur les vieilles admirables reliures des Avielhar ou des Bapaume. Ou regardant un autographe de Haydn ou de Rameau — ou contemplant un luth de Pierray ou une grande viole d'Antoine Véron tout à coup pris dans le nimbe d'une petite lampe qu'un client ou que Raoul allume —, rêvant aux temps où Koliker, sous la Révolution, parce que ces instruments mouraient avec l'Ancien Régime, bradait des lots de huit violes pour soixante-quinze centimes.

A quatre heures du matin quelle ombre étrange se mettait au travail? Qui avait tant d'appétit à travailler en moi? Curieusement, goutte à goutte, jour après jour, l'eau n'usait aucunement la pierre. Le travail ne m'étourdissait pas. Je ne me suis jamais expliqué quel besoin de peine et de souffrance pouvait me pousser à occuper avec tant de travail, chaque jour, mes journées. Quel visage cachait ce Lacédémonien? Je songeais parfois à une petite comptine que mes sœurs Lisbeth et Luise se chantaient l'une à l'autre, lorsqu'elles étaient enfants et qu'elles sautaient à la corde ·

Scions, scions, scions du bois
Pour la mère, pour la mère...

Je considère tous ces mots que j'écris. Je ne leur trouve pas beaucoup de justification — sinon un désir impatient d'aveu et l'espoir que j'en attends d'une sorte de paix. Hélas je n'éprouve pas tout à fait cette sorte de paix, cette sorte de chaleur, cette sorte de lumière douce et nostalgique que l'aveu espère à son terme, comme si la voix n'était qu'une manière de mot de passe qui donnerait accès à bien autre chose qu'à la voix — et, plus encore qu'au pardon, à une sorte de caresse, la tête enfouie dans le sein d'un être qui ne sut jamais la donner. Et aussi bien cette espèce d'embarras qu'il me semble avoir toujours, de mauvaise conscience, de détresse, de mauvaise foi, de faute, était sans nul doute comparable à cette faute qu'il y avait à parler allemand en présence de maman et à cette honte de la langue française où mes condisciples me plongeaient en me montrant du doigt, à l'instar d'un occupant, d'un voleur, d'un affameur. Toute Ithaque m'est refusée. Je ne puis aborder ni aux rives de la Jagst ni aux rives de la Seine. Je travaille tant pour me faire pardonner cette faute de n'être pas là où il me faudrait être — passant, emberlificotant, transigeant, transitant, traduisant de l'allemand en français, ou de l'anglais en français, faisant le passeur, l'espion, le traître qui cherche, par des procédés qui prouvent plutôt la trahison qu'ils ne la démentent, à se faire absoudre. C'est ainsi que j'ai traduit une vingtaine de biographies — uniquement de trois ou quatre heures à sept heures du matin — de Caccini, de Fux, de Couperin, de Galilée le Père, d'Archangelo Corelli. Les droits, au tout début médiocres, s'additionnèrent entre eux jusqu'à former d'excellents appoints. Les cours rue de Poitiers, les tournées, les enregistrements — je ne lâchais rien. Je devenais assez riche.

189

J'ai l'appétit pantagruélique des Souabes — dont je respecte scrupuleusement la coutume des quatre repas par jour. Dans la nuit, quand je m'assois puis me lève, j'ai le cœur à peu près sur les lèvres — et un souvenir sans nul doute mal enfoui dans le cœur, le barbouillant ou l'ayant barbouillé sous la forme d'un rêve. L'on peut imaginer une ombre tenant un bol, un sorcier touillant une soupe aux Spätzle, coupant des petits cubes et des petites lamelles de champignons, faisant crépiter dans la poêle quelques gouttes de vinaigre, des petits morceaux de bœuf mariné ou de Bachsteiner, des petits morceaux de fromage ou de foie, des Knödel. Et c'est ainsi qu'on reste aussi maigre que le héros de Grimmelshausen dans la cabane de l'ermite. C'est nu et une poêle à la main que je reçus un coup de téléphone me commandant en hâte — quelques années plus tard, en 1969 — une vie de Gesualdo, il est vrai très romanesque, peu sérieuse, qui se mit tout à coup à se vendre comme des petits pains au beurre. Grâce à quoi j'achetais l'année suivante — en 1970 — une petite maison ancienne sur les bords de la Loire, à Oudon — une « muette », disait-on, et je ne suis pas sûr que le nom même ne me séduisît pas. Le notaire voulut bien m'expliquer qu'on appelait muettes jadis ces petites maisons de fauconnerie ou de vénerie qu'on bâtissait au fond des parcs pour conserver les cerfs ou les faucons durant la mue. Puis ç'avaient été des pavillons de rendez-vous — à deux doigts des gloriettes. Pour moi alors, les vacances à Oudon, c'étaient mes mues. Cette vieille maison de chasseur ou de pêcheur était par son nom la mue et le silence — la mue dans le silence. J'aimais la nommer ma muette, mon havre. Là une petite rivière, le Havre, se jetait dans la Loire. C'était à une dizaine de kilomètres de Liré et d'Ancenis — où durant cinq ans je passai l'été, où je rafistolai, où je prétendis vivre, autant que je pouvais, comme un nouveau Simplicissimus. Les raves, les haricots, les pois, les lentilles, les baies, les poires, les pommes, les cerises, les oiseaux, les limaçons, les grenouilles, les mulets, les anguilles, une cognée, un pot de fer, le fleuve, le soleil, une pelle, un couteau, une nasse, de la glu, tels étaient les instruments et les êtres qui me paraissaient nécessaires au bonheur.

Durant l'année 1966 Mademoiselle Aubier vieillit très vite. Déjà, lorsque je rentrai de Londres au début de juillet 66, elle ne chantait plus. De toute façon elle n'aurait plus été capable de s'accompagner au piano tant ses doigts tremblaient. J'évoquais en vain le hovercraft que j'avais voulu essayer pour aller à Ramsgate ; elle ne s'intéressait plus à grand-chose.

Loin sont ces jours où j'arrivais à Saint-Germain en Quatre-chevaux, allais jusqu'au bois, faisais demi-tour et revenais me garer près de la grille grise. Ponce Pilate aboyait, sautait, se précipitait contre la voiture. A peine la portière ouverte, il happait de sa gueule — sans qu'il mordît, mais fermement — l'avant-bras et me traînait plié en deux jusqu'aux marches du perron, puis près de la porte de ce que nous avions fini par appeler la « cuisine d'Ibelle », sous le perron.

Durant l'été Mademoiselle cessa de pouvoir descendre seule les six ou sept marches. Denis l'aidait à descendre de sa chambre, ensevelie sous une ample robe de voile jaune et rose, la tête enveloppée dans un fichu jaune — qui étaient ses vêtements de nuit — et l'air plus souvent hébété qu'avenant. Les joues de Mademoiselle Aubier s'étaient couperosées. On avait l'impression qu'elle était devenue un petit pot d'argile crue où l'eau ne reste pas, enveloppé de fichus. « Petit pot d'argile crue où l'eau ne reste pas, entouré de fichus ! » me disais-je. On voyait à l'œil nu le niveau de l'eau qui baissait. Elle qui disait encore, quelques mois plus tôt, avec fierté : « Je suis montée en voiture automobile, pour la première fois, en 1897 », désormais se taisait. Ses mains tremblotantes et tendues devant elle comme un écureuil.

Elle se tenait en bossue. Elle cassait la tête sur son cercle à

191

broder mais ne parvenait plus à broder. Une mèche grise s'était séparée du chignon et frémissait dans la lumière. Elle écoutait sans parler. Tout à coup, sans relever la tête, elle reposait le tambour sur le guéridon et, tenant les yeux baissés, elle disait :

« C'est la vie tout cela... »

Puis elle ne put plus feindre de tenir l'aiguille. Elle restait immobile. Je ne comprenais plus ce qu'elle disait. Ces visites me pesaient et je regimbais.

L'une des dernières fois que je la vis à Saint-Germain-en-Laye, comme surnageant dans son baragouin — Mademoiselle Aubier ne mettait plus son dentier —, je crus comprendre qu'elle parlait du sommeil qui la prenait sans cesse, mais qui ne durait pas. C'était au mois d'août. Nous étions dans sa chambre. Un peu auparavant elle avait chantonné en se trompant, oubliant les paroles, un chant qu'elle avait beaucoup aimé chanter et dont elle nous avait quelques années plus tôt rebattu les oreilles :

Les fillettes d'Augans rendez nos gallicelles,
Rendez-nous nos culottes et nos vestes de drap !
Rendez nos gallicelles, rendez-les hardiment
Har-di-ment.

Elle disait — c'est du moins ce que je croyais comprendre, ou bien souhaitais entendre — qu'il aurait fallu réveiller ceux qui dorment pour leur faire sentir le bonheur de dormir. Nous, il nous avait bien fallu naître pour connaître la chance qu'il y aurait eu à ne pas être nés. Elle paraissait sucer, mâcher ses lèvres comme si c'étaient des pâtisseries ou des bonbons acidulés.

La silhouette de Mademoiselle Aubier se fondait peu à peu dans l'obscurité de la nuit tombante. J'allumai tout à coup, fébrilement, tout à la fois le plafonnier et les

lampadaires de la chambre. Cette présence qu'on ne discernait plus me faisait craindre qu'elle passât dans la mort.
Elle s'était tue. Puis elle avait repris, la tête affaissée, le chignon décroché tout nimbé de lumière — c'est du moins ce que je parvins à extirper au sein de cette panade de vieillard : « Voyez-vous, Monsieur Chenogne, il ne faut pas mourir à mon âge ! »
Elle s'était tue de nouveau. Et elle posa ses doigts grelottants, glacés et secs sur ma main. Il me sembla que jamais un geste humain n'avait autant porté mon corps à la limite de l'abîme.

L'automne et l'hiver 1966 furent pénibles. L'esprit de Mademoiselle Aubier déclina considérablement en quelques semaines. Elle avait été hospitalisée au début d'octobre. Pour être franc je répugnais à aller la voir à l'hôpital. Je souhaitais qu'elle mourût vite.
Je prenais l'ascenseur. Je croisais les infirmiers dans la gêne. J'avais l'impression que les couloirs étaient toujours vides. C'était la troisième porte. Je frappais du doigt violemment — car Mademoiselle était devenue pour ainsi dire sourde, comme elle était devenue à peu près muette — mais en m'efforçant de ne pas y mettre de la brutalité ni de l'impatience. Je n'attendais bien sûr aucun « Oui », même minuscule, même chevroté, qui vînt me répondre. J'entrais timidement ou du moins c'était un comédien, un piètre comédien qui pénétrait dans la chambre. Je ne sentais plus l'odeur de l'éther, je ne voyais plus la forme cadavéreuse et comme s'enfonçant doucement dans le gâtisme, posée sur le lit.
« Mademoiselle ! » m'écriais-je et je prenais aussitôt un air stupéfié. « Vous savez, Mademoiselle, il me semble que je ne vous ai jamais vu un visage aussi reposé ! »

193

Bien sûr elle ne regardait pas son visiteur. Il y avait juste un frêle sourire grimacé sur ses lèvres qu'on pouvait feindre de prendre pour soi.

« Mademoiselle, je n'ai pas manqué à me souvenir de la couleur que vous aimiez, des fleurs que vous aimiez », disais-je.

Je tendais à des yeux qui ne voyaient pas, ou aux murs vides, d'affreux freezias. Je prenais le vase sur la table de nuit, ôtais les freezias précédents, changeais l'eau et assemblais les fleurs tout en continuant de parler :

« Les freezias ! » disais-je avec un sentiment d'extase lasse.

J'ai souvent eu le sentiment que nous détestions autant l'un que l'autre ces fleurs qui tiennent du haricot, en moins vigoureux, en plus geignard, mais elles constituaient les seules fleurs à peu près fraîches que l'on puisse trouver dans les seaux du fleuriste (c'était une petite boutique jaune à l'angle de l'hôpital) et qui de plus acceptent de durer un peu dans l'atmosphère confite, éthérée, surchauffée de la chambre où Mademoiselle s'épuisait. Sur l'oreiller blanc, une tête naine presque méconnaissable, une tête de marionnette jaune, cireuse, ratatinée, comme une pomme qui a roulé par mégarde dans la cuisine derrière le réfrigérateur ou la gazinière et qu'on retrouve au bout de plusieurs mois fripée et réduite aux trois quarts.

J'allais chercher une chaise au treillis de plastique blanc et vert. Je m'asseyais auprès de Mademoiselle Aubier en poursuivant mon vain et inépuisable discours :

« Vous ne devinerez pas, en sortant de chez le pâtissier... Tenez, d'ailleurs, voici un éclair, un chou... »

J'étais seul à les manger. Je pérorais. Mademoiselle Aubier, bougeant difficilement le cou, essayait de déplacer sa tête de la gauche vers la droite, l'air terriblement malheureux, faisant un petit sourire poli, les paupières rouges, ensanglantées par la douleur, la carence des larmes et l'insomnie. Je prenais conscience qu'elle n'était déjà plus capable de cette rotation

194

de la tête — qui est le secours des tout petits nourrissons quand ils ont faim ou qu'un corps vaguement aimant leur fait défaut. Je me levais et, saisissant la chaise, je passais de l'autre côté du lit pour qu'elle pût me voir ou du moins pour que son visage parût tourné vers mon visage, vers les mots que je pouvais dire, débitant mes litanies interminables :

« Madame Filongue — vous vous souvenez de Madame Filongue ? — est morte. »

De ce côté du lit l'odeur d'urine était beaucoup plus forte. Comme cette sensation n'était pas agréable, comme j'en éprouvais même du dégoût, je posais la main sur la main de Mademoiselle, j'essayais de faire pardonner ce dégoût. Durant les vingt derniers jours Mademoiselle ne disait plus rien de distinct. Peut-être ne comprenait-elle plus rien du tout. Elle fronçait les sourcils tout à coup comme pour dire quelque chose.

« L'autre jour, poursuivais-je, j'ai pris le train pour Versailles... »

Mademoiselle fronçait de plus en plus douloureusement son front et ses sourcils. J'appuyai sur la sonnette. Une infirmière vint et regarda Mademoiselle. Repartit. Revint avec une seringue hypodermique. Pendant ce temps-là je lui disais (tout ce souvenir m'est si désagréable qu'il en est demeuré presque vivant, il m'est tout à la fois si pénible et si aisé de le repasser dans ma mémoire) :

« Mademoiselle, il faut que je m'en aille. Je dois passer rue de Rivoli. Il faut que j'aille ensuite au Conservatoire. Madame de Craupoids m'a demandé de lui porter rue de Poitiers les morceaux choisis pour l'examen de février. J'ai un rendez-vous chez mon dentiste. Quelle malchance ! »

Son front se plissait davantage. Ses yeux pleuraient une sorte de pus blanc et épais.

« Adieu, Mademoiselle, disais-je. Je reviendrai dès que j'aurai un instant... »

Mais Mademoiselle ne me regardait pas. Il me semblait

qu'elle regardait l'aiguille de la seringue hypodermique avec une espèce de voracité ou d'espoir.

Je posais de nouveau la main sur sa main et la serrais un peu. Je m'éloignais, me sentant extraordinairement indigne, coupable, ignoble, malheureux. Remâchant d'atroces pensées. Nous ne cessons pas d'abandonner. Nous sommes tellement à l'image des dieux. Qu'est-ce que l'amour ? Qu'est-ce que la médecine ? O lieux qui sentent, où il y a des sons à peine linguistiques, où il y a des regards en alerte !

Je confectionnais une couronne de fête avec des branches de sapin. C'était le 6 décembre. Toujours à l'affût de fêtes possibles, je fêtais saint Nicolas et Hans Muff et j'étais bien décidé à les fêter en solitaire. J'étais en train de chercher à fixer la couronne au plafond quand le grelot de la sonnette retentit. Un facteur me donna un télégramme. « Tante Clotilde morte. Venez aussitôt. Denis Aubier. » Je n'y allai pas. J'appelai aussitôt Denis : j'avais trop peur de voir Seinecé. J'avais trop peur de voir Isabelle. J'avais trop peur de voir Delphine. Je le lui dis. Je lui demandai de me pardonner.

Il voulut bien me répondre que cela n'importait pas. Une cousine, elle-même déjà âgée, et qu'il ne connaissait que par les lettres qu'il avait reçues d'elle durant toute son enfance à l'occasion de son anniversaire, s'était installée dans la maison de Saint-Germain. Nous convînmes de dîner ensemble quelques jours plus tard.

Pour parler franchement cette mort ne me fit rien. Même, je n'éprouvai qu'un sentiment de soulagement. « Clotilde, fille de Clovis, femme d'Amalaric, reine des Wisigoths ! » me répétais-je à moi-même, comme repassant une leçon, en confectionnant la couronne de fête. En effet — si étonnant que cela me paraisse à moi-même — il me semble que ce n'est que par le télégramme de Denis Aubier m'annonçant la mort de sa grand-tante que j'ai appris le prénom que portait Mademoiselle. « Clotilde, fille de Clovis, femme d'Amalaric, reine des Wisigoths ! » rabâchai-je durant une dizaine de jours. Je ne parvins pas à pleurer. Il a fallu à cette mort plusieurs années pour que je la pleure. C'est au Japon, à Kyoto, au terme d'un concert, alors qu'on m'offrait un bouquet de tulipes rosées et jaunes — tulipes venues sans nul doute par avion de Hollande, de Rotterdam —, que j'eus le désir de pleurer. Je touchais le velours satiné et rose et doré de ces grands pétales de tulipe quand je revis son visage, le vrai visage, point le visage mourant, de Mademoiselle Aubier vivant, parlant, suçotant des Lolottes de Nevers et chantant des chansons du xviiie siècle. Alors je souffris vraiment. Alors Mademoiselle mourut vraiment parce que ses joues, quand je les embrassais, jadis, il me semblait que c'était le velours doux des pétales immenses des tulipes.

Quelques jours plus tard Denis Aubier vint me retrouver quai de la Tournelle. Il faisait froid. Je me souviens que j'avais encore un affreux loden vert, que je haïssais, mais dont je n'arrivais pas à me défaire. Personne n'était venu. Ni Seinecé ni Isabelle ni Delphine. Je me souviens que nous parlâmes avec passion, avec âpreté de l'accord conclu entre le Parti communiste et la F.G.D.S. Denis m'avait apporté, en souvenir de Mademoiselle, un nécessaire de toilette en maroquin vert. Il était garni de petites boîtes en fausse écaille, de petits flacons qui simulaient le cristal taillé, avec des bouchons argentés. « On est peu de chose ! pensai-je avec dépit. Dans le cœur d'autrui on est un nécessaire de toilette, et en toc ! » Delphine avait pris le chien Ponce et ne voulut rien d'autre. Denis partait pour Bruxelles et ne pouvait le garder. Je me souvenais de Mademoiselle Aubier assise sur le tabouret curule près du petit matelas de Delphine posé à terre et lui chantant tout bas :

O Grand Guillaume, as-tu bien déjeuné ?
Oui, Poincaré, j'ai mangé des obus.

Ou encore Mademoiselle Aubier chantait cette chanson en tenant Delphine sur ses genoux, un doigt dans chacune des deux mains minuscules pour la retenir de tomber en arrière, et la faisant sauter — elle disait « sauticoter » — tout en chantant.

Etranges rêves que nos souvenirs. Etranges fleuves que nos oublis et que nos vies. Sur toutes les minutes que nous vivons ne demeurent en suspension que d'étranges fragments. On ne voit pas quelle nécessité a présidé à la section, au bris, à l'effilochage, ou au naufrage. Etranges naufrageurs que les livres. Le corps de Mademoiselle s'est vite enfoncé dans les flots. Des pans entiers de ce qu'elle fut a été englouti — et l'essentiel sans nul doute de ce qu'elle fut. Seules des joues surnagent. Plus de vingt années se sont écoulées. Ce n'est certes pas un nécessaire de toilette en maroquin vert qui me reste d'elle. Ce souvenir des joues, je n'en comprends pas l'élection. C'est tout ce qui revenait d'elle après sa mort et cela m'irritait. Ce souvenir hantait, hante comme un fantôme. C'est le globe d'ambre doré, piqué de taches rouges, des prunes mirabelles qui sont tièdes. Ou bien ces joues avaient quelque chose des calots de terre de l'enfance. Au jeu à la pichenette. Au jeu à la chiquenaude. Ou bien ces joues étaient les berlingots de Seinecé et de Delphine, sous la lumière électrique. Outre le prénom de Clotilde, que j'appris alors, ou que je crus avoir appris alors, curieusement me revint aussi en rêve et persista sous forme de rêvasserie énigmatique — sous la forme d'une vision ridicule — un mot curieux et plus ou moins superstitieux adressé par Mademoiselle à Delphine : « Le jour de Noël, disait-elle en prenant un ton pète-sec, entre minuit et une heure, les vaches à l'étable sont toujours à genoux. »

Je songeais enfin au goût, à l'affection qu'elle portait aux fleurs — et c'est elle qui me l'avait donné. Et peut-être lui dois-je une prédilection pour les tulipes. Depuis je n'ai cessé de revenir chez moi, tous les deux ou trois jours, avec des bouquets de fleurs. Ce sont aussi des témoignages d'amitié, et il y a quelque chose de judicieux, sans doute, dans le fait de compter sur nous-mêmes pour nous les prodiguer. Ce sont des dons que l'on se fait à soi-même et qui sont censés peut-être entretenir l'estime, ce qui demande beaucoup d'opiniâtreté, et ce qui suppose un minimum de pratique dans la prestidigitation. J'adorais, j'adore toujours acheter des vases un peu désuets et d'un goût assurément point excellent, sinon tordu, dans le dessein compatissant de les accueillir. A la différence des animaux les plantes n'ont pas de système nerveux — je demande pardon de proférer de telles évidences. Par là elles nous sont supérieures dans l'échelle des êtres. Certains hommes très mélancoliques ne regardent pas les plantes sans pleurer.

Je ne sais pourquoi la mort de Mademoiselle Aubier coïncida avec la période la plus sombre de ma vie. Tout me pesait. Je m'éloignais des amis les plus mondains, les plus phraseurs. Je cessais même de voir ma sœur Elisabeth (à peu près tous les deux mois elle montait de Caen à Paris, s'installait dans le deux-pièces qu'elle possédait rue Saint-Dominique, dont l'aménagement était somptueux et ne pouvait être comparé au studio que nous possédions tous les cinq à Stuttgart) tant elle tenait de grands discours sur la beauté, sur la science, sur la société, l'éducation, la psychanalyse, la politique, Dieu, civilisation, amour et tout le saint-frusquin.

Un mauvais dieu — en est-il de bon ? — qui avait tout d'un

199

gladiateur — j'ai toujours eu tant d'aversion pour les Romains — m'enveloppa tout à coup de son filet sans daigner me donner un coup de trident dans la gorge. Le dieu me traîna dans l'arène un certain de nombre de mois. J'étais le mirmillon, c'est-à-dire que j'avais perdu d'avance, si entravé que j'étais dans mes armures, mes boucliers et mon casque à visière. Je retrouvais alors quelquefois Katharina Ubmann, quand elle était à Paris. Je souffris jusqu'à la déficience. Située au bas de l'abdomen des hommes, il y a une minuscule pèlerine — suspendue à une espèce rudimentaire de patère — qui ballotte comme n'importe quel vêtement accroché à un clou et qui parfois enfle pour peu qu'on ait laissé une porte ou une fenêtre ouverte et que se soit créé un malencontreux courant d'air.

J'avais à peine vingt-quatre ans. J'étais encore un enfant. Les enfants, les adolescents ne peuvent pas deviner que la souffrance ne dure pas — du moins à condition qu'on ne tire pas du plaisir à l'alimenter. Ma sœur Lisbeth voulait m'entraîner chez un urologue, chez un neurologue, chez un moine zazen. Et il est vrai que je n'étais pas très bien. Je ne cessais pas de travailler — mais dans l'angoisse la plus vive, et dans l'hébétude des médicaments, habité par un désir de mourir qui ne connaissait pas beaucoup de limites. J'étais Job. J'étais aux confins de l'Arabie et du pays d'Edom. « Pourquoi s'est-il trouvé deux genoux pour m'accueillir ? deux mamelles pour m'allaiter ? » Mais je n'avais pas été allaité. Avais-je été accueilli ? Si on avait pu mettre sur une balance tous mes maux ensemble, tous les maux dont je souffrais sur tous les lieux du corps — c'était plus lourd que tout le sable des mers une fois amassé.

Katharina m'importunait comme Lisbeth. Qu'il fallait que je me soigne. Qu'il fallait m'occuper les mains.

« Karl, il faudrait peut-être ôter le papier de la chambre, et tout repeindre. Il faudrait nettoyer l'entrée. Il faudrait... »

Je n'avais goût à rien. Je souhaitais si vivement qu'elle parte que je le lui suggérai. Je perdis tout à fait le sommeil à force de vouloir dormir, à force de vouloir mourir. On raconte — et c'est bien vraisemblable — que le souvenir d'une action qui n'a pas été accomplie cherche à s'apaiser, à s'éteindre dans une sorte de mort, d'assouvissement. Du moins un vieux désir tâtonne pour procurer de l'apaisement à l'énergie qui l'habite encore et qui ne cesse de remordre. La nuit, durant des mois, toute la nuit, les yeux grands ouverts, j'attendais les longues lignes lumineuses sur le plafond que projetteraient les phares des voitures automobiles passant sur le quai. Ce fut ma principale occupation alors. La seule chose qui présentait à mes yeux un peu d'intérêt. Ces faisceaux jaunes s'infiltraient au haut des persiennes, au-dessus de la tringle de bois qui soutenait les rideaux de velours jaune, et parcouraient relativement lentement le plafond comme un balancier de métronome gigantesque. Ce rai de lumière illuminait trop vite pour qu'on pût voir avec précision le contour d'un objet dans l'ombre de la chambre mais point si promptement que sa disparition ne donnât à chaque fois l'impression d'effacer toute la chambre dans la mort.

A vrai dire, après que je me suis battu les flancs pour rameuter ces souvenirs, je découvre que ce n'est pas exactement à la mort de Mademoiselle Aubier qu'il faut imputer cet état dont le rappel ne me donne pas particulièrement de la joie. C'est à la mort de Didon, trois mois plus tard. Elle avait deux ans. C'était la dernière chose au monde à laquelle je me serais attendu. La mort de Didon m'avait pris de court. Dans la cuisine, l'odeur âcre, cachée derrière le frigidaire, dans une petite flaque fétide. C'était le 12 mars 1967. J'aurai cette date gravée en moi jusqu'à ce que l'esprit me fasse défaut. Dans le même temps c'est cette mort même que j'oubliais à l'instant, ou que je me refusais à ressusciter. Oh mon Dieu ! Quand j'ai glissé les doigts sous le ventre flasque de Didon — de ce petit chat que j'aimais! Qui était tout ce qui m'aimait!

Ce n'est donc qu'après la mort de Didon que je fis ce que mon médecin appela une dépression nerveuse. Il faut dire que Stan Laurel et Joseph Buster Keaton venaient de mourir. Cela n'avait rien à vrai dire d'une dépression mais tout de l'abîme. Et cet abîme n'était pas nerveux mais relevait d'une apathie que rien ne bornait.

J'aimais Didon. Qui avais-je aimé davantage? Qui aimerais-je davantage? Cette chatte, plusieurs êtres morts étaient revenus en elle. S'il me fallait la définir avec plus d'application, pour cinq pour cent c'était ma mère, et la meilleure part de ma mère, l'œil implacable et l'absence totale de sollicitude; pour douze pour cent c'était une jeune Souabe de Waldenbach qui avait entouré de ses rires mon enfance, robuste et cocasse, espiègle et chaleureuse; pour quinze pour cent c'était Marga enfant recueillant dans sa chambre tous les chatons de la colline; pour vingt pour cent c'était Ibelle, la morgue, l'allure d'Ibelle; pour dix pour cent c'était André Valasse qui me l'avait offerte et pour cinq pour cent sa femme Louise, la pâtisserie du Chenil, la chambre que j'avais eu l'autorisation de louer durant plus d'un an à Saint-Germain-en-Laye. Pour trente pour cent c'était l'amante d'Enée dont elle portait le nom, qui haïssait jusqu'à la lumière et qui préférait cesser de collaborer à l'univers plutôt que de perdre la présence d'un corps masculin. Elle-même — vraiment elle-même, autre, imprévisible, chat — comptait pour trois pour cent.

J'emmaillotai dans un de mes pull-overs Didon. Absurdement je choisis le pull-over que je préférais — un grand pull de laine angora, épais, informe, doux, vert vénitien. Je mets doucement cette momie tremblante et comme chaude dans un sac de chez Pugno. J'éprouve de la répugnance à dire que j'allai jusqu'à vérifier à plusieurs reprises que le beau corps de Didon était mort, qu'elle ne palpitait pas. Je l'embrassai. Je descends l'escalier et je vais poser ce petit tas noir et froid aux poubelles. Je l'aimais. Un chat, c'est un poids chaud qui respire, qui vient à l'improviste sur le corps, qui pèse sur le corps, et qui fait qu'on est là encore alors qu'on avait oublié qu'on était là. Qui aura pour moi ce soin un jour ? Qui me déposera aux poubelles ?

Je ne saurais dire la douleur que je ressentis de sa disparition. Un des innombrables et extrêmement inquiétants symptômes qui accompagnaient cette dépression était que ma main droite ne cessait de fourmiller quand je pensais à elle. Ce qui me procurait une grande gêne au violoncelle ou à la viole — encore que ce ne soit que la main de l'archet. J'écris cette page. Ma main fourmille encore, comme si elle avait conservé en elle, par-delà la disparition, la reconnaissance d'une certaine peau, d'une certaine chaleur, de certaines vertèbres sous la peau, — comme si elle avait conservé en elle contre toute raison l'espérance de ce contact et le motif vain d'une démonstration d'amour.

Entre deux rais soudains et lumineux, attendus avec passion et hébétude, écarquillant les yeux, qu'allaient projeter sur le plafond dans un instant — j'en étais sûr — les phares d'une voiture automobile, je retrouvais le plus ancien des cauchemars, l'insomnie n'étant jamais si absolue qu'avec compassion elle les extirpe tout à fait. Je retrouvais l'arbre énorme et ventru, complètement creux et fragile, grouillant de perce-oreilles. Ce cauchemar était un destin — non pas qu'un musicien fût poursuivi par des perce-oreilles, cris, halètements, divinités qu'il cherche en vain à apaiser, mais qu'un rêveur poursuivi par des perce-oreilles décidât de devenir musicien. L'oreille grouillante des sons qu'elle juge stridents et qu'elle veut rejeter s'associait parfois un petit cauchemar de violoncelliste mieux caractérisé : ma main gauche écrasée, ma main gauche sans phalanges. J'avais sans cesse devant les yeux la main de fer articulée de Götz von Berlichingen qu'on voit à Schöntal.

Puis le matin — avant de chercher à découvrir dans la vague et inconsistante lueur de la nuit finissante quel serait le jour et avant de chercher à reconstituer de quoi il serait fait, à quoi les heures seraient consacrées, à quel être ou à quel désir, à quel succédané de désir il serait dédié — remontaient en moi à l'état de charpies des rêves, des morceaux de hantises, des fredons mélodiques qui étaient autant de signaux annonciateurs de l'humeur du jour, de sa tristesse lente, ou bien de sa rage angoissée, ou bien de sa détresse à l'état pur, ou encore de son hypocondrie fastidieuse et prolixe : mon ventre, le crin de tel archet, mon crâne, le cliquètement sporadique et persécuteur d'une des vis servant à l'accord. Je me levais par devoir — je ne sais quel devoir. Je n'ai jamais su quel était le devoir. Je mâchais une tartine beurrée — plus beurrée que mon âme — par obligation : je ne sais plus quelle obligation. Je me souvenais de Hiltrud. Comme je l'avais aimée, comme elle me faisait peur ! Je lui obéissais sans mot dire. J'étais comme un esclave à ses pieds. J'étais comme Baruch aux pieds de Nabuchodonosor, à l'ombre de Nabuchodonosor. Je me lavais, me rasais, me douchais pour respecter les termes et presque les prescriptions d'un contrat invisible — ne pas être senti, ne pas être remarqué, être moi-même invisible. J'avais cessé de pouvoir lire des biographies de musiciens mais non de les traduire, mais non de faire des gammes. Je rejouais par cœur, inlassablement, les *Tägliche Übungen* de Feuillard, et les six suites de Bach, et les exercices des frères Duport — parce que c'était la leçon, parce que je pourrais être interrogé, parce que je ne voulais pas être retenu à l'étude, parce que je ne voulais pas avoir à m'agenouiller devant tous sur l'estrade de bois, ou avoir à réciter, devant le tableau noir, les mains croisées dans le dos, la liste des ducs de Wurtemberg, parce que je ne voulais pas être privé de réfectoire, parce que j'avais peur des colles ou du répétiteur. Mais, hélas, je n'avais pas peur des répétitions.

Le temps venant, le temps passant, par à-coups il arrivait que le soleil retrouvât un peu de sa clarté et qu'il redonnât un peu de la chaleur qu'il avait prodiguée autrefois. Je cherchais à sortir de la forêt sans arbres ni bêtes ni taillis. Mais j'avais beau me bourrer d'anxiolytiques, de café, d'alcool, il m'était difficile de quitter l'immense mer sans eau, l'immense rivage infini, l'immense désert immobile de la maladie.

Rue de Rivoli, Costeker m'entourait d'affection. Il aimait les paradoxes, pour peu qu'ils fussent susurrés avec une componction imperturbable. Il me rassurait. Il prétendait que ceux qui suaient la culpabilité par tous les pores de la peau qui les recouvrait n'avaient en général rien à se reprocher. « C'est presque un signe sûr », disait-il.

Je passais mon temps à fredonner des lambeaux d'air dont je ne parvenais pas à retrouver ni tout à fait le chant ni tout à fait les noms. Je ressortais anxieusement, comme un maniaque, le vieux *Des Knaben Wunderhorn* — le *Cor enchanté de l'enfant* — et je recherchais comme un vieil érudit quelles pouvaient être toutes ces mélodies resurgies. Le malheur est proche du désir — ou du moins il y a une insensibilité à la douleur que donne l'extrême dépression qui est comparable à l'anesthésie extraordinaire que procure la proximité du plaisir. Une telle indifférence au monde, à la nature, au temps, aux êtres est à certains égards une leçon de robustesse et de terrible santé. Comme Seinecé à Chatou après le départ d'Isabelle, je travaillais sans trêve. J'avais la pensée la plus désordonnée. Les lambeaux incessants de quelques scènes ridicules d'enfance, ou dénuées de sens avec Mademoiselle

Aubier ou Fräulein Jutta, ou plus cocasses, impudentes avec Hiltrud, avec Isabelle, avec Gudrun me hantaient. Je m'éperonnais comme je pouvais. J'aurais voulu qu'on m'infligeât des défis, qu'on me prescrivît des devoirs. Bach faisait la route de Lübeck à pied pour entendre Buxtehude.

Dieu, dit la Bible, n'est ni le hurlement de l'ouragan, ni le tremblement de terre, ni le flamboiement du feu mais la brise — mais le bruit de la brise légère qui avertit de la dévastation. La fréquentation des heures d'angoisse de plus en plus nombreuses, et presque l'accoutumance, l'amitié contractée à l'égard de ces heures m'avait donné une espèce de science de la brise où Dieu se tient. Brise plus effrayante en effet que le tonnerre ou que le tremblement de terre, ou que l'incendie qu'elle précède — pour peu qu'on sache qu'elle en est le signe. Quand l'angoisse vient, c'est sur des ailes de colombe qu'elle s'approche et elle lève un vent minuscule capable de ravager à l'égal d'une tornade glacée le paysage le plus doux et le plus beau et le plus tiède. C'est la brise qui agite faiblement les feuilles d'acacia du cimetière de Bergheim. C'est la brise qui devait les agiter quand mes sœurs firent revenir de Paris dans le cimetière de Bergheim le corps de maman, parce que mon père leur avait fait promettre qu'elles feraient tout pour qu'elle repose dans le caveau de la famille. Et c'était cette brise qui déchaînait toutes les ténèbres et toutes les trombes sans qu'on ait vu le moindre souffle. Ce terrible coup de vent est invisible. Il ne ferait pas pencher la tête blanchâtre d'un pissenlit.

Dans la chambre où je me terrais comme un parasite, comme un coucou gris dans un nid de passereaux, c'est un coup de vent subit, tel qu'avant l'orage il passe, et les feuilles retombent de nouveau immobiles, dans l'attente lourde et insupportable. C'est la mort. C'est un coup de vent imperceptible au cœur, ou dans la nuque, ou au sein du regard qui lève une houle immobile et qui plonge toute notre âme, tous les organes de notre âme dans la sensation du désastre, dans l'évidence du désastre, dans la conviction fervente du désastre, ou le commémore, ou l'annonce, alors que le voile derrière le rideau n'a même pas frémi.

En novembre 1967 — rue de Poitiers, en sortant de l'école de musique — il pleuvait. Je saluai — avec une courtoisie infiniment chinoise, infiniment triste, infiniment lente, infiniment polie — Madame de Craupoids et Mademoiselle Lésour. Je les quittai. J'entrai dans le bureau de tabac rue de l'Université, achetai des cigarettes — j'avais envie de fumer, j'avais envie de boire —, commandai au comptoir un verre de bourgogne.

« Münchhausen, me dis-je à part moi, il faut que tu te sortes de là ! »

Je découvris que j'étais seul. Je cherchais à tâtons à qui demander conseil. Les anciens Egyptiens consultaient le bœuf Apis. Moi, naguère, je consultais le chien Ponce ou la chatte Didon, et leurs oracles avaient toujours été très sûrs quoique un peu complaisants. J'avais eu Mademoiselle Aubier. J'avais eu Seinecé et je ne les avais plus sans doute. Mais n'avais-je pas toujours été seul ? N'était-ce pas délicieux ? Costeker aimait les hommes, les œuvres d'art, l'absence de sentiment et les plaisirs violents, secrets, muets et il était plus solitaire encore. Egbert Heminghos hurlait de terreur dans son immense appartement de la rue d'Aguesseau. M'achèterais-je un chat de nouveau ? Il y avait chez moi, quai de la Tournelle, dans mon bureau au premier étage, parmi quelques gravures de Cozens et de Girtin que j'avais conservées de ma mère, le portrait de Wieland par Heinsius — ou du moins une gravure faite à partir de ce portrait. C'était pour moi comme un père. J'avais appris l'allemand dans le *Münchhausen* de Lichtenberg et dans Wieland. Bergheim, c'était Biberach. L'appel retentissait. Il fallait que je passe voir Luise dans les arbres, au second étage de la Konrad-Adenauer-Strasse. En fait c'est Marga que je retrouvai quelques mois plus tard, après quatre mois passés aux Etats-Unis, en avril 1968, et c'est sous la pluie que nous allâmes, dans la magnifique Mercedes blanche de Marga, à Biberach, dégoulinants, au presbytère d'Oberholzheim, dégoulinants. Et pour la première fois je vis le jardin du presbytère où levé avant le jour, où couché après le jour, Wieland travaillait, dans les tilleuls immenses, dans les tilleuls alors ruisselants — dans les tilleuls que par une chance miraculeuse, sous nos regards, le soleil vint éclairer, sans que la pluie cessât. Marga et moi, nous allâmes nous enfourner — à Biberach — dans une pâtisserie brûlante, écœurante, dont les murs étaient pour ainsi dire faits en crème pâtissière.

Je revins à Paris le 24 avril 1968. Le fait d'avoir conservé mes agendas m'est un plaisir que je n'imaginais pas et j'ai le sentiment, en tournant les pages de ces petits carnets rouge foncé, au cuir grenu, presque épiscopaux, de remonter des vagues de l'océan, tour à tour dans des filets, ou dans des balances, ou accrochés à des hameçons aux formes diverses, une pêche miraculeuse — miraculeuse à mes yeux, et j'entends par là comme fraîche — où ce qui mord gigote encore. Il est vrai que ceux qui aiment les souvenirs — et la plupart des radoteurs — ont de ces complaisances qui devraient faire rougir. Mais tournant les pages, contemplant la page du 3 mai 1968, j'ai en effet le sang aux joues — si bien que je puis presque dire que c'est une écrevisse, et une écrevisse cuite, que j'ai hameçonnée. Je sortais de chez Madame de Craupoids — où j'avais dîné avec Madame Clémence Véré, Benoît, Nadejda Lev et Mademoiselle Lésour. Je n'ai jamais été grand séducteur. Madame de Craupoids habitait à deux pas de l'Ecole internationale de musique, rue de Verneuil. Au jeu des graines doubles, des graines jumelles dans les amandes, mes sœurs gagnaient toujours quelque effort que je fisse. Comme je cherchais à ne pas m'endormir pour être le premier levé, je m'enfonçais doucement dans le sommeil alors qu'elles sautaient sur mon lit en hurlant : « Vielliebchen ! » A ce jeu, j'ai toujours perdu. Je m'embêtais. Vers onze heures, je me levai et dis qu'il me fallait rentrer. Je suggérai — ou je chuchotai que j'avais à me lever tôt le lendemain, excuse à laquelle Madame de Craupoids était accoutumée ; je serrai les mains. Nadejda Lev — c'était déjà une cantatrice célèbre, mais glaçante, qui n'avait pas desserré les lèvres de la soirée et qui s'inquiétait sans cesse dans les miroirs de l'apparence qu'elle pouvait offrir — profita de mon départ pour partir. Nous dîmes donc au revoir. Devant l'ascenseur, sans qu'elle jetât un regard vers moi, elle me tendit avec hauteur sa main à baiser. J'évitai l'ascenseur. Je descendis par l'escalier. Quand je posai le pied sur les pavés de la cour de l'immeuble, je vis la silhouette de la cantatrice en train de franchir la porte cochère. Je ralentis le pas. J'ouvris la porte. Je sortis rue de Verneuil. Je me retournais et tirais la haute et lourde porte cochère afin de la fermer. Tout à coup je sentis une présence toute proche. Une main s'était posée sur mon bras ou plutôt l'agrippait. Nadejda Lev me dit à voix forte, avec l'accent à vrai dire international — c'est-à-dire totalement affecté — qui était le sien : « Cher ami, je reste avec vous. » Je répondis : « Oh ! très volontiers. »

Nous cherchâmes dans le silence la camionnette Volkswagen que j'avais acquise pour transporter plus commodément les violoncelles ou les gambes, et pour les soustraire aux regards. Elle vint chez moi. Ce fut un étrange amour. Nadejda Lev était belle — curieusement belle —, le corps qui paraissait mince et beau, le visage rond des Slaves, avec quelque chose de la tête dodue, benoîte et terrible de Gengis Khan.

Elle se portait une affection incomparable, possédait des dons merveilleux que le temps qui s'est écoulé a montrés, et accroissait ces qualités d'un orgueil et d'un mépris sans limites. Mais derrière la tête de Gengis Khan, à ma grande surprise, je découvris une petite fille de douze ans un peu boulotte et timide, gauche, tendre — et aussi bien, quoiqu'elle cherchât à donner l'apparence d'un grand amour ardent, une sensualité au contraire douillette, lente, minaudante, effarouchée. Je me souviens que ce n'étaient pas de grands cris que le plaisir arrachait de nos gorges — peut-être craignait-elle pour sa voix, peut-être cherchais-je à pleurer comme Didon — nous miaulions. Littéralement, nous miaulions de contentement.

La Lev pleurait volontiers — et moi je cherchais en effet à paraître assez porté au désespoir et aux larmes. Nous nourrissons l'illusion qu'il existe un endroit de notre corps où il est resté de notre corps quelque chose de l'enfance. Un bout de peau de l'enfance. Un endroit plus sensible, soustrait au regard ou à la lumière ordinaire, où la peau est plus douce, une région où la tendresse s'est conservée, un centimètre carré où quelque chose de la peau des nouveau-nés, de leurs joues, de leurs paumes, s'est conservé et qui est caché dans quelque pli du corps, le plus souvent une douceur qui est près de l'aine, tout près du sexe de quelque sexe qu'il soit, et que seules les lèvres peuvent reconnaître en le baisant. C'est là le seul espace qui nous reste de la maison d'enfance. Un lieu qui a fait l'objet d'un privilège. « Oh ! Je ne vous espérais même pas ! » disais-je tout haut, dédiant ce que je disais au corps de Nadejda Lev sans doute — mais aussi à je ne sais qui, à ce plaisir, à cette émotion, à cette voix. Elle habitait Stockholm. Elle refusait de rester la nuit entière et me quittait, vers trois ou quatre heures — heure à laquelle je me levais. Je me douchais. Je préparais un petit déjeuner plantureux qui l'ébahissait. Nadejda Lev y voyait un signe d'amour qui l'attendrissait. Le goût de vivre revenait dans les muscles, irriguait lentement l'âme, revenait dans le regard. Je pressais une orange. Nous nous aimions parfois encore.

Le soir, pour le dîner, nous nous retrouvions le plus souvent à son hôtel. Durant tout le dîner elle restait en fonction, cassante, la nuque raide, les lèvres tirées vers le bas, brutale avec les serveurs. Dans sa suite, elle rajeunissait, redevenait petite fille. Nous nous dévêtions. Nous nous faisions face. Nous nous embrassions sans impatience ni même peut-être un très vif plaisir. Nous nous aimions de façon précautionneuse et consciencieuse, même sérieuse, grave — ce qui est une autre façon de dire puritaine, modeste et un peu lente et ennuyeuse —, noble et très convenue. Au fond de nous pourtant — si parfaits et narcissiques et irréprochables que nous fussions — il me semble qu'il y avait tapi au fond de nous un désir d'aimer qui ne faisait pas de doute, et aussi inapaisable qu'il paraissait timide. Une espèce de cœur blotti en nous, giclant en nous, et que je ne me suis plus jamais senti en aimant, et qui a fait que quand nous nous retrouvons dans une même ville, lors de tournées, il arrive parfois que nous nous aimions encore.

Ce charme fut si doux, si prévenant à l'égard de nos égoïsmes — outre le plaisir physique que nous éprouvions, l'éloignement d'une impuissance dont j'avais souffert, le désarroi où j'étais — que je songeai à me marier avec « la Lev ». Un soir, je chuchotai cette idée. Nadejda réagit vivement, refusa. Elle avait un enfant de huit ans, l'appelait sans cesse, en parlait sans cesse. Je crois qu'elle le voyait même quelques semaines par an.

On dit que les névroses s'accouplent comme les couperoses. J'avais connu un moment de dépression. Il avait duré huit ou dix mois. J'avais été « enchanté », ainsi qu'on m'avait appris que disaient les Français autrefois, c'est-à-dire malheureux.

Une langue maternelle est une chose qui me paraît difficile à comprendre sauf si l'on veut dire, quand on emploie l'adjectif maternel, qu'un être est intrinsèquement méchant, impénétrable et sévère. Mais les mères ne sont pas seules à être tortueuses, méchantes et peu accessibles. Les langues aussi sont indéchiffrables, toujours lointaines, toujours intimidantes et intraitables, d'une exigence sans fin. Et rien ne vient assez nous « désenchanter », ni jamais ne nous restitue suffisamment au réel, au simple éclat de la lumière et aux simples satisfactions des désirs.

Plusieurs années passèrent. Je vécus de beaux jours. Le malheur et la maladie se mêlaient encore comme l'eau à l'eau, mais de façon fortuite, point obsédante. Les journées d'avril à juin 68, à Paris, auprès de Nadejda Lev et dans la compagnie des feux de joie m'avaient procuré un sentiment d'exaltation. J'étais allé à Stockholm en juillet. Puis je me regrettai un peu. Je regrettai d'être devenu ce que j'étais devenu — obsessionnel, violiste incessant, une petite notoriété chez les voisins, un petit nom pour disquaires, un tâcheron. La célébrité que connut Nadejda nous sépara. Nous ne nous retrouvions plus que de façon presque décousue. Nous n'étions plus qu'argent et contrats. Je me souviens des années soixante-dix comme d'une suite de bachotages et d'examens. Au fond de moi je regrettais les mois de mai et juin 1968, la découverte du corps *popote* de Nadejda, la capacité d'une sorte d'ambiance de kermesse comme à Bergheim lorsque j'étais enfant, le défilé, le cœur battant la chamade, les tambours, les gens ivres, les cris, les polkas, le Schuhplattler terrifiant de bondissement et de vélocité, les redingotes de velours noir doublées de satin jaune, de satin rose, de satin bleu.

En 1972, au mois d'avril, j'étais avec Marga et son fils à la montagne. J'étais fatigué. C'était dans la Suisse du Nord, au-delà du Rhône. Je me souviens du balcon exposé au sud-ouest plutôt qu'au sud, où je passais ma vie en anorak, le corps enveloppé de plaids et de couvertures — j'avais inventé cette année-là de faire une tuberculose mais les médecins que j'avais consultés n'étaient guère convaincus — sur un fauteuil transatlantique lui-même couvert d'une couverture afin que le vent ne s'immisce pas dans le dos, regardant la neige, les pins et les mélèzes, l'écureuil qui courait, s'immobilisait tout à coup sur les deux pattes arrière, les doigts vers la face soudain comme les premiers hommes, qui bondissait de nouveau d'arbre en arbre et paraissait littéralement jouer. Enfin, redressant le visage dans la douceur du soleil, vers les versants, les cimes, le ciel.

J'étais comme un tuberculeux. Je lisais comme un tuberculeux. Je crachais le sang aussi, du sang réel, réussi, si je puis dire, et qui me convainquait presque au point de me donner de la peur, et une sorte d'importance et de frisson de mort. Mais j'étais gai et content de survivre. On s'aime comme on peut et la maladie, de façon sporadique, m'était une compagne très sûre, chaleureuse, tendre, démonstrative — et une compagne d'autant plus sûre qu'elle était tout à fait imaginaire. C'était un poison que l'hérédité, le hasard et l'enfance avaient insinué dans mes veines. Ils concouraient à me fouetter de crises d'angoisses et de maladies diverses — sans jamais m'empêcher de faire mes gammes, de lire des livres de musicologie, de donner des concerts, d'enregistrer — mais dont je n'étais pas maître, ou du moins dont j'étais peut-être l'auteur mais point le souverain.

Ces jours étaient heureux au bout du compte. Sans doute je ne témoignais pas dans ce cas — à la fin de l'hiver — d'une inclination particulière pour la vie. Même, j'étais sûr que je mourais — ce qui est une prophétie d'une part peu coûteuse, d'autre part qui a l'avenir pour elle — et je battais le rappel pour ajouter aux chances de ne pas me tromper. J'avais auprès de moi un neveu — Markus avait alors neuf ou dix ans —, j'avais auprès de moi presque un fils qui revenait des versants les joues comme des briques vernissées de la Chine, l'œil étincelant, le corps jamais quiet. La joie qui ruisselait sans cesse sur son visage était comme l'eau d'un minuscule torrent heurtant sans trêve une roche dressée dans le lit et la faisant sans cesse étinceler dans la lumière.

Cette joie connaissait peu de limites. Nous avions même de grandes discussions d'intérêt général et, à certains égards, universels. Les plus beaux jours, nous descendions puis nous montions jusqu'aux lacs de Thoune et de Brienz. Je traînais un peu la patte. J'essuyais avec un mouchoir un peu de sang aux lèvres. Je tapotais, ainsi que faisait, bien des années plus tôt, Mademoiselle Aubier.

Un jour, à Thoune, sous un soleil éclatant, agenouillé sur la rive, le petit Markus — dont l'âge était comme la date anniversaire de la mort de maman — demanda à Marga : « Maman, au fait, c'est quoi au juste la mort ? » Je me dis : « Bon ! C'est le jour ! » et toussai un peu davantage dans mon mouchoir. « En tout cas, c'est tout le contraire de Karl ! » répondit Marga d'une manière blessante. « Ramasse-moi les petites pierres les plus rondes et les plus plates pour faire des ricochets ! »

Ils ramassèrent des petites pierres rondes, grises et luisant sur le bord de la rive. Ils les nettoyèrent avec soin. « Markus ! Regarde-moi ce coup ! » disait-elle. Elle s'accroupissait et lançait sur l'eau le caillou plat en faisant un grand geste.

La pierre fit une dizaine de ricochets et disparut dans le lac. « Fais comme moi », disait-elle à son fils et il faisait comme elle. « C'est ça la mort », disait-elle — et je me surpris à tousser de nouveau. « Tant que ça ricoche, que ça rebondit, tu vois, c'est la vie. Quand ça disparaît, qu'on ne voit plus rien, qu'on ne sait plus si cela a été, plus même de cercles sur l'eau, on appelle cela la mort. » Le petit Markus se débrouillait assez bien et hurlait. Je songeais à ma vie. Je trouvais trop réduit le nombre de ricochets que le désir m'avait consentis.

Je n'aimais pas cette comparaison. Cette image des ricochets avait quelque chose d'atroce et de fastidieux : ce n'étaient que répétitions et tout tenait à l'angle du premier choc de la pierre sur l'eau, tout répétait ce choc.

Enfin, à un ou deux jours de là, je parvins à me casser la jambe gauche. C'était sur un versant où les skieurs ne pullulaient pas. Une odeur me revint, tout à coup, seul, isolé dans la neige, avant que les secours arrivent. C'étaient quelques feuilles d'eucalyptus craquantes et poussiéreuses qu'on mettait dans une casserole sur le poêle de faïence bleu foncé quand j'étais malade. La décoction clapotait dans la casserole et la fumée montait, puante, et s'associait aux délires, aux tempes ruisselantes, sans doute à la racine de ma haine très vive — mais trop périodique — du tabac blond.

Aux femmes avec qui il m'arrivait de temps à autre de vivre, afin de pouvoir me lever tôt et de gagner au premier étage la lumière plus expansive du jour, j'avais accoutumé de laisser le salon — une grande pièce dallée noir et rouge. Un grand matelas carré sur un socle de bois beaucoup plus vaste occupait le fond de la pièce. Des fauteuils de toutes espèces, dépareillés, les trois fenêtres ouvertes sur le quai. La cuisine était en face.

Au premier, pour jouir de plus de lumière mais aussi pour qu'on ne vît point de la rue ma collection de violoncelles baroques et de gambes, mon cabinet de musique était orienté vers le nord, un petit bureau orienté à l'est. La petite fenêtre de la salle de bains, au-dessus de la cuisine, donnait sur la rue de Pontoise. Vers dix heures, le soleil ou du moins ses rayons s'engouffraient dans la chambre à coucher, le flot lumineux rebondissait sur les dalles rouges et noires — qui paraissaient blanches.

C'est en revenant des Alpes bernoises, un jour d'avril 1972, que je vis un peu de l'or du Pérou. C'était un jour de grand soleil, me levant furieux, la jambe gauche toujours plâtrée, maussade — je vivais seul alors. Il devait être cinq heures du matin. J'avais le sentiment coupable, honteux, d'avoir perdu mon temps, d'avoir fainéanté, d'avoir raté un ricochet de taille dans l'eau du lac de Thoune. J'ai sans cesse piquée dans la gorge — comme ce morceau de la pomme reinette que Eva offrit à Adam et qu'il ne put avaler, et que chaque fois que nous déglutissons, depuis l'Eden, nous commémorons pitoyablement, surtout dans l'angine, dans l'angoisse —, j'ai sans cesse piquée dans la gorge cette conviction enfantine qu'on perd le monde en perdant la vue, et que ce qui en permet la vision, et qui est ce qui en fait l'apparence, c'est le dieu même, c'est le soleil, c'est le dieu du Sonntag. Sacrifierais-je volontiers à mon dieu des victimes humaines comme dans l'empire aztèque ? Je crois que je me laisserais fléchir — d'autant qu'à la réflexion je vois bien quelques amis que je mettrais à cuire tout nus dans une grande poêle à paella, sur un feu d'enfer, en offrande à mon dieu. Ce spectacle ne serait pas tout à fait désagréable. — C'est ce jour tout à la fois lumineux, fainéant et maussade : je reçus un coup de téléphone tout à fait incroyable. J'étais au premier étage. Je dus m'aider de ma béquille et descendre avec douleur au salon. J'avais l'écouteur noir dans la main et j'avais des visions : on m'offrait de l'or sur un plateau d'argent. Je masquais ma joie et feignais de tergiverser, de faire monter l'enchère. Mais, quelle qu'elle fût, quelle qu'elle devînt, pour la première fois de ma vie j'étais riche. J'avais, quelques années plus tôt — mais je n'ai pas souhaité ici parler de musique, parler du cœur sans voix, du cœur muet et sonore —, retrouvé dans les armoires grises de la salle du conseil municipal de la mairie de Neauphle-sur-Mouldre les *Suites Lugubres, Epouvantables et Humaines inspirées de Monsieur de Sainte Colombe*. « Voilà, Monsieur, la section Est des Archives municipales de Neauphle-sur-Mouldre ! » m'avait dit l'instituteur sans un sourire en me montrant les deux armoires métalliques et en cherchant méticuleusement à retrouver dans le trousseau la clé qui convenait. Je les avais publiées à New York, à la Schimm's Library. J'avais aussi interprété quelques-unes d'entre elles sans grand succès. A l'autre bout du combiné noir, une voix qui traversait l'océan Atlantique me demandait d'enregistrer l'intégrale des œuvres pour viole de Sainte Colombe — à vrai dire il n'y en a presque point d'autres —, de rédiger une biographie, de réunir l'iconographie pour un coffret, un grand lancement, un catalogue d'exposition, et de noter les principaux éléments pour un film-romance... La production serait assurée par deux fondations américaines et une université de Californie. Le projet de film était confié à un réalisateur célèbre. Il semblait que l'univers entier tout à coup découvrait Sainte Colombe. Je songeai qu'en Normandie, près de la maison d'Ibelle à Saint-Martin-en-Caux, le village le plus proche de Neuville, où j'allais parfois, à pied, acheter du tabac, s'appelait Sainte-Colombe. Je revoyais la crique. Je sentais de nouveau la wassingue, la roche noire. Sainte Colombe travaillait dans une petite cabane dans les branches d'un mûrier. C'était le plus grand violiste qui fût sous Louis XIII, sous Louis XIV. Marin Marais prétendait qu'il avait été renvoyé par Sainte Colombe parce que le disciple aurait eu des dons qui, avec le temps, risquaient de jeter de l'ombre sur le maître. Sainte Colombe se retrancha dans la maison qu'il possédait — dans l'actuel VIIe arrondissement — qu'entourait un beau jardin dans lequel il avait fait édifier un petit cabinet de planches dans les branches d'un mûrier où il pût jouer plus commodément de la viole. Marin Marais, comme il nourrissait le désir de se perfectionner dans l'étude de cet instrument, dès l'aube pénétrait dans le jardin et se glissait furtivement sous le petit cabinet de planches, où il attendait des heures avant qu'il entendît le maître. Sainte Colombe, lors d'un éternuement inoppor-

217

tun, s'en aperçut et il le fit chasser au bâton par un de ses valets.

Et c'est en fanfare que Sainte Colombe, que le fantôme de Sainte Colombe revenait visiter les mortels. Et pour moi, sinon la gloire, du moins une gloriette. Je reposai le combiné du téléphone. J'avais finalement accepté dans la tristesse, m'étais fait tirer l'oreille, avais finalement cédé... Maintenant je pouvais laisser éclater ma joie. J'étais en outre si satisfait d'avoir eu l'audace de faire monter les prix et les enjeux. Je m'assis. Et tout à coup, ce matin-là, alors que j'étais assis dans un fauteuil et que je rêvassais en regardant un rayon de soleil levant — du soleil levé depuis longtemps — qui balbutiait sur le montant de la fenêtre, hésitant à entrer, à éblouir d'un brusque rai l'intérieur de la chambre, j'ai senti quelque chose qui n'existait pas mais qui avait tellement existé et qui tout à trac sautait sur mes genoux et s'installait confortablement, creusait son trou entre mes cuisses et sur mon sexe — et qui bougeait, geignait, s'étirait, et me chauffait enfin et sans plus se soucier de moi faisait un creux pour s'endormir — et alors que je sentais que la vie m'était revenue, que la taie dépressive se crevait, que la tourmente vide s'éloignait et que je sanglotais déjà, à sec, je découvris qu'avec les aides d'un coup de téléphone transocéanique et d'un rayon de soleil, c'était le souvenir de Didon qui avait sauté sur mes genoux.

Je relate cette sensation parce que, plus encore que le signe d'un toujours fragile et prétentieux retour à la vie, elle m'apparaît comme la borne milliaire définitive marquant à jamais la fin d'un sombre empire. Ce coup de téléphone transformé en fantôme de chat plus aimé que tout sautant sur mes genoux, revenant à moi, mêlé à ce rayon de soleil, transformé en une fringale de travail sans pareille — tout avait trouvé son terme, sa pauvre mesure ou du moins son tempo assez précipité, ou encore sa spécialité, son destin. Je multipliai les tournées. J'évitais toujours un peu l'Allemagne mais j'allais volontiers en Suède où je retrouvais Nadejda, et au Japon et en Angleterre. Je rachetai les deux étages du quai de la Tournelle, louai, dès que le projet se précisa, un studio à New York et me rendis fréquemment en Californie et au Texas. Je revis, avec moins de joie que je n'en avais escompté, Cäci et John à Glendale. Je traduisis des biographies de Corelli, de Telemann, de Biagio Marini. Mon hypocondrie changea définitivement de nature. Où que j'aille, ce n'était plus moi qui me sentais mal à la moindre averse, au plus petit bourgeon, mais les deux ou trois instruments que je transportais autant que je pouvais avec moi dans mon car Volkswagen. Le tendeur de la chanterelle chantait. Quelque chose de lointain et d'inquiétant vibrait. Le chevillier était-il fendu ? Ou le chevalet ? Ou l'âme ? Reste que quelque chose n'allait pas. L'anxiété obsédée de son corps comme un enfant d'une guêpe qui le suit, était devenue instrumentale. Ce n'étaient plus des cardiologues, des dermatologues, des spasmologues, des astrologues que je consultais mais tous les archetiers et tous les luthiers qu'il m'était possible de découvrir. Où que je me trouve, à Londres, à New York, à Stockholm — ou plutôt à Södertälje — je me précipitais sans cesse et je me précipite toujours chez les luthiers. C'est ainsi que je me suis entouré d'amis nombreux, raffinés, merveilleux. Ils poncent un instant la touche, ils règlent l'âme, ils ajustent le chevalet. Comme chez les dentistes, dans la salle d'attente desquels la douleur déjà s'atténue, au point parfois de disparaître tout à fait, il suffit qu'on approche de leur regard ou de leur main l'ancre du cordier pour qu'elle cesse de vibrer. Ce sont des soins éternels, des soins qu'on disait autrefois, dans de tout autres civilisations, maternels. J'aime les ateliers de lutherie. J'aime l'odeur des caisses neuves encore au séchage et la beauté des vis en bois à tête ronde. Tous les ans je fête avec le plus de ferveur que je puis la fête rituelle qui est due à sainte Cécile.

Tous les ans — et tous les cinq ans — je ne prends aucun engagement lorsque ont lieu les concours de lutherie de Poznan ou de Crémone. Je vais, je juge, soupçonneux comme un rat devant un piège — ou plutôt sourcils en avant et nez froncé comme un chien truffier dans les chênes verts.

Aujourd'hui encore, il est peu de semaines où je ne prenne mon téléphone, où je n'aille faire ausculter à la moindre migraine, à la moindre anémie. Il est vrai que les instruments de musique ne peuvent pas être soupçonnés de maladies psychosomatiques — mais l'oreille de leur propriétaire. Devenu indifférent, totalement sourd à la souffrance pour moi-même, je ne saurais l'être pour la trentaine d'instruments que j'ai recueillis chez moi et qui, eux, ont une âme.

Au XVIIIe siècle, la collection de Caix d'Hervelois comptait trente basses. Devenu riche, j'achetai un petit orgue baroque, j'achetai un violoncelle de Pierre-François Saint-Paul daté 1739. J'achetai une basse de viole plus étrange encore, non signée et dont le fond était en bois de peuplier. Elle n'avait pour ainsi dire pas de son, mais d'une tristesse qui ne s'exprime pas, une voix douce avec une sorte de voile sublime, d'éloignement sublime — avec laquelle, hélas, je n'ai jamais pu jouer en public, ni même enregistrer. Elle était courte, teinte au campêche, et pour qu'on l'entendît elle eût supposé une petite pièce nue de quinze ou vingt mètres carrés totalement revêtue, murs, plafond et sol, de marbre. De tous les instruments que je possédais, c'est sans nul doute celui que j'aimais le plus jouer. La caisse s'en est rompue en 1982. Je dus m'en séparer. Elle était du début du XVIIIe siècle, sans grande valeur. Je donnai quelque confort à la maison d'Oudon et fis recomposer le jardin qui menait à la Loire. J'avais eu tout à coup la velléité d'acheter avec l'argent qui soudain affluait le parc et la maison de l'enfance. Tante Elly était morte. Je retournai à Bergheim. Je parlai longuement à Luise. Ma sœur et surtout mon beau-frère ne l'entendaient pas de cette oreille — et c'est la raison pour laquelle j'en vins à faire agrandir la muette d'Oudon que j'avais acquise à la suite de la dévaluation d'août 1969.

C'est ainsi qu'à Pâques 1973 je revoyais Bergheim. Les années avaient passé. J'étais un autre homme. Le torse comme agrandi, je descendis du car, près du débarcadère, et je levai les yeux vers le flanc du coteau et les tours roses. De la rue principale on ne voit guère la maison — la maison que je convoitais alors. J'avais le sentiment que j'étais là par trahison, plutôt que par piété filiale ou familiale. Une sourde revanche m'habitait et ce sentiment me déplaisait. J'avais la sensation qu'il y avait un arrêt du destin et que j'étais en train de le transgresser. Pourquoi voulais-je revoir tout cela? Pourquoi voulais-je posséder tout cela? Et dans le même temps j'étais bouleversé de bonheur. Une nouvelle fois, comme en 1965, j'étais habité par cette singulière et folle curiosité que l'on éprouve devant ce qu'on aime. Folle, étrange parce que tout ce que je regardais, je le connaissais par cœur. Je montai. La pente était toujours si raide. Je montai. A mi-côte une bicyclette fila, me doubla à vive allure puis j'entendis les freins crier, gémir.

« Karl! »

Je me retournai. C'était la tête avinée de Leonhard Minge. On aurait cru Johann Sebastian Bach tombé dans un tonneau de garance.

Je passai par la place de l'église. Je sonnai chez Frau Geschich — qui m'apprit la mort de son mari, la mort du calife Haroun al-Rachid, le calife tout à la fois ivrogne, violent, merveilleux, souabe et biblique. Puis je sonnai chez Frau Hageschard — qui sentait si vivement la savonnette à l'eau de Cologne — pour y prendre la clé.

Je montai de nouveau dans la petite venelle pavée. L'odeur de purin cédait à celle de la mousse, à l'odeur de champignon, à l'odeur de limace. J'arrivai à la porte du bas. Elle avait été récemment repeinte. J'introduisis la clé, j'appuyai sur la gâchette — qui soulevait la tringle antique sur le flanc intérieur de la porte avec un petit claquement sec. Et la porte grinça. Et j'entrai dans le parc. J'étais sous les ormes. Les pieds s'enfonçaient dans le sol humide, boueux. Qu'on me pardonne cette comparaison bien ambitieuse : j'étais Orphée. J'étais dans les Enfers. Des ombres me hélaient. Je longeais le Styx. J'entrais aux gorges du Ténare.

Je remontai le « parc » — ce n'était qu'un grand jardin en pente, une sorte de petit bois, puis le bassin entouré des haies. C'étaient autant de dieux Mânes. Puis je débouchai sur la pelouse et vis en haut la maison, la grande maison si haute. C'était comme Eurydice. C'était en effet comme le visage de maman. Ce visage que j'avais dessiné, près de Delphine, naguère, dans la maison de Saint-Martin-en-Caux. Je ne me sentais ni immense ni minuscule. Je ne me sentis point à ma taille. Un chien accourut vers moi en aboyant. J'avais peur comme un enfant et n'osais bouger. Luise était là pour le week-end.

« Comment es-tu entré ? me demanda-t-elle en m'embrassant.

— J'ai pris la clé chez Frau Hageschard. »

Pénétrant dans la maison de Bergheim après dix-sept ou dix-huit années — m'avançant dans l'ancien et terrible visage — j'eus une impression étrange. Je ne parvenais pas à la débrouiller. Je m'assis dans l'un des Voltaire plus ou moins crevés du salon du rez-de-chaussée. Cette impression était proche de celle que j'avais ressentie quelques instants plus tôt en descendant du car, près du débarcadère. Ce n'était pas la culpabilité, le sacrilège, mais le sentiment d'une erreur — d'une erreur de calcul. L'on voyait au bas des cartes de géographie suspendues sur le tableau noirci, à l'école de Bergheim, en bas à gauche, des « légendes » et dans les légendes figurait « l'échelle ». La carte, c'était la maison mais l'échelle — qui était moi — avait grandi de façon indépendante. Ce n'était pas que je ne me sentisse point suffisamment petit pour la maison. C'est que je la prenais de trop haut. Puis, comme je passais de l'idée de mépris ou d'humilité à celles ae grandeur et de petitesse réelles, je compris le sens de cette impression douloureuse : un corps plus petit en moi, un corps enfant hélait et réclamait des centimètres en moins. Il réclamait les tailles d'alors — la hauteur d'un enfant de cinquante ou de soixante centimètres et non plus le mètre quatre-vingt-deux qui m'était échu et que le temps, depuis lors, a lentement voûté. Ce petit corps puéril au fond de moi réclamait l'immensité de la porte de la première rencontre, la poignée inattingible, inempoignable, les crémones impossibles à mouvoir, les suspensions comme des nids d'aigle, les fauteuils comme des statues, la cheminée comme une cathédrale... Ce retour n'était pas sacrilège, n'était pas lèse-majesté : mais lèse-taille en quelque sorte. J'avais bien le droit d'avoir grandi mais je n'avais pas le droit de rabaisser l'univers. Il avait grandi en moi — il aurait dû grandir en réalité. Il en va semblablement quand on revoit sa mère après des années, sur un lit funèbre ou d'hôpital — à supposer qu'on possède l'œil de lynx capable de distinguer les lits funèbres des lits des hôpitaux — et qu'on prend conscience que l'idole était ce corps menu, que ces yeux terribles sont ces petites prunelles que la paupière ne vient pas tout à fait recouvrir, et l'on se met à se plaindre, à battre la mer et à pleurer qu'il nous faille naître neuf ou dix fois plus petit que les corps qui nous allaient et qui s'imposent à nous dans cette distance si vivement et si exclusivement qu'ils ne nous abandonnent jamais tout à fait fût-ce dans l'abandon. Au point même qu'on pourrait définir ces êtres : êtres dont l'abandon ne nous abandonne jamais tout à fait.

J'étais assis. Luise, émaciée, partit chercher du vin. Moi —
comme si j'avais été là depuis des semaines — je tirais
mécaniquement du pied le repose-pied avec des pieds « tête
de lion » sur lequel j'étais contraint de m'asseoir, enfant,
quand la foule des « invités » avait investi le salon. Tous mes
souvenirs sont wurtembergeois. Curieusement je n'ai pas
gardé le plus petit souvenir des deux premières années de ma
vie, à la fin de la guerre, à Paris. Sauf un, peut-être, encore
que je ne puisse assurer qu'il ne m'a pas été rapporté, et c'est
celui du minuscule dôme blanc des autobus à gazogène — il
me semble le voir — et dont on prétendait que j'avais l'air de
le trouver aussi appétissant qu'un œuf à la neige ou bien une
« île flottante ».

Je ne pus convaincre Luise, qui se fit même désagréable.
Elle était amaigrie, vieillie, pâle, revêche. Elle songeait à ses
cinq enfants — à vrai dire elle songeait à Holger, son mari,
plutôt qu'à ses enfants, plutôt qu'à Klemens, par exemple,
devenu, auprès de Cäci, complètement californien. Je ne
restai pas. Faute de pédalier, de soufflerie, je ne ˅ aller
jouer de l'orgue. Je retournai voir Frau Geschich. Avant de
repartir pour Stuttgart-Echterdingen et pour Paris, je montai
seulement à la Schlehe puis au petit cimetière. Un peu de
soleil se répandait en taches, en bas, sur le village et les
champs et la Jagst. Je passai le bosquet. Je poussai la grille du
cimetière qui hurla et je remontai l'allée. Je pris à droite.
J'arrivai devant la tombe et je m'arrêtai. Je me tus. Je
regardai la haute dalle où je ne lus qu'un nom — qui me
semblait exprimer quelque chose de plus réel que tout
l'univers. Je restai là, immobile. Je murmurai :
    « Comment c'est l'enfer ? Est-ce aussi désagréable que je le
pense ? Est-ce aussi terrible que ce que tu m'as fait vivre ? »

Les années soixante-dix — du moins jusqu'en août 1976 —,
l'argent, l'âge, la notoriété, le vieillissement aidant, furent la
période de ma vie où je connus le plus de femmes, mais de
façon si intermittente que je serais mieux inspiré de ne pas
m'en targuer. Je me plais à m'imaginer qu'elles ne suppor-
taient guère les horaires à tout le moins rigides sous le joug de
quoi j'ai plié à jamais ma nuque. Je me flatte en croyant
qu'elles ne toléraient pas que je puisse leur préférer les
premières heures du jour. Je ne suis pas si digne d'être aimé et
moi-même je n'aime pas assez. Ceux qui aiment vraiment
passent sur tout — mais à vrai dire ne se brûlent que quelques
secondes, puis bâillent, crient et s'en vont. J'ai peu d'inclination pour le mariage. J'aime peu les femmes domestiques, ni
les intendantes, ni les surveillantes générales. La plupart des
femmes que j'ai connues qui ne travaillaient pas avaient un
côté « nurse pour adultes » qui m'emplissait de terreur. Je ne
tiens pas extrêmement à héberger d'institutrice, d'infirmière,
de cuisinière, de bonne. J'aime trop passionnément ranger
mes affaires, faire la cuisine, me lever à l'heure où je
l'entends, passer un chiffon quand je suis las d'être resté
longtemps assis, aller chercher moi-même les fruits afin de les
choisir, faire couler l'eau de mon bain, faire ma valise. Par-
dessus tout je hais les pâtisseries que la plupart des femmes
aimantes se croient censées devoir faire à la maison pour
témoigner de leur amour. Manger le plâtre en souriant devant
des yeux émus et suffisants, épatés d'avoir réussi à faire
descendre ce qui devait monter, épatés d'avoir ôté au couteau
le carbone de ce qui devait être blond, épatés à l'idée d'avoir
su amalgamer quelque chose qui étouffe et dont il faut
complimenter avec force alors qu'on meurt, qu'on coule à
pic...
    Il semble néanmoins que mépriser la compagnie de celles
qu'on prétend aimer, quitter leur lit dès avant l'aube leur

paraît plus ou moins constituer un mauvais présage. Quelle femme ne se croit bouleversante et attachante dans l'abandon et la tiédeur lovée du dernier sommeil et la douceur de l'ultime chimère qu'elle aura rêvassée ? Pour multiplier les griefs qu'on peut amasser contre moi, j'ai noté avec le temps que se lever avant que la nuit finisse conduisait à bâiller relativement tôt dans la soirée et à prêter une oreille distraite aux propos et aux grandes idéologies qui prolifèrent le plus souvent après dîner, dans la chaleur du vin, et la tendresse de la nuit commençante.

Quatre repas par jour : la coutume souabe invite à un régime que les femmes que j'ai connues jugeaient, je ne sais pourquoi, extravagant. Mon rêve a toujours été d'avoir du ventre. J'avais un oncle à Pfulgriesheim dont le ventre — et non la moustache, il me faut en convenir — avait quelque chose de doux, de serein, de bouddhique. Ce désir est si fort, ce bonheur serait si grand qu'il me sera vraisemblablement toujours refusé.

Comme l'insomnie me pousse à petit déjeuner à trois ou quatre heures, le petit déjeuner à huit ou neuf heures est un grand repas. Ce repas supplémentaire présente beaucoup d'attrait les premiers temps pour qui a l'indulgence de partager ma vie. Puis — avec quelque chose qui ressortit à l'ingratitude — celles qui m'entourent brûlent tout à coup ce qu'elles avaient adoré et se mettent à tirer à vue sur ces mêmes filets de Kipper préparés doucement avec une sauce au lait, les œufs à la poêle humectés de vinaigre, les Spätzle au poisson ou aux boulettes de viande. Alors que le fait d'être descendu jusqu'à la boulangerie pour acheter une ou deux baguettes fraîches m'a redonné une confiance dans le réel que la lecture ou le travail avaient peut-être dispersée, et assuré de nouveau de la solidité du sol, du son de ma voix, de la profondeur cupide, hébétée et vivante des commerçants, la tiédeur même du pain est accusée par celles qui m'entourent d'affecter leur taille ou d'altérer leur séduction.

Un autre grief tient directement aux mœurs souabes. Je mange la viande avec le pamplemousse ou avec l'orange dont j'ai jeté les quartiers un instant dans la poêle brûlante. J'aime mêler, au début de l'été, les tomates aux abricots. Toute gelée se sale. Cette façon de vivre — pour laquelle j'éprouve une admiration qui par certains côtés va jusqu'à la fatuité — présente ce nouvel inconvénient qu'elle exige de moi un certain usage de la cuisine, de ses instruments et de ses techniques, dont les femmes que j'ai connues, si volontiers portées à se plaindre d'y être assujetties quand elles en avaient eu l'usage, ne semblaient pas souffrir aisément d'en être dépossédées.

Ultime grief qui me convainc peut-être davantage : j'ai quelque difficulté à communiquer à autrui mon peu d'enthousiasme pour les hôtels et les auberges dans les salles desquels, à l'étranger, je passe ma vie. Je juge malsain et immoral d'aller dans des endroits pleins de monde et trop chauds, sentant très fort la proie qu'on ne convoitait pas, incroyablement bruyants et empêchant toute détente et toute confidence, et de s'y faire servir une nourriture mauvaise, invariable et insuffisante par des gens guindés et extravagants qui ne cherchent qu'à vous faire sortir de table — au demeurant trop petite — pour que votre place puisse servir au plus vite à quelqu'un d'autre qui visiblement attendait que vous l'ayez chauffée, le plus souvent un ennemi juré. On appelle ces lieux, je crois, des « restaurants ». On se ruine pour cela.

En juillet 76 je m'accordai pour la première fois de ma vie onze semaines de vacances. Je m'installai dans la muette, près d'Oudon. Il me semblait que j'avais *soupé* de l'étranger, de Londres, de Glendale, du quai de la Tournelle. J'avais le désir d'entendre de nouveau les cris de sarcelles sur la Loire. Loire que je revois, immense, plus belle que la Seine ou le Tibre, sorte de Gange immense dans la lumière si étrange qui lui est propre. Vaste fleuve, vaste lumière grenue et prodigieusement dorée. Et qui éblouit un peu : immense dôme, dans l'hiver qui avait précédé, attaché au sol par les sablières et les petits saules des rives. Et dans la brume du matin je voyais les enfants qui couraient — avec des gaules sur l'épaule — et qui partaient pêcher sur les épis.

J'étais redevenu célibataire. Je restai trois mois dans la maison que j'avais acquise quelques années plus tôt et qui avait été complètement refaite et agrandie en 1972. Elle avait toutefois conservé l'aspect d'une vieille maison de pêcheur-paysan sur les bords de la Loire, au toit de tuiles plates et moussues, humide parmi les églantiers et deux sureaux. C'était le lieu des mues et le lieu des silences. Il y avait au-dessus du perron ce qu'on appelle une « marquise », je crois, un petit auvent vitré ouvert comme un éventail, comme une coquille Saint-Jacques, ou plutôt pareil à l'un de ces biscuits en éventail qui accompagnait la glace à Bergheim.

On disait : « En Thuringe, en Carinthie, dans l'Erzgebirge, la lumière est la plus douce du monde. » Nous éprouvons toujours quelque plaisir à faire mentir les proverbes que nous préférons. La lumière de Coutances, dans le Cotentin, celle d'Oudon, d'Ancenis ou de Liré, était de l'or à l'état pur. Coutances était un véritable filon de lumière.

A Oudon je travaillais peu — je ne travaillais que sept à huit heures durant la matinée. Il y avait tout le reste du jour, avec le chant des rouges-queues et des fauvettes, le silence du fleuve glissant, le saut d'une ablette, le coup de queue d'un chevesne, les papillons de nuit, les crapauds et les éphémères. Je m'installais. Je prenais le petit déjeuner sur le balcon blanc de la bibliothèque. J'allais sous le vieux cèdre bleu.

Je regrette d'avoir vendu cette petite gloriette d'Oudon, cette petite muette sur les bords de l'eau — et si proche du petit ruisselet du Havre. Le soleil quittait la terre. Je restais seul dans le noir, sur la rive. Je me souvenais d'une expression que j'avais entendue à Coutances, enfant, dans la bouche d'une bonne originaire du Limousin. Dans sa chambre, jamais elle n'allumait la lumière pour tricoter. Elle disait : « Allez ! je suis habituée à brocher au son des doigts. Il me suffit de tâter seulement l'ouvrage ! » Je me promenais toute l'après-midi, errais, nageais. La nuit tombée, je me tournais les pouces, je m'installais au bout de mon jardin, sur la rive, je buvais, je fumais, j'entendais les poissons parler entre eux, je rêvais, je « brochais au son des doigts » un chant qui n'était pas extrêmement sonore mais qui battait en moi comme mon cœur.

J'étais heureux. Car j'ai été heureux. Je hais les images — qui ôtent toujours au bonheur son état. Tout ce qui compare est malheureux. Je n'avais même plus besoin de l'oreille ou du regard d'autrui pour lui communiquer mon bonheur ou pour l'éprouver tout à fait : je m'asseyais sur le bord du fleuve, dans le sable si doux qui longe la Loire.

CHAPITRE V

Quai de la Tournelle

Der du von Göttern abstammst, von Goten und vom Kote...

(Toi qui naquis des Dieux, des Goths et de la Boue...)

Herder,
Sur le nom de Goethe.

Tout saigne aux vendredis de Pâques. Pâques 1977, c'est le cœur, c'est le centre de ma vie. Deux jours — de février et d'avril 1977 — furent les jours les plus importants de ma vie. Alors — à Bergheim, dans la pluie d'avril — on couvrait même les visages de Dieu d'un linge violet. Je n'étais pas retourné à Bergheim depuis trois ans. C'est à Pfulgriesheim que j'avais revu Marga pour fêter la Sankt-Niklaus, l'année précédente. En septembre 1976, de retour de Glendale, un appel téléphonique anxieux, fébrile de Marga me fit comprendre que l'état de Luise avait empiré, que nous étions fondés à avoir peur. Luise avait été transportée de Heilbronn à Stuttgart. Je ne fis qu'un aller et retour. Je n'allai même pas à Bergheim. Son corps s'était rétréci. Tandis qu'elle était assise dans un fauteuil tissé de brins de plastique, dans la chambre de l'hôpital, je croyais voir une caricature de ce qu'elle était enfant, quand elle jouait des sonatines de Kuhlau ou de Clementi et qu'elle ne cessait de réapprovisionner les bobèches du piano en cierges jaunes et dont les vacillements, la fumée, les éclats suivaient un rythme autonome, vivant, indépendant du tempo des petites pièces qu'elle interprétait si bien. Je voyais encore ces courtes mèches blondes auréolées de l'éclat de cette lumière vivante. J'avais cette sensation atroce : la mort l'avait prise aux cheveux. Mon père aimait raconter, après que maman fut partie, dans les années cinquante, l'histoire de la vieille maîtresse ducale, la Grävenitz, aimée, chassée, vieillie puis, dix ans plus tard, revenue de Schaffouse pour Ludwigsburg et la Favorite — les lieux mêmes où elle avait excité des êtres et où elle avait désiré — et mourant presque aussitôt de fatigue, sur la route de Stuttgart. Luise est la seule de mes sœurs qui se soit mariée à un Allemand. Elle haïssait tout ce qui était français, tout ce qui lui rappelait maman — et pourtant le même cancer que celui dont maman était morte l'avait rejointe. Pour tout dire je ne m'entendais guère avec son mari, Holger — Herr Holger Diktamm. Il était industriel, boursier, pompeux, terrible en affaires, surabondant de religion et de morale. Parmi les cinq enfants de Luise, je préférais Klemens. Klemens aimait travailler la poterie et le verre et avait rejoint Cäci et John à Glendale. Après avoir été épouvanté par le visage et la maigreur de ma sœur, je repris l'avion. Holger aurait voulu que nous dînions ensemble. Je refusai. J'eus tort de refuser.

Enfant, je jouais volontiers avec Luise qui, sans qu'elle fût la plus délurée de mes sœurs — c'était de loin Cäci — était la plus inquiète, la plus curieuse de toutes choses sexuelles ou plutôt, pour être plus exact encore, avait l'esprit d'enquête méticuleuse et de déduction fracassante d'un véritable expert des détails anatomiques. Dissimulés derrière la porte à claire-voie du cellier, d'où l'on voyait sans être vu, on regardait Gudrun auprès d'Egbert — plaisir divin, plaisir que tous les dieux et que tous les prophètes se sont consentis dans la Bible. Annegret, c'était Bethsabée. Ou Luise me traînait jusqu'à la buanderie qui attenait à la maison des gardiens. Elle était sombre. Des brosses de chiendent, des brosses métalliques, un caisson de bois clair à savons, deux ou trois planches et des claies étaient toujours éparses autour de la lessiveuse. La petite fenêtre percée haut dans le mur était voilée d'un chiffon jaune. Mes sœurs disaient que quand Beate lavait, alors qu'elle était en chemise, on voyait bien qu'elle ne portait pas de culotte. Elles m'entraînaient vers la buanderie chaque fois que Beate lavait. Sous les prétextes les plus futiles ou les moins convaincants elles me poussaient, me tiraient, gloussaient, et me demandaient si j'avais vu ce qu'elles m'empêchaient de voir.

A mon retour, rue de Verneuil, fin septembre, eut lieu l'inévitable dîner de rentrée chez Madame de Craupoids — où il s'agissait moins de négocier de nouveaux horaires que de prêter l'oreille aux éternelles recommandations pédagogiques de Madame de Craupoids. Au terme du dîner, comme je cherchais à partir, prétextant qu'il me fallait être à l'aéroport très tôt le lendemain matin, m'inclinant pour baiser la main de Madame de Craupoids, celle-ci retint ma main et me demanda :

« Au fait, allez-vous au baptême du dernier-né de Madeleine ?

— Madeleine ? »

Je dus paraître quelque peu stupide. Je ne voyais pas qui pouvait être Madeleine. Madame de Craupoids voulut bien me rafraîchir la mémoire : une de mes toutes premières élèves, dont les doigts étaient trop frêles, laquelle, sur mes conseils, était passée à l'alto où elle avait réussi brillamment, obtenant deux premiers prix. Peu à peu un vague souvenir de petite fille de douze ans, les mains et les joues couvertes de griffures de chat, les cuisses pleines de bleus, les ongles et les envies rognés jusqu'au sang — se reconstitua en moi.

« Non, dis-je à Madame de Craupoids, je ne suis pas invité. Je ne savais pas que Madeleine fût mariée.

— Comme c'est curieux qu'elle ne vous ait pas prévenu. La lettre se sera égarée. Mais accompagnez-moi ! Je suis sûre que cela lui fera plaisir. Voulez-vous que je l'appelle au téléphone ?

Elle fit signe à Thérèse — qui lui servait de dame de compagnie et de bonne — d'aller chercher dans son bureau l'invitation.

« Voici », dit-elle tout en ôtant ses lunettes cerclées d'écaille rose qu'elle utilisait pour voir de loin et en houspillant désagréablement Thérèse afin qu'elle lui retrouvât ses lunettes-loupes. Madame de Craupoids cherchait en vain à déchiffrer le carton d'invitation. Je m'approchai. Je lus tout haut le nom de Juliette. Je déchiffrai les mentions de l'église Saint-Sulpice, de la rue Guynemer et tout à coup me figeai. Je me ressentis tout à coup comme l'un de ces hommes dont on voit l'empreinte de plâtre à Herculanum et à Pompéi. Je venais de lire à haute voix, au centre du carton d'invitation : « Madeleine et Florent Seinecé recevront... » Je prononçai ces mots sans prendre conscience que je parlais encore — et en entendant ces mots que je prononçais une sorte de lave m'immobilisait. J'avais l'impression d'entendre lentement un diamant qui grinçait sur une vitre. Madame de Craupoids s'attendrissait. « La merveilleuse enfant..., soupirait-elle. Nous l'avons eue pour élève durant seize ans. Vous... » C'est ainsi que j'appris la naissance de Juliette Seinecé — mais c'est surtout ainsi que j'appris le mariage de Florent Seinecé et de Madeleine Guillemod. C'est ainsi que le jour changea de couleur à mes yeux, et qu'il changea pour ainsi dire de nature. C'était le même monde et toutefois j'en ressentais de la peur. Si, de droitier, j'étais devenu tout à coup gaucher, je n'aurais pas été plus surpris.

Nous pouvons demeurer parfois longtemps dans l'ignorance de ce qui nous manque. Et comment en serait-il autrement ? Comment aurions-nous aisément connaissance de ce dont nous ne nous sentons pas le besoin ? Je retrouvais la gueule du loup et la morsure passionnante. J'avais l'esprit frénétique. Pour parler plus strictement, je me montais la tête. J'imaginais Seinecé faisant pression sur la petite Madeleine pour qu'elle ne me fît pas parvenir un carton d'invitation. Je commençais à prendre en grippe l'école de musique, Madame de Craupoids, Nadejda Lev, Madame Clémence Véré. Quand j'appelai Stuttgart pour prendre des nouvelles, elles furent exécrables. Fin septembre Luise avait quitté l'hôpital et — sans qu'elle fût rentrée à Heilbronn ni, bien sûr, à Bergheim — s'était installée dans le studio de la Konrad-Adenauer-Strasse. En novembre 1976 ma sœur dut de nouveau être hospitalisée. De plus Holger avait dû fermer Bergheim et était tenté de vendre la ferme. Il s'était replié à Heilbronn. Selon Marga ses affaires n'allaient pas bien. Je repris l'avion pour Stuttgart — pour Stutengarten. Nous disions « Garten ». C'était le Jardin-aux-Juments, et c'est peut-être ce simple mot de Garten qui a irrigué patiemment, durant toute l'enfance, le goût qui me porte vers les jardins et qui ne cesse de se fortifier. Maman était morte à quarante-sept ans. Morte du cancer. Ma sœur — pourtant la deuxième — se mourait de la même maladie que notre mère, presque au même âge qu'elle, à quarante-cinq ans, fumant les mêmes cigarettes anglaises, au point que je me suis souvent demandé si la haine qu'elle n'avait cessé de lui vouer — elle était restée en Allemagne, refusait de parler français quand elle était enfant et adolescente, n'évoquait jamais le souvenir de

235

maman — ne l'avait pas poussée à l'étreindre de tout son corps, à être proche d'elle au point de s'échanger à ce qui l'avait fait mourir, presque à consacrer l'abandon dans l'abandon suprême qu'est la mort. Autant j'avais renié la langue allemande — dès l'âge de deux ans il me semble avoir bandé les muscles pour ne pas apprendre l'allemand —, autant Luise très curieusement, pour peu que je la compare à Lisbeth installée à Caen, épousant Yvon Bulot, arrivée à six ans à Bergheim, avait peu à peu évincé le français.

Je retrouvai l'hôpital. Je pris le relais : quand j'entrai Margarete se leva et sortit — voulait faire des courses, ou aller au cinéma. Visiblement Luise ne parvenait pas à se dresser un peu pour s'asseoir. Je l'aidai. L'infirmière me secourut et glissa deux oreillers pour la soutenir, pendant que je retenais son dos. Elle tendit le bras, cherchant à atteindre le tiroir en fer-blanc de la table de chevet. Mais ce geste lui était difficile, impossible. D'épaisses gouttes de sueur coulèrent sur son front, puis sur sa joue et sur son nez comme des larmes.

Je lui pris la main et l'aidai. Plus tard, lorsque je la quittai, je cherchai à être drôle — mais il me faut convenir que j'y suis le plus souvent infirme. « Arrege harrige », dis-je, répétant le vieux jeu qu'elle m'avait appris.

« Ich hab's vergessen ! (« Je ne sais plus », répondit-elle en allemand.)

— Serega Sirige », continuai-je.

Elle ne répondait pas. Elle me regardait, terrifiée.

« Ripeti Pipeti », poursuivis-je, imperturbable.

Elle avait du mal à parler. Elle avait les yeux embués de larmes.

« Knoll ! » dit-elle enfin et elle sourit.

Tout bascula au retour de Stuttgart, dans l'aéroport d'Orly. On dit que les rêves accomplissent des désirs. Je ne sais. Mais je croirais volontiers que les actions quotidiennes répètent plus volontiers les punitions puériles qui brimaient ces désirs. Nous pleurons en dormant avec un sexe pourtant dressé. Nous plaisantons autant que faire se peut tout le jour, tout le corps rétréci, invisible et soustrait — ou plutôt il semble tellement que nous passons notre vie à nous souvenir de moments que nous avons incomplètement vécus. Moments que nous n'avons vécus incomplètement que parce que nous étions alors, comme nous sommes maintenant, trop occupés à nous souvenir d'autres moments que nous avons eux-mêmes incomplètement vécus. Et le fait que je sois — le cœur encore palpitant — en train d'écrire et de revivre de vieilles émotions en est bien l'aveu presque désarmant. Je me tance moi-même : « Cesse de te faire battre, battre et rebattre le cœur pour des vieilles histoires de cœur rebattues ! Laisse tomber ces pages ! » Je me tance en vain. Quelque envie que j'aie de tout laisser tomber, tout se survit encore et renaît. Le temps coule si peu. J'ai beau me dire : « A quoi bon se souvenir ? La trace de la chaussure n'est pas la chaussure et elle n'est d'aucun secours pour marcher ! » Mais je retourne à la trace et me passionne de nouveau — jusqu'à l'hypnose — pour des ombres.

Je les vis. En deux mois, une double coïncidence — cela avait un caractère miraculeux, fou. C'était dans l'aéroport d'Orly. Je revenais de Stuttgart. Je pris l'escalier roulant qui montait aux douanes. Tout en haut, immenses, dans l'escalier roulant qui descendait vers les portes d'embarquement, parlant entre eux, je les reconnus. Onze ans s'étaient écoulés mais je les reconnus. Ce n'est pas Madeleine Guillemod que je reconnus tout d'abord, c'est Seinecé. Seinecé irradiait. Ils descendaient. Je montais. Nous allions nous croiser. Je voulais me cacher. Je tripotais mon visage avec ma main. Je tentais de mettre mon billet devant mon visage. Je m'agrippais. Je me rencognais vers la droite. Je tâchais de prendre un air détaché mais je ne pouvais feindre de regarder ailleurs :

j'étais fasciné. C'était un pôle électrique. C'était ce que le soleil est au feu, la mer aux fleuves, la mort aux hommes. C'était la fascination qu'éprouve le rat ou l'homme sous le regard de l'anaconda.

Tout à coup Seinecé — sans doute attiré par mon propre regard — me vit. Son visage blanchit. Il se redressa lentement. Il me sembla plus immense encore. Madeleine le regardait sans comprendre puis me regarda. Je laissai retomber ma main avec mon billet. Comment dire ? Je ne les regardais pas : je les contemplais. Je les contemplais dans la peur, dans une sorte d'ivresse due à la peur — qui aurait pu passer pour de la provocation, quelque chose d'agressif, d'insolent.

Il prononça un mot à mon adresse quand il passa devant moi — ou du moins quand nous passâmes l'un devant l'autre. Ce fut « AH ! », ou bien « Ka ! » — ou « Karl ! », ou « Charles ! », ou « Arles ! ». Je ne sais. Je ne dis, pour mon compte, rien. J'imagine que je devais avoir la bouche ouverte, et l'air hébété de celui qui, sortant de chez Raoul Costeker et prenant la rue de Rivoli se trouve nez à nez avec Assurbanipal sur son char et tente de soulever son chapeau dans le dessein de le saluer.

Arrivé au haut de l'escalator — oh mon Dieu, comme je hais les mots qui prétendent à une apparence latine ! — je voulus m'asseoir un peu plus loin dans les fauteuils de plastique gris qui formaient un arc de cercle. Je n'avais plus de jambes, je me faisais penser au baron de Münchhausen lorsqu'il épie l'ennemi à cheval sur un boulet de canon, mon cœur était une sorte de muscle frappé de tétanie, une sorte de chaton qui gigote et veut à tout prix se défaire de la prison de vos mains. Je ne m'assis pas pourtant. Tout à la fois précipitamment et prudemment je revins sur mes pas, passionnément curieux, tâchant à les revoir sans qu'ils me vissent. Non pas à les revoir : à les voir, à les suivre.

Je pris l'escalator par lequel ils étaient descendus. Peut-être étais-je sur la même marche qu'eux quand leur présence m'avait fait sauter le cœur. Le cœur sautait encore. Je ne les vis pas dans le hall d'embarquement. Je m'approchai de la baie vitrée. Soudain je les aperçus près d'un car. Au loin Florent Seinecé partait. « Seinecé ! murmurai-je tout bas. Seinecé ! » Il était très grand, Madeleine était plus petite — plus tard, quand je les revis, je découvris qu'il n'en était rien.

J'avais le front collé à la vitre. Mon cœur lancinait. Ils ne prirent pas le petit car — duquel quelques personnes descendirent. Le groupe se dirigea vers un avion non loin de là. Seinecé marchait lentement, le torse en avant. J'aurais souhaité qu'il se retournât et que la sensation de mon regard pesant sur lui — suppliant vers lui — l'appelât, qu'il se retournât, me regardât dans les yeux, m'affrontât, explosât de colère, me tuât, fît un signe.

Près de l'avion, dans la chaleur qui montait du sol et qui les rendait flous, je perdis leur silhouette ; ce fut comme s'ils avaient disparu, comme si j'avais rêvé. Comme si j'avais égaré l'objet le plus précieux, je scrutais, je scrutais.

J'eus un renvoi de sang dans la bouche. Je crus me retrouver dans l'état où j'étais quand j'avais rejoint Margarete et Markus dans les Alpes bernoises. Je ne devais pas paraître très bien parce qu'une dame d'un certain âge — de Reykjavik, me dit-elle — m'aida à m'asseoir, me tapota sur l'épaule, me disait en anglais :

« Ce n'est rien. Ce n'est rien. Cela va passer. Cela va... »

Et moi qui haïssais le souvenir de la langue allemande, j'étais si mal que j'en retrouvais l'usage. Je lui répondis en allemand :

« Gewiss, gewiss. Ganz gewiss. » (« Bien sûr, bien sûr. Tout à fait bien sûr. »)

Puis elle me fit un petit signe d'adieu en faisant bouger ses doigts devant ses yeux et en souriant jusqu'à la grimace. Je la saluai, la remerciai. « Cela va passer, cela va passer ! me disais-je. Gewiss, bien sûr, le monde et ses mystères, les Mensche, les couleurs et les sons, et les sic et les donec et les transeam ! » Toutes les langues les plus noires me revenaient aux lèvres. Comme le sang envahissait de nouveau ma bouche.

Il n'est pas utile de suggérer quel fut mon désarroi. Je suis un être que tout ce qu'il a vécu hante. Je passai des nuits atroces qui peu à peu se morfondirent, s'apaisèrent. Peu à peu mes métamorphoses perdirent en mégalomanie et en terreur. Enfin je devins moucheron minuscule — dans un ciel crépusculaire — pris au vernis poisseux d'un bourgeon de marronnier. C'était avril. Il y a des êtres qu'étrangle jusqu'à l'angoisse l'idée d'être en paix avec eux-mêmes. Nous nous protégeons beaucoup plus efficacement du bonheur que nous ne le faisons d'un péril certain, un dégât des eaux, une poutre qui cède, une fête de famille. Je reconnaissais volontiers ce que pouvait avoir de bien fondé cette vaste réflexion morale mais, j'avais beau me tancer, je n'arrivais pas à immobiliser en moi la véritable tétanie physique et mentale où m'avait plongé cette scène de l'aéroport.

Durant tout l'hiver je crus les voir partout. J'entrais dans une salle de cinéma rue Hautefeuille : ils étaient assis dans la rangée de devant. Au Musée Carnavalet — où j'adore me retrouver — je découvrais leurs silhouettes dans les fausses portes en miroirs. Au jardin du duc de Biron — payant, et délicieux un peu par cela, encore qu'il soit douloureusement engraissé des sculptures d'Auguste Rodin — ils peuplaient les fourrés, l'allée des marronniers, les statues les cachaient. Ils étaient aux aguets dans les massifs de fleurs. C'étaient pures obsessions, pures folies. Mais non seulement leurs visages se mêlaient aux traits des passants mais les souvenirs mêmes. Ma mère et Isabelle se mêlaient. Maman confie à Jane Eyre-Ibelle la poussette où il y a un vase de Daum emmailloté dans un lange. Puis maman pousse la porte. Je suis au fond du grand salon de Bergheim. Elle s'approche. Le lustre est éclairé violemment. Elle s'avance brusquement jusqu'au centre du salon. Son ombre violemment se ramasse et se tasse à ses pieds. Elle pleure et je me réveillais en hurlant, le dos, les reins couverts de sueur.

On dit de la bûche placée dans l'âtre et rougeoyante, léchée de flammes et éclairant violemment la pièce, qu'elle « ronfle » sur les braises presque blanches qui l'ont incendiée. J'ai d'ordinaire peu de patience devant ce qui ronfle. Il me semble pourtant moi-même étonnamment ronfler sur ces braises faites de souvenirs et de remords et, si j'ose dire, de voix que je n'entends pas exactement, mais que j'anticipe, me semble-t-il, comme une mère pressent — dans les romans anglo-saxons — les désirs de son enfant.

En janvier 77 ma sœur, Luise Diktamm, mourut à l'hôpital de Stuttgart. Je pris de nouveau l'avion pour Stuttgart-Echterdingen — en épiant dans les coins. Marie Ruppel, avec qui je vivais alors, voulait m'accompagner, voulait connaître les vallées de la Jagst, celles du Neckar, Bergheim. Je refusai violemment. Je découvris bon nombre de neveux ou de nièces. Je revis mes sœurs ; Lisbeth — énorme Vénus de Willendorf — aigrie, qui se plaignait que nous ne fussions pas venus depuis plus de douze ans à Coutances ni à Caen ; Cäci hâlée, musclée, avec des lunettes vert pomme et des boucles d'oreilles représentant Mickey Mouse, délicieuse, drôle ; Marga effrondrée. Deux heures plus tard je discutais avec Holger, aux abois. Je répétais que j'étais disposé à racheter les parts de Luise sur Bergheim — maison, parc, ferme et vignes. Holger entendait racheter toutes les parts de la propriété —

mais à des prix absurdes. Je demandai à mes sœurs de repousser cette offre. Elles s'en prirent vigoureusement à moi de songer à parler argent, de songer à racheter Bergheim alors que Luise était dans son cercueil. A la vérité la mort de Luise nous rendait malades tous les quatre. Nous nous disputions pour des riens. C'était la mort de maman que nous revivions. Nous n'en avions vu que le corps immobile : là, à l'hôpital Necker, nous en avions découvert l'agonie, le supplice aux cris étouffés des proches qui nous accompagnaient. Mes sœurs comme moi-même, comme mes beaux-frères, nous étions extrêmement nerveux. Car maman, après qu'elle s'était remariée, avait eu deux autres enfants que nous n'avions jamais vus. Mes sœurs étaient également furieuses parce que le soir même de l'enterrement de Luise j'allai dîner chez le président du land de Bade-Wurtemberg, dans son appartement personnel, invitation devant laquelle j'aurais eu mauvaise grâce de me défiler, Egbert Heminghos et Klaus-Maria étant les amis du président, grand protecteur des arts, essentiellement de la bière. La petite renommée du violiste commençait à poindre, à susciter quelque jalousie, à atteindre Glendale, Caen et Pfulgriesheim. Durant les trois jours où je restai — pour discuter en vain avec Holger — je déambulai dans le froid et la neige, dans les jardins de l'Altes Schloss ou dans le musée des fouilles préhistoriques de Souabe qui le longe et que je connais par cœur. Je m'efforçais de me souvenir et de réciter la belle litanie des morts que chantent les moines bouddhiques et que récitait souvent pour rire — dans une traduction anglaise plus poétique, plus rythmée, plus rimée — Raoul Costeker : « Qui donc a une mère ? Qui a un père ? Quel homme a un ami ? Quel homme a des parents ? Quel homme a une femme ? Quelle femme a un fils ? Les os brûlent comme un fagot de bois. La chevelure flambe comme de la paille. Tout est mort et le vide le consume. Pourquoi oindre son corps de parfum et de santal ? Pourquoi mâcher du bétel ? Un son silencieux ne cesse de résonner. »

Et je regardais la terre nue et la neige. Le ciel était blanc. Tout est sonore en moi. La mort était comme un fer dans la forge. J'allai dévorer des pâtisseries dans les salons de thé de la Königstrasse, de la Charlottenplatz. Le fer crie quand on le trempe. Ce cri résonne encore à mes oreilles. C'était la forge — face à la maisonnette de Reginbert. Je m'asseyais avec Reginbert sur les marches, devant le petit jardinet de devant, les mains agrippées à la grille de fer qui, nous semblait-il, nous protégeait. Je regardais le colossal travail de bois où le maréchal-ferrant faisait entrer à reculons les chevaux pour les immobiliser avant qu'il les ferrât. Ils ruaient. Le crottin tombait. L'odeur de corne brûlée emplissait les narines. Un jour, un cheval blanc, épais, de labour, vomit une herbe pleine de bile verdâtre. C'étaient de grands cris désespérés. — Et comme je revis ces jours de janvier 1976, comme je note cette page, je touche avec le doigt combien j'ai vieilli. On ne peut imaginer combien avec le temps le bruit des souvenirs au fond de moi a décru, et comment les odeurs qui me bouleversaient se sont peu à peu mêlées à l'air. Je prends le parti, après que j'aurai terminé de noter ces pages, de ne plus jamais tenir un stylo entre mes doigts. Je sens mourir tout à coup l'écho en moi d'un nom que j'ai beaucoup aimé dire.

J'allai à Bergheim avec Holger qui me montra l'état en effet très inondé et ruineux des lieux. Quelque chose m'attirait de nouveau étrangement dans ces murs, dans ces ombres. Holger et moi ne pûmes pas nous entendre, à supposer que nous y eussions jamais songé. Avant de partir nous dînâmes dans un restaurant de la Bahnhofsplatz. Marga nous dit qu'elle avait lu dans la *Bildzeitung* qu'il y avait encore en Brandebourg deux villages d'émigrés français où tout le monde, trois siècles plus tard, parlait encore français. « Pendant trois siècles, répétait-elle, on avait parlé français en plein Brandebourg ! » et Marga se choquait de ce que nous n'avions pas su faire en quelques années dans la grande « demeure aux brise-bise » — c'est ainsi qu'elle avait toujours nommé Bergheim. Ces villages étaient composés d'émigrés huguenots qui avaient fui après la Révocation.

Notre existence, la paume d'aucun dieu ne la contient plus, ni ne la réchauffe désormais un peu, ni ne l'abrite contre la mort, ni ne la soutient dans le vide. C'est seul que je retournerais à Bergheim. Je le voulais. Un jour j'aurais Bergheim. Je songeais à mon père, à ma sœur morte, à Didon, à Ibelle, à Mademoiselle Aubier, à ma mère. Mes larmes se mêlaient à la neige à demi fondue et très lente qui tombait du ciel. « J'aurai Bergheim ! » me disais-je et, comme lorsque j'étais enfant, je me prêtais d'intenses serments intérieurs. « Il faut que je sois là pour les premières jonquilles ! » me disais-je.

Le rôle délicat d'un professeur plein de génie consiste à n'arracher que les deux tiers du bon grain tout en laissant l'ivraie se développer à profusion. Le meilleur des professeurs est quelqu'un d'intarissable dont la présence pèse. Or, je suis professeur de viole. Ce titre a quelque chose d'exagéré et qui force à tout le moins la note. Et je suis un disque rayé.

Je trouve à me consoler en écoutant ceux qui m'entourent et en me faisant la remarque que nous sommes tous des disques rayés. Nous repassons sans cesse le motif d'un autre, la manie d'un autre, l'ambition d'un autre, la défaite d'un autre. On dit que les disques le moins rayés, d'une pureté, d'une lecture presque admirables, ce sont peut-être les créateurs mais je n'en connais point. Et pour moi-même je n'ai jamais rien créé, jamais rien composé. J'interprète, je lis et je traduis. Et l'interprète en moi, interprétant telle ou telle œuvre, juge ceux qui les ont composées et s'effare de découvrir combien ils se répètent eux-mêmes, encore que les plus grands d'entre eux ôtent à la rayure, à l'accroc qui les gouverne la capacité d'interrompre le chant. La rayure, c'est ce que les amateurs ou les critiques, qui aiment à se payer de bons mots, nomment le style. Et comme le jour et la nuit, l'hiver et l'été, la mère et l'enfant, tout semble dire jusqu'à la lassitude : vous repasserez. Et les disques rayés se répètent de famille en famille. Mon père disait : « Il y a peu de musiciens allemands. Les grands musiciens allemands se comptent sur les doigts d'une main : Heinrich Schütz, Dietrich Buxtehude... Haendel est anglais de la tête aux pieds. Beethoven est un pur Viennois, comme Haydn, comme Mozart, comme Schubert, comme...» J'ai entendu cette scie toute mon enfance. Néanmoins, pour peu qu'on laisse entendre devant moi que l'Allemagne est un peuple musicien, la voix de mon père compulsivement renaît en moi, le désir de dire remonte une manière de ressort crissant et à clé au fond de ma gorge, mon père prend possession de mon corps...

L'idée de possession se mêlait à celle de revanche. Je « revoulais » Bergheim. « A moi les belles rampes soutenues par des balustres de bois peints en rouge ! » me disais-je. J'avais l'esprit tourné vers la mare, vers le parc, sur le flanc ouest de Bergheim comme les Mahométans vers la Kaaba de La Mecque. Plus exactement, cette obsession cherchait à chasser un souvenir et un corps entrevu sur un escalator dans un aéroport. J'avais moi-même l'esprit un peu rayé, presque détraqué. Alors que nous vivions ensemble depuis deux ans, je rompis sans raison avec Marie Ruppel. Je vois mal comment je pourrais ne pas être abasourdi devant la mauvaise foi et la promptitude avec lesquelles je menai tout cela. Je ne dormais plus. Marie ne mettait plus les pieds à la faculté de droit où elle avait commencé des études. Elle se blottissait dans la petite maison du quai, elle dactylographiait des thèses et des manuscrits savants, allait une ou deux fois par jour se baigner dans la piscine de Pontoise qui était à deux pas de là, par à-coups errait sur le boulevard Saint-Germain, rue Bonaparte, rue du Dragon, en quête d'un pull ou d'une jupe. Elle était assez belle, très découplée, brune, petite mais par les soins dont elle entourait son corps, autant elle en accentuait la séduction, autant elle en refusait les plaisirs. Tout bonnement nous ne concevions plus beaucoup d'intérêt l'un pour l'autre. Un soir Marie évoqua quelques hypothèses. Peut-être y avait-il des avantages à faire chambre à part. Peut-être transformer la salle à manger en chambre qui lui fût propre. Une chambre à soi était — disait-elle, autant qu'il m'est loisible de me souvenir de cette phrase — une condition nécessaire pour mettre des cailloux dans ses poches et tomber dans l'eau de la rivière. Elle avait le désir d'être autonome, de créer, de bouleverser le monde, de transformer sa vie. J'entrai tout à fait dans ses raisons. Qu'avait-on à faire d'une salle à manger ? Elle ne mangeait pas. Elle détestait recevoir. Pour la chambre à soi, je comprenais si bien. Moi-même je n'aurais pas supporté de ne pouvoir m'isoler dans une pièce distincte et si possible relativement lointaine pour pouvoir lire, pour pouvoir m'exercer pour mes enregistrements. Je ressens encore l'excitation un peu cruelle et lâche qui me prit alors. J'abondai dans son sens. Le mieux serait peut-être qu'elle trouvât un petit appartement d'une pièce. Encore qu'il fût parfois pénible de vivre dans une seule pièce, enfermé comme un ours en cage. Peut-être un appartement de deux pièces près du Luxembourg, ou donnant sur un square — elle aimait tant les arbres.

« Mais, Karl, je me plais bien ici.

— Moi aussi, Marie, je me plais bien ici.

— Je gagne si peu. »

J'essayais de la convaincre qu'il lui fallait accepter la liberté qu'elle revendiquait à si juste titre. Je lui dis combien je ressentais pour elle de gratitude. Grâce à elle j'avais aimé faire la cuisine. J'avais aimé plonger mes mains dans l'eau graisseuse et tiède et j'avais aimé essuyer les assiettes, les fourchettes et les bols. Grâce à elle j'avais jeté mon dévolu sur les chiffons et les aspirateurs. J'aimais plus que tout faire le marché — encore que je n'aie jamais pris beaucoup de plaisir à laver le linge, mais quelquefois, le soir, il me fallait reconnaître que cela m'aidait à passer ma rage ou du moins à transformer un désir vain en rage puis la rage en fatigue. En sa compagnie, j'avais appris à vivre seul.

« Karl, combien me donnerais-tu d'argent ? » me dit-elle. Puis elle m'expliqua à quel point elle trouvait humiliant de me demander de l'argent. Comme je lui donnais raison ! Comme je craignais de l'humilier ! La conversation dérapait, ou versait. Marie le sentait mais curieusement s'entravait et amplifiait cette dérive ou ce basculement. Je conserve le souvenir d'une jubilation de plus en plus intense qui m'emplissait les poumons et le corps tout entier. Marie ne semblait pas en comprendre le motif et cherchait à profiter non sans inquiétude de cette magnanimité qui semblait s'être emparée de moi.

J'allai à la cuisine. Je me frottai les mains de joie, d'excitation. Je me servis une verre de bière brune. Je revins et lui fis remarquer que dans le fond toutes ses difficultés découlaient du seul fait que nous vivions ensemble. Nous fîmes lentement le détail. Elle convenait de tout mais, je ne sais pourquoi, elle pleurait. Elle répétait qu'elle ne gagnait pas assez d'argent pour vivre. Je la plaignais de tout mon cœur mais je la poussais vers la porte avec un air désolé. « Pardonne-moi, Marie, lui disais-je, mais il faut que je descende chez l'épicier qui fait le coin de la rue. J'ai à préparer le dîner... » Il fallait que je recouse le revers de mon pantalon pour partir à Stockholm le lendemain, la valise à faire, deux chemises à repasser, téléphoner au studio d'enregistrement pour préparer l'accord, passer chez une amie pour que le corps se détendît un peu... Je refermai la porte sur Marie Ruppel pâle et reniflant.

J'étais radieux. J'ouvris une autre petite bouteille de bière brune, mais je ne trouvai pas aussi aisément le sommeil que je l'avais escompté. Marie téléphona le lendemain matin, vers quatre heures. Elle-même n'avait pas trouvé le sommeil.

« Je peux revenir ? me demanda-t-elle.

— Je n'en ai pas le désir », répondis-je.

Elle proposa des concessions : elle ne ferait pas la cuisine mais elle mettrait la table ; elle ne laverait pas mais repasserait ; elle ne ferait pas le ménage mais elle coudrait ; elle ne ferait pas les courses mais elle dormirait auprès de moi à la condition que je lui garantisse l'autonomie d'une pièce. Je lui fis remarquer qu'il ne fallait jamais faire de concessions ni transiger sur le plus petit de ses désirs. Elle craignait de ne pas avoir assez d'argent. Je lui envoyai de l'argent.

Je ne m'estimais pas beaucoup, quand le taxi me déposa devant l'aéroport d'Orly. Mais je n'étais pas vraiment malheureux. Je songeais que quiconque se risquerait à jeter un coup d'œil sur ceux qui l'entourent, il demeurerait confondu que tant de personnes se soient attachées à lui. Mais jetterait-il ce regard au fond de son cœur, et il demeurerait étrangement perplexe. Il existe des mollusques qui parasitent les coquillages. Mais ils les désertent de temps à autre. Peut-être étais-je plus parasite que Marie. Je montai dans l'avion. Je me retrouvais seul. J'installai ma viole revêtue de sa housse toilée marron à une place assise près de moi. En avion le violoncelliste ou le violiste en tournée sont contraints de payer deux places et se ruinent à cela. Je me disais : « Dire que la seule forme humaine un peu constante qui soit jamais à mes côtés est une caisse en bois ! » Et au moment de décoller, comme toujours, les lèvres entrouvertes, la gorge serrée, j'étreignais l'attache de cuir qui lui servait de poignée.

A mon retour Marie supplia, tanna. Février était glacé. Je tiens que l'altruisme — avec le gâteau de riz laqué de caramel — est la pire des choses. Quelle que fût ma volonté, dans mon délire, sa présence m'était devenue insupportable. Tout d'abord on en veut extraordinairement à ceux qu'on a insultés sans qu'il y ait eu de raison. D'autre part il est assez désagréable de mettre à nu que notre désir ne correspond jamais à aucun être désirable qui le susciterait. C'est parce que notre désir avait crû qu'un être qui s'était trouvé près de nous était devenu tout à coup désirable. Et autant que nous l'avions trouvé désirable, nous l'avions rêvé. Comme nous avions été rêvés.

Marie était belle, curieuse, à la mode de tout, du temps, des étoffes, des objets, des bijoux, des parfums, des acteurs de cinéma, féministe, skiant. Elle me regardait avec stupeur et s'écriait :

« Comment peut-on être plouc à ce point ? »

Elle pensait excellemment. Elle était avec force contre la guerre, pour la liberté, pour la justice. « Elle est très classe moyenne », me disais-je et j'étais contraint d'ajouter : « Comme moi, encore que j'aie des restes de la clause d'Augsbourg ! » Elle avait l'âme d'une faubourgeoise, d'une banlieusarde. « Où est le centre-ville ? », telle était la question de la condition humaine, à ses yeux. Elle était dans le salon, tentant une scène ultime. Je la regardais et je m'étonnais de mes réactions. Je sentais peu de chose. « Je n'ai pas de douleur me disais-je. Juste un petit dégoût de moi. Un dégoût de la taille d'un bigorneau. » Elle me regardait les yeux écarquillés. Elle me tenait les bras :

« Mais je t'aime », disait-elle en reniflant.

Et elle me serrait contre elle et plus elle reniflait plus elle resserrait son étreinte.

« On s'aime, disait-elle. Nous nous aimons tellement. On va mettre de la moquette vert pomme dans la salle de bains. Tu..

249

— Je n'obéis plus, dis-je. Je ne sais pourquoi j'ai cessé d'obéir... »

Elle prit à deux mains sa jupe de flanelle plissée et la leva. Elle était nue jusqu'à la taille. Elle approcha son ventre de l'abat-jour.

« Cela suffit », dis-je tout bas. Puis je murmurai : « Va-t'en. »

Elle ne bougeait pas, le ventre nu.

« Va-t'en ! » hurlai-je.

Toujours sans dire un mot elle rabattit brusquement sa jupe de flanelle grise. Ses lèvres tremblotaient. Elle partit.

Au reste les scènes veules, tristes, inutiles, pénibles chevauchaient d'autres scènes qui se déroulaient dans le même temps rue de Poitiers, à l'école de musique. Dans mon esprit ce mois de février est un écheveau de laine brouillé. Marie Ruppel sans conteste était la victime, comme sous la main, qui expiait pour un crime qui avait douze ans. Je faisais le vide autour de moi.

Février était glacé. Un froid où les pattes des canards se seraient prises dans l'eau gelée, où leurs ailes se seraient rompues. Un mardi, en février, je faisais cours à l'école de musique. Mademoiselle Viorne entra dans la salle et me dit que Madame de Craupoids avait demandé à me voir.

Je traversai le bureau de la secrétaire de Madame de Craupoids et j'entrai dans ce qu'on appelait à l'école de musique la « salle d'attente ». En effet, avant qu'on pût parvenir au grand salon à peu près conservé, datant du XVIIe siècle, qui servait de bureau à Madame de Craupoids, il fallait passer par une petite pièce — une sorte de sas sombre qui servait d'antichambre. Dans cette petite pièce sans lumière où l'on attendait que Madame de Craupoids voulût bien nous recevoir, à droite, était posé sur une longue bibliothèque basse en bois noir un petit gong de métal très lourd, retenu à l'aide d'une grosse ficelle jaune à l'intérieur d'un cercle de métal plus vaste. Un petit battoir en bois clair pendait. Chaque fois qu'il m'arrivait d'attendre que Madame de Craupoids ouvrît la grande porte de son bureau, les doigts me brûlaient devant ce petit gong et j'avais du mal à refréner l'envie de me saisir du petit battoir et de frapper un grand coup dans le gong afin que Madame de Craupoids sursautât et s'empressât de me faire entrer.

Elle ouvrit la porte. J'entrai.

« Asseyez-vous, me dit-elle. J'ai un service à vous demander, Monsieur Chenogne. Par parenthèses, j'ai lu la biographie de votre violiste de Richelieu. C'est très bien. Il y a beaucoup de pages. C'est très vivant, un peu raide, non ?

— Vous êtes très indulgente, répondis-je.

— Comment s'appelait-il donc ? C'est trop bête. Le nom m'est échappé des mains.

— Il s'appelait Maugars.

— Cela dit, entre nous, tel est mon sentiment, je n'aime pas les homosexuels, dit-elle tout bas.

— Vous avez beaucoup de goût, rétorquai-je.

— Je vois bien que vous vous moquez de moi. Pour être tout à fait sincère avec vous, je n'aime pas l'humanité en général.

— Alors là, c'est la fine fleur de la délicatesse.

— Et je déteste les animaux aussi..., dit-elle d'un air rêveur.

— Les montagnes, les océans échappent-ils à votre réprobation ?

— Je me le demande... », poursuivit Madame de Craupoids sur un air de plus en plus perplexe. Elle tenait entre ses mains une lettre dactylographiée, à en-tête emphatique, et paraissait réfléchir. Puis elle posa la lettre sur un dossier cartonné, jaune paille, volumineux et reprit à voix forte, fronçant les sourcils, chaussant ses lunettes, avec un air préoccupé :

« Voilà pourquoi je vous ai fait venir. L'hôtel va être classé. L'école de musique y sera peut-être maintenue. Je vous demande de garder cela pour vous. Nous sommes encore sans assurances. La Ville et le ministère ont engagé la lutte pour mettre la main sur les locaux, non sur l'école, je vous rassure. La commission a délégué un de ses membres qui viendra le 3 mars.

— J'ignorais...

— J'espère bien que vous l'ignoriez. Par malheur, Monsieur Chenogne, je dois subir une petite intervention le mardi 1er. Je rentrerai en clinique la veille, le 28.

— Ce n'est pas grave ? Je souhaite...

— Je vous remercie de souhaiter. Ce n'est pas grave du tout mais je ne pourrai être là pour accueillir le délégué du ministère. J'ai pensé que vous pourriez le recevoir, vous n'êtes plus n'importe qui...

— Je vous remercie.

— Ne m'interrompez pas, et puis vous êtes depuis si longtemps dans la maison. Vous saurez lui faire visiter les vingt salles de musique et le petit théâtre. Surtout évitez de montrer les salles de solfège et celle de luth et de guitare. Vous saurez plaider notre cause.

— Bien sûr. J'essaierai.

— Je compte sur vous. Je suis soulagée que ce soit vous. Clémence est trop émotive. Catherine est trop virulente, elle ferait tout capoter. Il faut que ce soit un homme. Un homme sera mieux. Le délégué, Monsieur Seinecé, est lui-même un homme... »

Je ne me sentis pas bien tout à coup.

« ... et il a l'esprit prévenu en notre faveur. C'est le mari de Madeleine, comme vous savez. Il vient d'être nommé conservateur au Louvre. C'est moi qui ai glissé son nom au Cabinet. Nous avons Monsieur Massé en notre faveur. Cela fait deux. Pour que tout soit parfaitement combiné il faudrait... Mais vous n'allez pas bien, Monsieur Chenogne ? »

Je dus m'asseoir.

« Non, non. Cela va mieux.

— Vous ne voulez pas recevoir Monsieur Seinecé ? Vous connaissez Monsieur Seinecé ?

— Non. C'est-à-dire, il y a plus de onze ans, plus de douze ans que je ne l'ai pas vu. C'est un souvenir qui est assez vieux. Il ne se souvient certainement pas de moi. Nous avons fait notre service militaire ensemble.

— Ah ! mais c'est parfait alors, c'est délicieux. Cela fera des retrouvailles ! Alors je compte sur vous. Le jeudi 3 à dix heures. De toute façon je demanderai à Madeleine d'accompagner son mari. Elle vous aimait tellement..

— Oh non, je vous en supplie, Madame, n'en faites rien. Mais, pour vous parler franchement, peut-être ne suis-je pas le mieux placé pour...

— Vous ne voulez pas m'aider à sauver l'école ?

— Mais bien sûr, mais...

— Voilà ce que nous allons faire...

— Pardonnez-moi, Madame. Il faut que je sorte.

— C'est moi qui vais vous laisser seul. Vous êtes tout blanc. Remettez-vous. Tenez. Prenez un verre de sherry ! »

Elle se leva, tira le tiroir de la commode — près de la porte d'entrée —, sortit une bouteille de sherry Harvey. Elle posa le verre sur la table-pupitre entre les fenêtres. Elle reprit, tout en se dirigeant vers la porte :

« Je vais aller prévenir que vous ne ferez pas cours aujourd'hui... »

Madame de Craupoids quitta la salle. Je restai seul. Je ne pensai à rien. Je ne sentis pas le temps s'écouler. J'étais comme la souche d'un arbre mort jetée dans le lit d'un torrent, sur laquelle l'eau afflue mais qui ne bouge pas, têtue, épaisse, hébétée. Quand Madame de Craupoids revint j'étais encore assis, plié en deux, les mains sur mon cœur, et il me semblait qu'elle venait de me quitter.

« Alors ? demanda-t-elle. Vous sentez-vous mieux ? »

Je levai mon regard vers elle.

« Je ne puis recevoir Florent Seinecé, dis-je à voix basse.

253

— Si, dit-elle.

— Mais il ne souhaite certainement pas me revoir ! m'écriai-je.

— Ecoutez, Monsieur Chenogne, c'est lui qui me l'a demandé. Et non seulement il m'a demandé de pouvoir vous rencontrer à cette occasion mais il m'a demandé de ne pas être là. Il m'a demandé que ce soit vous qui le receviez. »

J'avais le souffle coupé. J'avais le cœur si vivement contracté, essoré, tordu que je ne pus étouffer un petit cri. Je dus me lever. Je bousculai la table-pupitre — que Madame de Craupoids appelait toujours la « table à la Tronchin » et qu'elle laissait toujours haussée, couverte de partitions — et m'appuyai à un vieux piano-commode qu'on n'utilisait plus mais qu'on conservait pieusement en raison de sa marqueterie — et parce que Giacomo Meyerbeer l'avait touché. Je n'avais plus de salive. Je demandai, la bouche sèche, à Madame de Craupoids :

« Mais pourquoi vous a-t-il demandé cela ?

— Parce que Madeleine Guillemod, ou plutôt Madame Madeleine Seinecé a été une élève ici durant seize ans. Et sa mère, et sa grand-mère elle-même du temps de ma propre mère...

— Et alors ? Je ne vois guère le rapport.

— Elle vous a croisé. Elle vous a croisé dans une gare, dans un aéroport, je ne sais plus.

— Comment sait-elle ? » criai-je alors.

Mais je me repris.

« Et vous, dis-je tout bas, savez-vous ?

— Madeleine a évoqué devant moi quelques souvenirs qui donnaient du souci à son mari.

— Et que jugez-vous ? Que pensez-vous de...

— Je ne pense pas. Je n'ai rien entendu qui m'ait paru original. A l'âge que j'ai, je vous dirai que je trouve cela peut-être encore un peu attendrissant, je ne suis pas encore morte, mais surtout inutile. »

Je partis — sans un mot. Je voulais dire au revoir à Madame de Craupoids. Je n'arrivais plus à prononcer ce mot. Plus une goutte de salive pour humecter ma bouche. J'avais l'impression que ma gorge était un désert. Je n'avais plus de sang, plus de larmes, plus de salive — et plus jamais je ne ferais l'objet du sang, ni des larmes, ni de l'eau. J'avais le souvenir, enfant, des badigeonnages au fond de la gorge pour dégager la luette, qui provoquaient des vomissements à vide. J'étais ce vomissement à vide. Madame de Craupoids était le badigeon. Je m'enfuis sans pouvoir saluer. Je dévalai l'escalier, je franchis impatiemment la porte. Je courais dans la rue de Verneuil. Je longeais le quai. Je retrouvais un pas à peu près normal rue Saint-André-des-Arts. J'avais lu que c'était là où la reine Ultrogothe aimait se promener le soir, l'ancien sentier bordé par les haies vives. J'avais envie de mourir.

L'impatience, tel est le témoignage le plus consistant que le temps nous offre de lui-même. Nous piaffons : « Tout de suite ! Tout de suite ! », et « tout de suite » ne survient pas. Cette entrevue avec Florent devait avoir lieu dix jours plus tard. J'aurais tout donné pour que cette scène fût derrière moi. J'avais même par instants le désir de me tuer pour me dérober à cet affrontement dont je ne supportais pas l'idée, sans qu'il y eût pourtant de raison qui justifiât tant d'émoi. C'est alors que la lenteur de l'écoulement du temps, la résistance du temps qui ne coule pas, du temps actuel paraît d'une force, d'une inflexibilité qui sont bien pis que les muscles tendus d'un être qui vous repousse.

Une des propriétés délicates et sadiques du temps — laquelle n'a pas pour effet de déprimer seulement, mais aussi d'exalter, et de nous laisser quelque curiosité de l'avenir, à supposer que le bout du bout ne soit pas convenu et que tout ce qui arrive en somme, en gros, au cours d'une vie normale soit tout à fait propre à susciter l'enthousiasme —, c'est d'ajouter l'imprévisible à ce qui fut, jusque dans la douleur, d'ouvrir sous les pieds des abîmes aux lieux où on ne les aurait pas imaginés, c'est d'ajouter des nimbes improvistes, des brumes heureuses, un subit fou rire, un succès — les occasions les plus fastes aux moments les plus sinistres. De retour chez moi — plusieurs heures s'étaient écoulées, j'avais erré, j'avais bu, j'étais passé rue de Rivoli à la librairie de Raoul — je trouvai sur le répondeur une proposition peu croyable de travail, venant d'Egbert Heminghos, que j'avais revu un mois plus tôt, à Stuttgart, en dînant le soir même de l'enterrement de Luise chez le président du land de Bade-Wurtemberg. Je connaissais depuis des années Egbert, que m'avait présenté jadis Klaus-Maria. C'est à lui que je confiais Didon, autrefois, quand je partais en voyage ou que j'allais rejoindre Ibelle dans sa maison de Saint-Martin-en-Caux. C'était quelqu'un de très étrange, de prodigieusement riche, d'origine prussienne, un passionné d'art, superstitieux, à demi fou, homosexuel à certains égards consternant qui prétendait ne pratiquer qu'avec des êtres qui ne sentaient pas bon. Sans cesse il disait, à propos de n'importe quoi, d'un défaut dans un visage, d'une disgrâce dans un membre, d'une odeur désagréable : « Assurément un dieu est là, pour parler comme les héros d'Homère ! » Je rencontrais souvent Egbert Heminghos, il me faisait peur mais il me fascinait. Je l'avais présenté à Raoul Costeker. A l'occasion de cette commande, je le vis de plus en plus fréquemment, jusqu'à sa mort, il y a deux ans — retrouvé mort dans les w.-c. d'un garage Citroën, dans la banlieue ouest de Paris.

C'était un ami singulier et il ne s'est pas trouvé de jour que je ne lui aie découvert des manies qui m'intriguaient plus les unes que les autres. Jusqu'à la méthode qu'il prétendait observer lorsqu'il lui fallait prendre toute décision importante, surtout de séduction, et qu'il nommait le « rite de Patraï ». Dans le pied-à-terre — de cinq ou six pièces — qu'il possédait à Paris rue d'Aguesseau, il avait consacré sa bibliothèque uniquement aux textes grecs — remarquable bibliothèque au centre de laquelle figurait une petite hésuchide à deux faces, posée sur une table de verre. Il ne fermait pas la porte de l'appartement, poussait seulement la porte de la bibliothèque, dépliait les volets intérieurs, mettait le feu aux mèches de seize petites bougies de couleur bleue et qui sentaient atrocement, qui encadraient la statuette — et qu'il avait eu soin de relier préalablement avec un de ces petits fils de plomb qu'on trouve dans les bazars pour réparer les plombs électriques. Il déposait sur la table de verre de Lorraine une pièce d'un louis d'or et se précipitait sur l'oreille du dieu Hermès pour lui soumettre tout bas l'objet de ses espoirs ou l'état de ses affaires sur quoi il hésitait. Aussitôt dit, il se bouchait vivement les oreilles avec ses mains, sortait en hâte de la bibliothèque, de l'appartement, dévalait les escaliers et toujours dans cette position — les mains sur les oreilles — marchait dans la rue en direction de la place de la Concorde. Sitôt qu'il avait traversé la place et qu'il était parvenu sur le terre-plein central — au risque de sa vie — il ôtait ses mains de ses oreilles et la première voix qu'il entendait sur son chemin était censée apporter la réponse du dieu. Par chance il y avait rarement du monde sur ce terreplein et c'étaient les murmures des roues des voitures automobiles qu'il lui fallait dans ce cas interpréter. Il espérait, au-delà de l'espace personnel, attraper au vol une voix — ou un chuchotement pneumatique — et finalement y lire ce qu'il n'osait dire, ou y entendre ce qu'il désirait désirer. Un jour où il lui tardait d'apprendre dans quelle banlieue il chercherait ses plaisirs, un maître cria à son chien de ne pas mordre et il alla près de Versailles, dans la nouvelle ville de Maurepas. C'étaient toujours des calembours idiots, des cocasseries, des réponses du hasard. Et peut-être étaient-ce les cris d'un maître irrité contre son chien ou d'une bonne semonçant un écolier ou d'un automobiliste pris de colère qui avaient poussé

Egbert Heminghos à faire appel à moi. Il m'offrait une somme qu'on n'imagine pas, payée en liquide — mais en marks — pour lui organiser ou lui enregistrer des concerts privés d'une nature singulière. De brusques cauchemars se saisissaient de lui la nuit, qui entraînaient de terribles désarrois au terme desquels il ne pouvait plus se rendormir — et ne pouvait même plus en former l'espérance. Il payait généreusement un jeune Vietnamien, Iô, afin qu'il restât coucher dans sa chambre. Il lui avait noué une ficelle au poignet pour pouvoir le réveiller à la moindre frayeur. S'il voulait errer un peu la nuit dans l'appartement, il faisait lever son « garde de nuit » et allait en sa compagnie boire de l'eau, se rincer le visage, regarder aux fenêtres combien noire et lente à se mouvoir et implacable est la nuit.

Ou il s'asseyait dans un fauteuil — Iô se blottissant et se rendormant dans un fauteuil voisin. Il consacrait sa nuit à rêver au sommeil et à se soustraire aux cauchemars.

Iô me raconta par la suite que des oreillers — des oreillers de toute taille — pour chaque membre lui étaient nécessaires. Il avait beau traîner Iô de fenêtre en fenêtre, il avait beau parler à Iô, étendu sur ces vingt ou quarante oreillers, Iô le plus souvent dormait. Il disait qu'il ne pouvait pas le tolérer, que le silence lui semblait tomber dans la nuit comme une chute d'eau, comme un fleuve, comme une sorte d'Amazone qui allait l'engloutir.

C'est ainsi qu'Egbert Heminghos m'avait confié premièrement d'établir un programme musical pour chaque nuit. Iô se chargerait de le mettre au point. Deuxièmement d'expertiser et de compléter sa collection d'instruments anciens, y compris en achetant lors des ventes internationales les instruments qui présentaient de l'intérêt et de les mener jusqu'à un état de restauration irréprochable. Troisièmement de créer une bibliothèque musicale qui pût rivaliser avec sa volumineuse bibliothèque grecque. Il était curieux essentiellement de partitions princeps, de manuscrits autographes et de biographies.

Dix jours me séparaient de l'entrevue avec Seinecé. J'étais sans aucun doute dans l'état d'esprit de David alors qu'il surplombe la vallée du Térébinthe et qu'il s'apprête à affronter la masse gigantesque du corps de Goliath. Une de mes préoccupations scrupuleuses et favorites l'hiver, quand le temps est vif, est de respirer le plus profondément que je puis — et je dois rendre grâce aux cieux de m'avoir accordé un don aussi surnaturel qui à certains égards vaut bien une petite fronde — et de souffler le plus violemment par les narines dans l'espoir d'imiter les naseaux des bœufs. Je n'étais plus David. J'étais bœuf. J'étais âne. Fräulein Jutta disait que c'était à proportion de la chaleur de cette brume se matérialisant dans l'air que ces deux animaux avaient réchauffé l'enfant Jésus. Sujet à je ne sais quel délire des grandeurs, j'avais plaisir à réchauffer je ne sais quel enfant Jésus sans doute niché au fond de moi — mais qui à force de s'y dérober s'y est perdu.

Cette manie n'était pas la plus préoccupante. Je devenais fou. Seinecé m'apparaissait en songe, un peu chaman, dans la douleur, entrant dans le petit bureau où je m'exerçais aux violes — c'était Egbert Heminghos sortant d'un cauchemar. Il brisait tout, à grandes enjambées, les yeux fulgurant, veste zébrée, tournant en rond. Seinecé n'était pas à l'image d'un tigre — il était tigre. Puis il cessait d'être tigre. Il me regardait avec un air de reproche infini. Il montait sur son perce-oreille caparaçonné et s'éloignait lentement dans les Montagnes Bleues.

J'avais fait le vide autour de moi — quoiqu'il me faille, pour dire toute la vérité, convenir qu'il n'y avait pas à beaucoup gesticuler pour me connaître cet état. Même les invitations de

Raoul Costeker, je les déclinais. Je dévorais des tranquillisants. Je buvais. J'errais. Un soir, je m'accoudai au parapet du pont de la Tournelle. La pierre était glacée. Il faisait froid. Je regardais l'eau — l'envie de tomber, l'envie d'être englouti, d'être bu, l'envie de n'être plus que quelque bulles qui crèvent en un instant à la surface du fleuve et le silence sur moi et l'eau qui passait, qui passait dans les siècles des siècles.

Je le voyais partout. Un jour je l'hallucinai au standard téléphonique, rue Jacob, aux Editions du Seuil. J'avais des rêves coupables. Seinecé me demandait des comptes sur la mort de Mademoiselle Aubier. C'est moi qui avais tué Mademoiselle Aubier. J'étais innocent mais je ne trouvais jamais le moyen de me disculper. Je relatais à Florent — pour l'instant métamorphosé en Savonarole, maigre, haineux — la mort de Mademoiselle Aubier en multipliant les détails et les formulations qui m'accablaient — la douceur de cette mort, le désir de vivre s'affaiblissant à proportion que la faiblesse gagnait le corps. Je m'empêtrais dans des images flatteuses. Seinecé était un dieu — à supposer que j'eusse jamais émis un doute à cet égard. Un dieu allait au bord du fleuve avec une cruche. Il puisait de l'eau. Après qu'il l'avait emplie, il la bouchait avec soin et il la plaçait au fond du fleuve. Le temps venant, bousculée par le débit du fleuve et le nez des brochets, la jarre se brisait. « L'eau s'est mêlée à l'eau, tel est le nom de la mort, Monsieur Chenogne », me disait le nocher Charon. Et Clotilde Aubier, Florent Seinecé, Charles Chenogne, tels étaient les noms que portaient les jarres, ou plutôt les cruches, sur des petites étiquettes en liège. J'entendais Mademoiselle Aubier se plaindre au loin — très loin, derrière des taillis, des palmiers — de la mort : « Où est le pain, le vin, le plaisir, les chants ? » Dans la plainte dans l'air de l'âme de Mademoiselle Aubier je reconnaissais plus ou moins la machine à coudre, le ronron de la machine à coudre, le soupir de Lachésis — ou plutôt de Clotho — tandis que sous le pied-de-biche défile l'ourlet si peu infini.

Un désir insensé de confession m'habitait. J'avais un désir irrésistible de le revoir, quelques terreurs que cette rencontre suscitât en moi. Je voulais le revoir et m'apaiser dans l'aveu, dans la parole — dans la parole sans terme, dans la parole sans bornes. Etre absous ? Etre puni ? Maudit ? Béni ? Que voulais-je au juste ? C'était tout cela et le contraire de tout cela, la douceur de l'eau de la mer et son amertume, la mer d'huile et la tempête. J'ai toujours conservé un souvenir très vif des quinze ou vingt confessions que je fis, enfant, dans l'église de Bergheim — ou du moins à la chapelle du haut. A Bergheim, durant tout l'hiver, l'église catholique n'était pas desservie par le prêtre. C'est à la chapelle Sainte-Paule que j'allais me confesser. J'entrais dans la chapelle le jour tombant, après les cours, les mains que j'étreignais sous mon nez sentaient encore le caoutchouc du tapis de gymnastique, la fadeur des craies et des gommes, ou l'épluchure de crayon. Après que j'avais franchi le porche, j'aurais voulu me dévêtir de ces odeurs brusquement, comme un enfant timide qui se dévêt dans la précipitation et en empêtrant ses membres s'effondre. J'aurais voulu ne pas profaner l'odeur persistante de l'encens, ce détritus de l'odeur divine dans laquelle je pénétrais. Puis je pénétrais dans le silence. Puis je pénétrais dans l'obscurité. Puis je pénétrais dans l'humidité. Puis je pénétrais dans le froid. Puis je pénétrais dans le vide de mon cœur. Il y avait une vingtaine de chaises de paille. Je m'asseyais et la chaise grinçait. Je réfléchissais. La paille piquait les cuisses nues.

Quand arrivait mon tour de confesse, à pas de souris, avec componction, le dos voûté, tordant mes mains ou me grattant le nez, je m'approchais de la caisse en chêne clair, orangé, teinte, du confessionnal. Ce n'était pas du chêne — c'était un violon de Mirecourt. Je posais avec précaution les genoux sur la marche de bois fraîche, blessante et grasse et dure. J'avais la gorge serrée. Je percevais le murmure qui avait lieu de l'autre côté du confessionnal et repassais en hâte et en silence les formules sacrées que j'allais dire et les péchés monstrueux dont j'avais la conviction qu'il était honorable — et peut-être même courageux — de s'accuser. J'entendais le chuchotis lointain d'une autre confession — rare mélopée sonore qu'il était légitime et aisé de ne pas chercher désespérément à comprendre, ou à inventer. L'obscurité, l'odeur d'encens, la honte de mes péchés épouvantables — beaucoup plus épouvantables que répréhensibles —, la crainte de devoir ouvrir la bouche et de devoir parler allemand, et de m'astreindre à parler allemand distinctement, la paix que j'en attendais rendaient palpitants le bruit et la vision de la planchette que l'abbé faisait glisser d'un coup sec. A travers le treillis de bois de buis, je percevais une masse obscure, l'or de l'étole, l'odeur pourrissante et tiède de l'haleine. Ma voix se bousculait. Dans l'angoisse d'avoir tout à dire, dans la crainte d'être importun ou de ne pas être pardonné, une course de vitesse était commencée avec la faute et avec le temps. C'était la vie. J'avais appris au catéchisme — que me faisait non le pasteur Hans Nortenwall mais Pater Irrige — que la sainte patronne de cette chapelle non seulement avait eu la chance de mourir dans les bras de saint Jérôme, mais encore dans des râles épouvantables. Et que saint Jérôme avait dit que le râle était le seul psaume que Dieu reconnût et qui fût doux à son oreille, au point qu'il l'avait aimé jusque sur les lèvres de son fils.

Après l'acte de contrition — et il me faut convenir même encore aujourd'hui que la douleur et la tristesse et la contrition sont quand même beaucoup plus sûres que le soulagement qu'on en espère, et rien de plus suave qu'une tête contrite, si ce n'est donc un râle —, après la pénitence à genoux sur le degré de marbre qui précédait la barrière fermée de l'autel, une sensation douce de libération, de liberté pulmonaire, creusant de faim le creux de la gorge, ou plutôt transformant la crainte de l'aveu en désir de dévorer, une sorte d'allégeance, d'allégement, de légèreté gagnait le corps — si bien qu'elle le faisait un peu flotter d'ivresse sur le chemin ascendant du retour. Alors, parce que j'avais dit quelques fautes, j'avais le sentiment que j'avais mis à la porte de chez moi la conscience, que j'avais renvoyé dans son pays céleste l'ange gardien persécuteur, chassé le remords, la gueule ou les dents effilées de la morsure, ou du sourire de la mère, ou de l'hyène, ou du boa constrictor, ou de la Joconde, ou de la torpille électrique. Ce temps est loin. Plus de trente ans m'en séparent. Le zoo est désormais installé à demeure. Rien ne bénit plus ni ne fait plus tomber en poudre les souvenirs intolérables.

Sauf parfois, quand plongé dans la musique et déchiffrant, ou absorbé dans la lecture ou dans l'annotation d'une partition, lorsque j'entends dans le lointain, au premier étage, la sonnerie du téléphone, que je ne pourrai joindre à temps, et qui me fait sursauter. Je laisse sonner dans le lointain et je ressens une gêne de ne pas faire l'effort de me déplacer, et une fois encore j'entends le bruit, le susurrement preste de la planchette que Pater Irrige tirait, l'odeur du treillis de buis qui règle l'évitement, l'haleine fétide de la sainteté. Et alors il en était ainsi — pendant dix nuits et dix jours —, je ne fus plus que cette attente de mon tour, cette impatience de tout dire. « Tout dire à Seinecé », voilà le mot d'ordre qui m'habitait. Et qu'avais-je à dire à Seinecé ? Rien. On raconte que saint Florent, évêque de Strassburg, était le conseiller de Dagobert et était si aimé de Dieu que quand il approchait du trône du roi il accrochait son manteau à quelque rayon de soleil qui naissait aux fenêtres ou bien aux meurtrières. Je me souvenais aussi du plaisir que j'avais ressenti un soir où, comme je rentrais « là-haut » — j'avais neuf ans —, je m'étais battu jusqu'au sang avec un garçon des grandes classes. J'avais été blessé à la lèvre, à la paupière et à la cuisse. Combien j'ai pu haïr ceux de mes camarades qui ne pouvaient supporter mon statut de Français, mon accent, l'argent de mon père, mes culottes de flanelle anglaise, mes chemises de coton fines, mes chaussettes si chaudes, en laine cachemire. Ils n'attendaient que le moment de me voir trébucher puis m'effondrer aplati dans la boue ou sur les pavés, sous leurs coups, pour m'accabler de leurs sarcasmes et m'humilier au bas du ventre en insultant ma mère qui avait regagné Caen — ils disaient Paris —, puis me lancer les coups de pied de la victoire sur le ventre, sur les genoux, au visage, sur les mains.

Il me semble que j'entends encore leurs cris, mon nom prononcé à l'allemande : « Quenoguene ! Quenoguene ! Quenoguene ! », les cris de haine, l'excitation, l'hostilité qui les poussaient contre moi, sur moi, après qu'ils m'avaient vu m'écrouler, sur le carreau du préau ou sur les pavés roses de la ruelle, cessant de me défendre.

Arriva — dans cette Passion — Joseph d'Arimathie, Klaus-Maria ; il me défendit et je me remis à me battre. Leur violence resurgit, mes propres coups pleuvaient tout à coup enivrés, brusques et hasardeux, un peu insensés, au milieu des encouragements frénétiques du groupe de collégiens qui m'entouraient — qu'absurdement je traitais de S.S. — et qui avaient tourné leur veste et changé de héros. Bientôt, comme je ne cherchais plus à me protéger ni le visage ni le ventre, j'éprouvais de l'allégresse à sentir le sang couler sur mon visage, à le voir s'égoutter sur mes mains, je m'abîmais avec beaucoup de théâtre dans la victoire, je puisais même une espèce de fierté à ne pas me soustraire au sang et au malheur, je frappais infatigablement, je dansais. Klaus-Maria tenait les pieds de la victime. Je la bourrais de coups.

Chaque seconde qui s'écoulait ajoutait au triomphe des combats. Une couronne de sang me ceignait le visage. Il y a une sécurité du pire. Les clameurs n'étaient plus hostiles mais favorables et elles m'enveloppaient. J'avais franchi la rive de la peur et j'étais au-delà de la mort. Dans le fond, c'est le premier concert que j'ai donné — et c'est le seul.

Dans les moments où nous nous retrouvons comme pied à pied avec l'instant décisif, avec l'instant qu'il faut saisir, avec l'instant bouleversant et fatal, avec l'instant où la vie même nous paraît devoir être risquée, il arrive que nous prenions des résolutions qui nous causent une complète surprise et qui nous découvrent de nous-mêmes une part que nous n'avions jamais jusque-là soupçonnée. Ma sœur Margarete m'appelait depuis plusieurs jours : mon beau-frère Holger avait — peut-être par tactique — reviré ; il ne voulait plus de rien ; plus question de racheter la propriété ou du moins les parts que nous avions sur elle. On remettait tout à prix réel — au prix de l'estimation. La municipalité de Bergheim était sur les rangs, ainsi que Hans. Marga m'assura que ce n'était pas à son sens une rouerie d'homme d'affaires : l'entreprise de Holger s'étiolait réellement. Je décidai brusquement d'acheter. Je revendis ma maison de Oudon sur les bords de la Loire. Je ne sais ce que je cherchais alors : à massacrer, ou à équilibrer l'économie de ma vie. Tout l'argent d'Egbert y passa. Je vécus deux jours — l'oreille comme ensanglantée, brûlante — au téléphone : à ma banque, aux notaires, aux maisons de disques, aux éditeurs. Je téléphonai à Glendale, à Caen, à Pfulgriesheim. J'additionnai les avances. Je rachetai une à une les parts de Luise et de Marga. Cäci voulut réfléchir deux jours puis ne fit aucune difficulté. Lisbeth fut plus sourde à mes téléphonages. Il fallait convaincre Lisbeth. J'avais peu connu ma sœur aînée. J'étais encore au pensionnat quand elle s'était mariée et était devenue caennaise — mais point hélas caennaise du centre-ville. Le lieu où elle vivait était lugubre. On avait ouvert un nouveau bassin sur le canal remontant de Ouistreham et ce qui avait été une villégiature bourgeoise était devenu les rives de l'Achéron — en plus anachronique, plus industriel, presque plus mortel que la mort.

Lisbeth avait épousé un compagnon de jeux de l'enfance — que je craignais —, avec qui elle s'enfermait dans les cabines de bain, ou s'enfouissait dans les rochers, avec qui nous jouions au volley-ball sur la plage, pendant les vacances scolaires, à Regnéville, ou sur les bords de la Sienne — ou au

265

volant, ou au badmington, ou aux boules à l'ombre de la tour branlante du duc Guillaume.

Je demandai à Marga qu'elle m'accompagnât. Elle saisit l'occasion aux cheveux tant elle éprouvait de peur et de joie à l'idée d'affronter sa sœur aînée, mais aussi très excitée dans le même temps à l'idée de revoir Caen. Nous retrouvâmes une Lisbeth hypocondriaque, ressemblant à papa comme deux gouttes d'eau mais en plus vieilli, plus aigri, plus épais. Sans cesse elle se plaignait de son ventre, ne parlant que de lui, que de sa digestion — au point que Margarete à table, pour faire rire, pour détendre l'atmosphère, me poussant du coude lui dit que c'était le cas de dire qu'elle avait les « tripes à la mode de Caen », plaisanterie peu heureuse mais sans nul doute typiquement wurtembergeoise, et moi surenchérissant comme un collégien, en m'esclaffant, en parlant de gras double. Et nous riions comme deux enfants — Elisabeth pâle et les bajoues frémissantes se leva de table et jeta à terre vivement le compotier à fruits.

Lisbeth et Yvon étaient passionnés d'antiquités ou plutôt de bois de pin campagnard, d'étains normands noirauds et sinistres, de merveilleuses statues d'église dont la provenance était pour le moins peu limpide, de splendides armures du Moyen Age forgées avant la Première Guerre, peut-être même avant la guerre de 1870. Elle exigea les deux gravures de Cozens de maman et les reproductions de Girtin. Je dus acheter en outre une tapisserie — sans nul doute d'une prodigieuse antiquité et à l'évidence ruineuse. Je lui reprochai personnellement d'être si décolorée qu'elle avait l'apparence d'une toile abstraite crémeuse et incertaine. Le nez dessus on pouvait voir cependant les silhouettes d'arbres et de chevaliers en armure, et de chiens à l'arrêt — et Lisbeth, chaussant ses lunettes et rentrant le ventre, s'en émerveillait.

En un jour et demi l'affaire était conclue. Curieusement, même Marga était devenue sombre. Rien de plus terrible que Caen à la fin février. La vaste et vieille maison de Lisbeth

— Marga et Lisbeth prétendaient toutes deux qu'elle ressemblait à Bergheim — était perdue dans le grand parc délabré sans arbres et plein de tonnelles rouillées s'interrompant tout à coup sur le nouveau bassin du port de Caen face à de colossales grues noires d'outre-tombe. Elles hissaient avec de terribles grincements, sous le ciel bas et gris, du fond de navires-cargos blancs ou jaunes remontés de Ouistreham, des cercueils — les cercueils de Luise et de maman.

J'allai une fois à Stuttgart et une fois à Heilbronn. J'acquis Bergheim. Je n'y mis pas les pieds. Curieusement je testai aussitôt en faveur de Florent Seinecé comme s'il s'agissait d'une vengeance. D'une certaine manière c'était une vengeance. « Il ne le saura pas, me disais-je. Il ne pourra plus se plaindre de rien. Je mourrai. Il découvrira que je lui ai tout laissé. Ce sera son tour de concevoir des remords. » Toutes ces transactions, si rationnelles, si avantageuses dans le détail, étaient sous la coupe d'un délire. J'étais en plein délire.

Ce fut le jeudi 3 mars 1977. J'eus une insomnie totale. Je me levai à deux heures. Je pris un bain. Le désir de ne pas y aller, la honte m'étreignaient la gorge. Allions-nous nous battre ? Je me rasai, j'avais dans la main gauche un blaireau, dans la droite un rasoir, je me peignais le visage avec de la mousse blanche, j'étais un Sioux qui se préparait au combat, j'avais des yeux rougis et exorbités. Allions-nous nous tuer ? Je m'habillai. Il faisait très froid. Il y avait des stalactites qui pendaient, sur le fer de la porte, sur le quai. Je marchai une heure. Je bus, je mélangeai des comprimés et des bâtonnets blancs. Nous avions rendez-vous rue de Poitiers à dix heures du matin. Je fis des gammes, des arpèges, de cinq heures à sept heures. Je marchai de nouveau. J'arrivai trois quarts d'heure trop tôt, rue de Poitiers. J'étais sous le porche de l'école de musique, glacé. J'étais blanc comme un linge blanc et trempé. Bourré de tranquillisants, mes yeux se fermaient. J'avais l'impression que mes mains tremblaient mais mes mains ne tremblaient pas. C'était mon regard qui tremblait en les voyant. La neige avait gelé sur les pavés. Monsieur Lopez — professeur d'alto — passa, la tête emmitouflée dans un passe-montagne surmonté d'un chapeau suisse sans plume. Une D.S. noire s'arrêta devant l'hôtel particulier. Le chauffeur ouvrait sa porte quand Seinecé sortit sans attendre. Il était vêtu d'un complet sombre — je ne saurais en dire la couleur — mais il ne portait pas de manteau. Il me parut très beau. Il faisait si froid.

Je pris mon courage à deux mains et je décidai de m'avancer vers lui quand tout à coup je pris conscience que je reculais. Il était immobile. Je ne voyais que son regard. Il s'avançait vers moi et moi, lentement, je marchais à reculons. Je sentis sous mes pieds les pavés de la cour de l'hôtel.

Il me rejoignit. Nos regards s'évitaient. Il me tendit la main et je ne sus pas la prendre — comme si cela avait été un piège. Puis nous levâmes les yeux l'un vers l'autre. Sa voix était sombre.

« Karl ! » dit-il et un peu de brume blanche vint sur ses lèvres.

J'eus l'impression atroce de quelque chose de prodigieux — que mon prénom était prononcé pour la première fois au monde, ou qu'il m'était repris. Que j'étais baptisé, ou que j'étais mort. Je levai la tête et j'essayai de prononcer son prénom moi aussi, mais je n'y parvins pas. C'est son nom qui me vint sur les lèvres mais ce « Seinecé ! » était prononcé de façon si basse, ma bouche était si sèche qu'il devait être imperceptible.

Il posa sa main sur mon bras. J'eus un soubresaut. Il ôta sa main mais je ne voulais pas donner le sentiment que tout contact m'était insupportable, je bafouillai : « Non, non, non », je m'empressai de saisir son bras, je le poussai en direction du perron, du corridor noir.

Nous courions en silence, entendîmes les enfants au piano, grimpâmes, passâmes la classe de violon. Nous empruntâmes le petit sas au gong métallique. J'ouvris enfin la porte du grand salon où se tenait le bureau de Madame de Craupoids. Il bouscula la table à la Tronchin. Nous nous assîmes aussitôt, comme si nous étions épuisés de fatigue. Il faisait très chaud. Nous nous taisions. Je regardais mes mains. Florent se penchait sur l'une de ses chaussures et refaisait nerveusement les deux ou trois nœuds de ses lacets. La gêne était intense.

« Le temps n'est pas chaud, articulai-je avec à propos.

— C'est moi qui ai demandé à venir ici », dit-il d'une voix sourde.

Puis il se tut un long instant. Il reprit un peu plus haut : « Je voulais te voir. Je voulais voir où tu travailles.

— Tu es devenu quelqu'un d'important. Tu as un chauffeur. Je suis très content... »

Je m'effondrai en larmes.

Seinecé eut un petit fou rire sec, se leva, me tapota le bras. Il avança sa main vers un étroit rayon de soleil qui tombait de la fenêtre. Il la glissa tout à coup sans qu'il y prît garde dans la lumière. Ses doigts parurent translucides, roses, éblouissants. Je me levai moi-même, fasciné.

« Le salon rose ! » dis-je.

Je regardai mes propres doigts : blancs, cornés, crispés sur le rebord de la table Tronchin, devant la quatrième fenêtre, où je feignais de mettre de l'ordre dans les partitions qu'entassait Madame de Craupoids. Tout à coup j'eus la conviction que le salon de Mademoiselle Aubier n'avait jamais été rose. « Tout n'est pas si rose qu'on croit ! » me disais-je et cette pensée me parut réconfortante.

« De quelle couleur était ta chambre à Saint-Germain-en-Laye ? demandai-je.

— Rose. »

Il s'assit de nouveau et il me dit — à la façon d'un enfant qui récite une leçon — qu'il revoyait deux ou trois fois l'an Isabelle. Elle était richement mariée, pour la troisième fois. Elle avait quatre enfants. La petite Delphine était en Mathématiques Elémentaires. J'écoutais tout cela calmement. J'étais Bedreddin dans les Contes des Mille et Une Nuits : dix ans à Damas ont passé comme un songe — encore que Bedreddin se retrouvât en caleçon dans le lit de la Dame de beauté. Je n'éprouvais pas un émoi comparable. Pour parler franc je n'éprouvais aucune émotion. J'étais sans sentiments. C'était étrange, bien qu'il parlât du Louvre, de ses livres, de ses voyages, bien qu'il voulût bien parler de certains de mes disques, de certains des concerts que j'avais donnés, de certaines des biographies qu'il avait lues, douze ans avaient passé et ils n'avaient pas passé.

Il me dit qu'il s'était marié avec une de mes anciennes élèves, Madeleine Guillemod, qu'il avait deux enfants d'elle — une petite Juliette qui était encore un bébé et un petit garçon de deux ans.

« Comment s'appelle-t-il ? demandai-je.

— Charles », répondit-il en hésitant, et ma lèvre trembla. Je sentis, comme venant de très loin, comme venant de l'autre côté de la terre, l'émotion qui revenait en moi, coulant goutte à goutte. Je me tassai davantage. Je me tus davantage.

« Tais-toi ! » dit-il soudain alors que nous consacrions pourtant tous nos efforts à nous taire.

« Qu'est-ce qu'il y a ?

— Il y a une guêpe. Regarde !

— Mais nous sommes en février ! »

Il ne me désignait de la main rien de perceptible — rien qui bourdonnât — dans l'angle de la pièce, près du piano-commode de Giacomo Meyerbeer. Il avait crispé sa main gauche sur le bras de son fauteuil. Il avait toujours peur des mouches et des guêpes. C'était lui. Je l'avais retrouvé.

Le ver à soie crache du fil au printemps jusqu'à sa mort. Les larmes de la bougie coulent jusqu'à ce que la flamme se consume. Nous nous étions quittés dans le silence, en nous embêtant un peu. Nous nous étions promis de nous revoir. Mais j'étais sûr qu'il n'en serait rien. Etais-je soulagé ? Même pas.

Il y a une joie de la solitude. Joie que nourrit même la nostalgie de l'amour. Enfant, maman m'avait fait apprendre, durant l'été, à Coutances, des vers de Jean de La Fontaine disant non sans hardiesse qu'on pouvait prendre du plaisir jusque dans l'angoisse qu'on éprouvait. Le poète ajoutait que la mélancolie était un plaisir sombre sans nul doute, mais un plaisir. Il y a des gens qui sont prodigieux. Au reste je refusais de me laisser le temps de goûter ces espèces étranges de joies dont par ailleurs je suis peu curieux parce qu'elles ne me convainquent pas tout à fait. Je déménageai la maison si belle de Oudon. Je regretterai à jamais le ruisselet du Havre, les sablières et les saules, le petit village de Liré, mon balcon blanc sur le fleuve, les rouges-queues et les fauvettes, le chant des crapauds et le coup de queue des chevesnes, la terre poussiéreuse, sablonneuse, le soir, sur la rive.

Ces aller et retour prirent près de trois semaines. Finalement le rachat de Bergheim fut une piètre affaire. Je fus contraint de vendre les deux étages du quai de la Tournelle. Je louai rue de Varenne un studio, en attendant, donnant sur le jardin du Musée Rodin. C'était au sixième étage d'un immeuble moderne. Je prenais l'ascenseur. J'ouvrais la porte de mon petit appartement. « Tiens, voilà l'unité d'habitat ! me disais-je. Avec ses aires de passage, de couchage, de cuisine, de réserve, de séchage ! » J'abhorrais ce lieu moderne, propre, petit, fonctionnel et cherchais vainement à l'envisager avec humour. Le réfrigérateur, l'aspirateur, la machine à laver, tout s'étayait, était encastré. « Tiens, me disais-je, on trouve trace de métaux ! Ici la fosse de déjection. Là le puits-lavabo, les thermes minuscules. La vaisselle de terre cuite, des zones de décharge à forme d'armoires ! » Les appartements modernes sont plus proches des hypogées funéraires que des maisons que les hommes, durant quelques siècles, ont habitées. C'était bien pis que le quartier des prostituées à Pompéi ou le village de Wijster. « Pour l'étude stratigraphique, me disais-je pour me consoler, cela ne fait pas 2 m 20 ! » Il y avait un livre que j'avais traduit — qui traînait sur une table : « Tiens, me dis-je, voilà l'objet 107 de la couche 215 du site 8. » Pendant une quinzaine de jours encore, je creusai des trous et j'accumulai des petits remblais. Puis j'allai à Bergheim.

Il y a parfois une espèce de mollesse déprimante à l'instant du dégel, de ruissellement humide, tout devient sale, tout fond, les rigoles, les larmes, les lentes glaires sur la route. On peut éprouver du dépit de voir une saison renaître et le courage peut faire un instant défaut à l'idée que la vie recommence.

Mars passa. J'enregistrai les nuits de Heminghos et demandai quelques milliers de marks de plus. La musique baroque, après la Renaissance, avant la Révolution — jamais une musique ne fut si proche du langage. Là réside la raison, le nœud secret sans doute de la passion qui me porte vers elle. C'est une imitation de la langue sans acception de langue ni de sens, sans qu'il y ait à choisir entre une langue maternelle et une langue paternelle. C'est un phrasé sans phrases, une Arcadie où Bergheim et Coutances, les rives et les vignes qui bordent la Loire ou le Neckar ou la Jagst se confondent aux prés salés qui longent l'océan.

J'essayais toujours d'imiter Monsieur de Sainte Colombe. Au fond du jardin de Bergheim il y avait une gloriette délabrée qui ne m'avait jamais attiré enfant et je l'installai comme un petit pavillon de musique pour jouer de la viole l'été. J'ôtai la neige qui entourait la gloriette. Je m'appuyai sur la bêche. Je faisais tomber la neige de mes bottes. Je me blessai au pied avec la bêche et on dut me transporter à Heilbronn. De retour à Bergheim je restai alité une dizaine de jours. Je ne me souvenais pas que le printemps à Bergheim était si froid. Je cherchais dans mon sommeil le vêtement de laine à grosses mailles qui habillait la bouillotte de cuivre — la douille d'un obus français datant de la guerre de 70 ou de la guerre de 14 —, enfant, dans le lit glacé, pour y enfouir mes doigts. Je tendais les mains pour étreindre quelque chose d'un peu tiède. Curieusement j'ai conservé cette habitude absurde de tendre les mains devant moi et d'espérer la compagnie d'une peau un peu tiède.

Bergheim résonnait sous les cris des peintres, des maçons. Au fond j'avais racheté Bergheim comme si je recherchais de l'amour, un singulier amour. J'aurais aimé rencontrer une femme et lui offrir de la paix, du bonheur, du plaisir, de la gourmandise, de l'argent — mais pas un gramme de passion. J'aurais voulu que nous nous lavions les mains et les yeux dans le bol de Luise — c'est Luise qui m'avait appris ce tour — pour des ablutions qui nous épargneraient à jamais la passion. Luise à douze ou treize ans m'avait raconté qu'il fallait, si on avait le dos des mains couvert de verrues réelles ou, à défaut, quelques tares symboliques, qu'on attendît une nuit où la lune fût pleine. On laissait toute la nuit dehors un grand bol vide, empli seulement de la clarté nocturne. C'était dans ce vide nocturne et plus ou moins blanchâtre qu'on se lavait les mains à la fin de la nuit — mais avant que les prémices de l'aube se fassent sentir. Puis on jetait le contenu imaginaire du bol à la face de la lune et les verrues et les tares disparaissaient. Cela s'était révélé d'une efficacité confondante et Luise avait été hospitalisée durant quinze jours pour qu'on lui ôtât les verrues qui s'étaient mises à envahir la voûte des pieds. Certains matins, me levant avant le soleil, il m'arrive quelquefois de songer à Luise, en chemise de nuit, dans le froid d'avril essayant de tremper ses doigts de pied en vacillant dans le bol lunaire. Et là encore, avec une femme sans amour, chaleureuse, égoïste et vivante, nous aurions jeté à la face de la lune le contenu chimérique et enfantin du grand bol et les nœuds atroces et les rengaines rayées, rainurées des passions se seraient dénoués, reversés au vide nocturne — mais ce vide nocturne, c'est la mort.

Après avoir balancé plusieurs jours, je me résolus à faire abattre, au fond du jardin potager, les deux longs demi-combles recouverts de tôle grise où mes sœurs branlaient leurs jeunes amants et s'échauffaient et aimaient. Longs appentis appuyés contre la muraille et dénués de murs. La tôle était rouillée. Un vieux tapis que l'on pendait entre deux poutres dérobait aux regards. De l'autre côté, l'ouverture avait été tant bien que mal aveuglée autrefois à l'aide de deux planches vertes qui avaient dû servir de table de ping-pong et qu'on avait dressées. Je n'aimais guère ce lieu, non seulement par la crainte que mes sœurs m'y surprennent puisqu'elles étaient accoutumées d'y prendre leur plaisir, mais aussi par le désappointement et la honte que j'avais ressentis en voyant mes quatre sœurs aînées soumises à des désirs semblables aux miens. Enfin je n'aimais guère ce lieu parce que debout, déculotté, le dos collé à la table de ping-pong j'y avais été tété pour la première fois par Eberhard, le fils du voisin, quincaillier, et que pour rien au monde je n'aurais voulu qu'on me surprît dans cette position, tant sans doute le plaisir que j'y avais pris avait été vif.

Il arrive quelquefois que nous déplorions l'absence d'un squelette externe telle la belle carapace de l'écrevisse. Il arrive plus souvent encore que nous regrettions de ne pas en avoir le goût. Fin avril, j'étais de retour à Paris. Fourbu, heureux de ce rachat de la propriété de Bergheim, malheureux de la minuscule grotte magdalénienne que constituait le studio rue de Varenne. Mais j'éprouvais ce fond d'un sentiment de bonheur : j'avais secouru mon enfance. Je n'avais pas vendu, après avoir haï. J'acceptais peu à peu de nouveau de baragouiner allemand, de rêver allemand. Cette paix fut sans durée.

Un matin de mai mon cœur battit de nouveau le rythme de la chamade. Vers six heures du matin j'avais marché dans Paris. Puis j'avais pris le train qui suit la berge de la Seine. J'avais remonté la rue de Bourgogne, acheté du pain, pris mon courrier. Il y avait une lettre dont l'encre bleu clair m'émut. Puis je reconnus l'écriture de Seinecé. Mon cœur battit. Je tenais la lettre entre les doigts. J'étais fatigué. Je n'avais pas l'envie de l'ouvrir. J'étais sale. Sa simple présence était bouleversante. Ce petit bout de papier blanc et tiède était très brûlant et lourd comme un morceau de plomb. Il fallait que mon cœur se calme. Que pouvait-il m'écrire ? Les hypothèses chevauchaient et se perdaient en tous sens. Je me dévêtis et pris une douche. Il me donnait rendez-vous à l'Etat-Major. Il m'enjoignait de quitter le territoire. Les grognards m'entouraient, je tenais une oreille, je disais adieu à Fontainebleau...

Je posai l'enveloppe sur la tablette de verre au-dessus du lavabo et je me rasai. L'enveloppe à la main, je m'habillai. L'enveloppe à la main j'entrai dans la cuisine. Je posai l'enveloppe au-dessus du réfrigérateur et préparai le déjeuner de neuf heures. La cuisine était silencieuse. J'avais les joues en sang.

Je voyais en songe des lettres imaginaires. Seinecé m'écrivait : « Mon cher Karl, je te pardonne, Florent », ou encore : « Mon cher Karl, j'ai vu Mademoiselle Aubier hier soir en rêve et elle te donnait son chapeau cloche et elle te bénissait. » J'écartais comme je pouvais ces idées sottes et importunes qui me traversaient l'esprit à la vitesse de l'éclair et aussi irrésistiblement que de minuscules foudres lancées par je ne sais quel Zeus interne. Je plaçai la lettre contre la paroi de mon verre. Je mangeai un reste de purée Crécy et de ragoût de veau. Enfin j'allai chercher dans la poche de ma veste le canif pailleté, vert et jaune, conservé de l'enfance, offert par Hiltrud pour mes huit ans. Pour ne pas abîmer l'enveloppe de cette relique future — inévitable —, repu, je suis passé dans la pièce centrale, je me suis assis dans le crapaud, j'ai allumé une cigarette et la curiosité assouvie pour une part de son avidité dans l'apaisement de la faim, je glissai lentement la lame du canif dans l'enveloppe. Je sortis la lettre. Je la dépliai.

« Mon cher Karl,
peux-tu prendre un verre lundi 9 au Pont, vers
sept heures du soir. Avec mon amitié,
Florent Seinecé. »

J'étais radieux. Une ou deux larmes humectaient l'œil. Notant ces pages, je prends conscience du nombre de fois où j'ai pleuré. Ma vie ressemble à un roman rédigé sous le roi George II. Mais les larmes sont si agréables. Les larmes m'apparaissent tout à coup comme un sperme qui tiendrait, si j'ose dire, le haut du pavé.

Le baron de Münchhausen se donne un coup de poing dans l'œil, voit mille chandelles qui lui servent à amorcer son fusil et à tuer cinq couples de canards. Il amoncelle du petit bois et des bûches. Il se donne un nouveau coup de poing dans l'œil, voit mille chandelles et allume le feu qui les rôtit. Je ressentais une joie que je ne pouvais ressentir — dont j'avais l'impression de ne plus posséder les instruments pour la ressentir. J'avais l'impression d'être âgé de trois ans et de devoir introduire une plume Sergent-Major dite La Baïonnette dans l'encolure métallique de mon gros porte-plume en bois grenat. Tenter la chose la plus impossible qui fût : prendre de l'encre sans tacher et écrire le mot bonheur sans dérailler entre les doubles lignes du cahier enfantin. C'est ainsi que m'apparaissait ce geste si simple : prendre le téléphone et lui répondre oui. Je me promenais quai Anatole-France. Je m'accoudais sur le parapet du pont. Du Pont-Royal je contemplais le Louvre, où il travaillait. La pierre était fraîche. C'était un mois de mai transparent et frais. Une péniche remontait le bras du fleuve. Puis je regardais l'eau. Je regardais en elle quelque chose de beaucoup plus ancien, de définitivement muet en regard de tous les bruits qui m'entouraient, et qui ravalait à néant les villes et les êtres.

Et de même que je contemplais l'eau éternellement ruisselante des fleuves, de même je songeais à l'amour que j'avais porté à cet être sans qu'il y eût de désir ou sans que celui-ci m'apparût. Je songeais à l'amour timide, réservé, tout à la fois glouton et rétif qui me portait vers le corps des femmes et qui avait abouti à leur présence intermittente — à la nostalgie fiévreuse de leur présence et à l'impatience où leur présence me plongeait. Un être palpitait au fond de tout cela même pas maternel, un être à peine sexué ou inexprimablement sexué, plus ancien que moi-même et auquel je m'échangeais et qui était comme interdit. Je songeais à Monsieur le Pasteur Hans Nortenwall et à la quatrième églogue de Virgile qu'il fallait savoir par cœur, les deux mains tendues en avant, les doigts tendus, avec l'accent germanique. Herr Pfarrer faisait réciter ces vers avec à la main un petit jonc pareil à un bâton de chef d'orchestre. A chaque erreur ou à chaque retard, il tapait. *Incipe, parve puer, risu cognoscere matrem...*

> *Celui à qui n'ont pas souri les lèvres de sa mère,*
> *Il ne s'assoira pas à la table du dieu,*
> *Il ne partagera pas le lit de la déesse.*

Je revins rue de Varenne. Je téléphonai. J'allai au Pont. Je le revis souvent. J'allais le chercher place du Louvre, le soir quand il sortait. Ou il me rejoignait chez Costeker, rue de Rivoli.

J'allai dîner chez eux le 27 mai. Pour les enfants j'achetai à prix d'or, avec beaucoup de difficulté — cela me prit deux jours — un escargot en pain d'épice de Dijon, une poule dorée, un saint Nicolas et un cochon souriant. Delphine, quand elle vivait à Prenois, adorait le pain d'épice de Dijon. Ce qui me fut le plus difficile, ce fut de mettre la main sur une cloche en vrai pain d'épice, en pain d'épice au seigle, celui de Reims et que mon père, par un vieux réflexe royaliste, mettait plus haut que Dieu même. J'apportai un pot de groseilles épépinées de Bar-le-Duc auquel j'avais joint un petit pot de confiture d'airelles de Louvesc. Au moins étais-je sûr que Seinecé les aimait. Je déteste autant recevoir que donner — et peut-être, pour être tout à fait franc, je déteste plus encore recevoir que donner — et c'est là l'un des traits que je trouve parmi les plus foncièrement laids de mon caractère. C'est même, je crois, un des travers les plus détestables, chez les êtres, et qui les juge. J'attends toujours que soit passé le Gabenbringer — et une fois l'ange donneur ou le père Noël ou le saint Nicolas éclipsés, j'entrouvre la porte, je vais voir la table et, de désespoir, je m'enfuis.

J'arrivai rue Guynemer assez ému. Une voiture automobile

alors que je traversais me fit tomber sur le trottoir. Je formai le vœu que les pots qui contenaient les groseilles épépinées et les airelles fussent aussi incassables qu'ils méritaient d'être. Je sonnai.

C'était un appartement d'une beauté qui ne se décrit pas et d'une richesse qui s'envie. C'était même un de ces appartements si délicieux qu'ils peuvent transformer l'envie en une haine que rien ne peut assouvir. Il faut noter que je sortais de mon appartement magdalénien. Un grand salon ovale, une vaste pièce de six fenêtres donnant rue Guynemer, sur le jardin du Luxembourg ; un petit salon dont les murs étaient couverts de toiles et de dessins extraordinaires. Il y avait par chance une cheminée de marbre stuqué laide — ce qui permettait qu'on les plaignît un peu d'habiter en compagnie de cela.

Seinecé était venu m'ouvrir. Au loin, dans le couloir, Madeleine vint vers moi, non sans gêne. La petite fille de treize ans aux ongles rognés et aux cuisses couvertes de bleus était méconnaissable. Grande, brusque, blonde, elle ne me regardait pas.

« Bonjour, Monsieur », dit-elle en regardant mes pieds ou le pas de la porte.

Je l'embrassai.

« Vous vous souvenez de moi ? » me demanda-t-elle.

Elle ne me regardait toujours pas. Le petit Charles, âgé de trois ans, s'accrochait à ses mains. Je l'embrassai.

« Vous buvez avant de passer à table ? Vous faites *corne-muse* ? » me demanda-t-elle.

Elle ne me regardait pas et paraissait enfiévrée.

« Madeleine, faites comme bon vous semble. »

Madeleine tourna enfin les yeux vers moi.

« Vous ne vous souvenez pas ? » dit-elle avec un air de reproche.

Dès sa plus petite enfance, elle avait été surnommée Meine et elle avait toujours exigé qu'on l'appelle de la sorte. J'eus l'impression de rater une marche, de connaître cette espèce de chanson, et d'en être las. On entendit un bébé crier au loin. Madeleine et son fils saisirent l'occasion aux cheveux et se précipitèrent. Dans l'entrée, dans l'enfilade des salons, accompagnée de son fils qui trottinait derrière elle, il me semblait qu'elle était un santon — l'ensemble une crèche. J'étais l'âne, ou une paille dans l'œil qui contemplait. Et une paille dont la poutre est ce livre.

« Voulez-vous venir », me dit-elle plus tard, alors que le maître d'hôtel était monté se coucher et qu'elle se proposait de confectionner une tasse de café. Elle me permit de découvrir la vaste cuisine de l'appartement. Du moins elle se tenait debout dans l'encadrement de la porte. Elle se retourna vers moi, plongeant son regard dans le mien, calmement, avec insistance. Elle avait des yeux noirs, impénétrables. Elle était grave.

« Florent, me dit-elle, a conçu pour vous, pendant des années, une amertume que vous n'imaginez pas. Une haine, une rage, une envie de vous écraser qui ont nourri sa carrière, une jalousie pleine de douleur à chacun de vos succès, et puis il s'est effondré.

— Comment l'entendez-vous ?

— Je ne le connaissais pas. Il a suivi une analyse dont je ne sais au juste si elle l'a apaisé ou si elle a accru son silence et son désarroi. Mais il s'est transformé.

— Oui, il s'est transformé.

— Il a mis quatre ans à se décider à m'épouser et, quand je l'ai eu épousé, il a cessé de parler de vous.

— Il a cessé de parler de moi.

— Mais sa vie est demeurée infectée.

— C'est très délicat de le dire de la sorte.

— Comprenez-moi. Il n'a cessé de se réfugier dans le travail, il continue de s'étourdir, de s'hébéter de travail, mais le travail l'ennuie de plus en plus...

— Il faut travailler davantage...

— L'autre jour, en voyant que vous étiez un homme comme les autres...

— Il est merveilleux s'il a pu imaginer qu'il en allait autrement. Ça, c'est un ami.

— Cela lui a fait un bien énorme.

— Oui ? Moi aussi, pour être franc. Franchement, Meine, qu'attendez-vous de moi ?

— Rien. »

C'était une chose vraiment miraculeuse que de découvrir que le réel est un continent aussi facilement abordable. Nous rentrions au salon, j'aidais Meine à porter le plateau. Florent revint de la chambre du petit Charles et de celle de Juliette où il était allé, rituellement, les contempler en train de dormir. Meine se plaignait qu'il ne cessât jamais de travailler, rabougrît chaque année davantage les vacances, regimbât devant le moindre voyage à l'étranger.

« C'est faux, dit Florent doucement en s'asseyant. Comme les enfants dorment ! Comme ils aiment les voyages ! »

Je me surpris à penser qu'en vieillissant Seinecé avait peu à peu la tête de Claudio Monteverdi. Je le lui soufflai.

« N'est-ce pas cela, vraiment voyager ? J'adore voyager, reprit-il en riant, et c'est à mon grand regret que je voyage si peu. Les agences de voyages proposent des lieux qui ne me tentent guère. Aussi je ne pars pas. J'ai terriblement envie de visiter Harappa, Ur, Monhenjo-daro, Troie aux temps où ces villes prospéraient ! »

Seinecé avait en effet vieilli. Il n'avait pas la tête d'un homme de trente-sept ans mais quinze ou vingt ans s'étaient comme incrustés dans son visage. L'œil était jeune et brillait mais sur le front, au nez, aux coins des lèvres, c'étaient des rides à la Rameau, à la Voltaire. Il avait aussi le visage grossi, bouffi et touchant que donnent les larmes. C'étaient l'âge, le tabac, le travail et l'alcool qui avaient veillé sur lui. Et moi, quel était mon visage ? Et pourtant c'est inchangés que revenaient les délires pédants, les mélopées infinies de

Seinecé. Sans que la chaleur de sa voix sût effacer les rides qui avaient creusé le visage, par-delà les cheveux blancs parmi les rares cheveux qui lui restaient aux tempes — c'était toujours une portion d'enfance à l'état pur. Nous parlâmes. Nous bûmes. Nous fumâmes. La nuit envahissait l'immense salon. Seinecé buvait plus que jadis. Il buvait le marc comme de l'eau. Je cherchais à comprendre l'attrait qu'il exerçait sur moi. Nous étions réunis et nous étions pourtant si étrangement silencieux. Nous n'étions pas heureux et nous n'étions pas malheureux. On entend dire que comprendre d'où vient le malheur peut aider. Mais d'une part la connaissance, si elle apporte du secours ou si elle délivre un peu plus de conscience, n'ôte jamais le mal qu'elle décrit ou qu'elle cherche à refléter avec le plus d'exactitude possible. D'autre part il est très difficile de comprendre d'où vient le malheur.

Le dîner avait été plus que symbolique — au point même que nous n'avions mangé que des rappels de souvenirs, que de l'emphase, que de pénibles soulignements. Je déteste si vivement les clins d'œil, comme font les cantatrices ou les vieilles stars à la moindre sottise qu'elles ont dite. Ce grand repas de retrouvailles était composé d'un cuissot de sanglier — de Forêt-Noire — et de griottes, de guignes et de guignolettes. Les griottes, expliquait Seinecé, venaient de Strasbourg, et leurs cerises de Colmar. Les guignes venaient directement de Bordeaux, leurs cerises ayant été cueillies aux alentours des terres de Montaigne. Les guignolettes provenaient de Clermont-Ferrand, sans que je puisse — quelque éléphantesque que soit ma mémoire, ou proche de celle des tortues de Chine — retrouver le nom des terres où les cerises avaient poussé.

Pour une fois qu'il m'était possible de faire le savant, je fis remarquer que c'était à mon saint patron, à mon maître, Monsieur le baron de Münchhausen, qu'on devait l'obligation de manger le gibier accompagné de cerises. L'obligeance naturelle du baron, en signe de reconnaissance à saint Hubert, l'avait même conduit à faire pousser un petit cerisier entre les bois d'un cerf des forêts de l'Estonie pour que du vivant même de l'animal la chair et le fruit s'accoutument au goût. Ce plat n'était pas si bon qu'on pouvait escompter. On n'insista pas. Nous parlâmes de la petite Juliette, de leur vie, de Charles, de moi. Je demandai à Madeleine de jouer après le dîner. Mais elle refusa. Elle m'expliqua qu'elle avait abandonné l'alto depuis longtemps. Je le lui reprochai un peu trop violemment — qu'elle avait gâché, massacré, qu'elle avait dégradé ce faisant des dons peu ordinaires. Après que Seinecé fut allé contempler les enfants abandonnés dans le sommeil (et que Madeleine Seinecé m'eut entretenu à la cuisine), alors qu'il m'offrait des violettes de sucre de Toulouse et tandis que je les refusais avec véhémence — bonbons que je méprise souverainement, petites fleurs chétives tombées dans l'encrier, qui font penser au lilas, à l'odeur atroce du lilas, et qui ornent habituellement les gâteaux au chocolat bouffireux, asséchants et infects —, tout à coup Seinecé parla de Mademoiselle.

« Tu te souviens de cette vieille femme de Saint-Germain chez qui je logeais et qui disait ingénument " Nom de Dieppe ! Nom de Dieppe ! " quand elle était en colère ?

— Mademoiselle Aubier ?

— Es-tu bien sûr qu'elle s'appelait ainsi ?

— J'en suis sûr.

— Quand tu es allé l'enterrer...

— Non. J'ai craint que tu n'y sois.

— Et moi je mourais de peur que tu n'y ailles... »

Mais je cessais de bien comprendre, de croire comprendre qui était devant moi. Jamais Mademoiselle Aubier n'avait dit : « Nom de Dieppe ! » Je cherchais à chasser cette remarque qui, je ne sais pourquoi, me donnait de la rage. Seinecé continuait :

« Elle avait un vieux prénom mérovingien. C'était comment ? Frédégonde ? Adélaïde ?...

— Clotilde.

— Tu crois ? »

Meine me servit une tasse de café. Ma nuit serait blanche mais de toute façon je n'aurais pas espéré qu'elle fût autre. Je rentrerais chez moi, dans mon petit pied-à-terre néolithique. Je prendrais un long bain, me raserais, m'habillerais et travaillerais et rêverais comme si c'était l'aube. Déjà je prêtais une oreille moins attentive à ce que Seinecé pouvait dire. Il mentait. Nous mentions tous. Je regardais le magnifique salon, un bois gravé de Grien, la cheminée monumentale d'un goût douteux et rouge.

« Tu te souviens quand Mademoiselle Aubier-Rosier chantait...

— Mademoiselle Aubier, articulais-je en m'irritant.

— ... quand elle chantait *Colin, ne vous étonnez pas si je chéris la treille...* " Et zon, zonzon, Lisette, ma Lisette... " »

Jamais Mademoiselle Aubier n'avait chanté *Colin* devant moi. Tout cela me paraissait irréel. Au surplus, je n'étais pas sûr que Seinecé embellît, s'il n'abîmait pas tout.

Nous parlions à voix basse. Madeleine fumait, un pied déjà dans le sommeil, en face de moi. Tout était dans une espèce de brouillard. Je songeais à la lumière d'alors, la lumière du passé. Je revis une journée des Rameaux, en 1963, où je voyais Mademoiselle pour la première fois, la lumière extraordinaire, presque liquide du printemps, l'éclat sur le petit sécateur doré entre ses doigts, les feuilles vernissées des rameaux de buis qu'elle rapportait à la maison, le son de sa voix — sous le vaste chapeau cloche en paille de Manille — et non seulement le son de sa voix dans l'air mais le son et l'éclat des breloques, des montres rondes, des médaillons, des clés qui pendaient — passant sous son corsage, ressortant au niveau de la jupe — sur son ventre. C'est une espèce de rage ou de ressort sans nom qui se remontait à la clé au fond de moi. L'éclat qui illumine un regard n'est ni dans le monde, ni dans le regard. Et j'en ignore la source. Plus encore que la lame d'un sécateur, une feuille verte de buis, une montre ronde, affluait une lumière étrange. Affluait la lumière qui est une perle à la pointe des aiguilles des pins du Wurtemberg, le soleil qui illuminait l'océan à Regnéville, l'éclat de la lumière qui enduit tout à coup le sein mis à nu pour la première fois d'une femme qu'on désire ou sa lèvre entrouverte. Toutes ces lueurs qui clignent dans l'univers émanent d'un même rayonnement obscur et plus lointain que le temps. Et plus lointain que la fragmentation d'un astre qui ne jette sa lumière — telle une bête blessée, telle Didon blessée, tel un petit miaulement —, qui ne jette d'éclat qu'autant qu'il a éternellement éclaté, qu'autant qu'il est déjà devenu temps, c'est-à-dire des années-lumière après qu'il est retombé dans le néant et qu'il n'existe plus dans aucune part de l'univers.

Il me semblait désespérant de nous entretenir d'un souvenir sans même en partager une mémoire à peu près semblable. Nous n'allions pas devenir comme ces héros des romans anglo-saxons qui passionnaient Cäci quand elle était adolescente, faits de cultes furtifs des morts ou de clubs de fantômes distingués, qui s'entretiennent auprès de l'âtre tout en cédant la place, à force de parler, à la présence envahissante d'un auteur non seulement mort mais dont on ne sait finalement, à force d'avoir accumulé des notes et des précisions érudites sur sa vie, à peu près plus rien du tout.

Il me semblait alors — alors que j'avais envie de me lever et de quitter Seinecé et sa femme — et il me semble toujours que les choses qui comptent le plus à nos yeux ne nous concernent pas. Elles gravitent autour d'un axe auquel nous n'ajoutons à la réflexion qu'une foi superstitieuse. Ce qui nous fascine s'associerait-il à nous-mêmes que nous le répudierions aussitôt. Ou bien nous nous sommes métamorphosés à tel point en ce qui nous fascine que nous sommes tout à fait incapables de mettre la main dessus. C'est de cette négligence ou plutôt de cette très sinueuse et hypersensible allergie à l'endroit de nos passions et de nos secrets qu'étaient faites nos vies, qu'était faite l'amitié. Cette amitié n'unissait rien, sinon des désirs d'amitié, mais qui tendaient les mains vers autre chose que l'amitié — et qui à vrai dire ne les tendaient si vivement que pour la repousser.

Seinecé frappa le fourneau de sa pipe dans le cendrier pour en faire tomber la cendre. Je sursautai. Je m'éveillais. Madeleine Seinecé masquait difficilement de sa main un grand bâillement. Combien mes sœurs m'avaient-elles confectionné de sifflets en tapotant à petits coups avec le manche du canif — un canif vert à paillettes d'or, en matière plastique translucide — sur des branchettes de lilas ou de saule ?

« Et tu te souviens... », disait Seinecé et je ne l'écoutais pas. Je poursuivais ma rêverie. Il semble parfois que nous passons notre vie à gratter, à déterrer des morceaux de vie que nous n'avons pas vécus jusqu'au bout. Ce tapotement du manche du canif tenait un peu du doigt impatient d'une personne qui toque et attend qu'une voix, à l'intérieur, lui réponde. Ainsi chaque souvenir, interminablement, attend l'écho qui le révélera à lui-même. Nos vies sont assujetties à de singulières symétries — comme les nageoires des poissons, comme nos yeux, comme nos bras, comme nos oreilles. Je tenais dans la main le canif vert. Je revoyais les saules sur la Jagst. Je revoyais la petite maison d'un seul étage du quai de la Tournelle. Je revoyais le cèdre bleu sur la Loire. J'ai tellement aimé le silence et la vaste et infinie lumière sur le bord des rives des rivières.

Toute rivière dit : « Je suis le Gange », ou : « Je suis le Jourdain » et émeut et sa vue plonge dans le médusement et le silence. L'eau qui chante, les vieux pêcheurs en vêtements sombres, afin de ne pas être perçus par leurs victimes, qui viennent là, partie pour se séparer de la famille, partie pour se séparer de la parole, partie pour se retrouver dans la nature comme un tronc, une herbe, une pierre. Et non point pour se retrouver eux-mêmes, comme ils s'échinent souvent à nous le faire croire à tort pour excuser leur passion. Parce qu'il n'y a rien à retrouver.

Les flotteurs à la pêche et leurs couleurs vives qui elles aussi brillent dans la lumière comme le manche vert du couteau, comme le bleu violacé et misérable des lilas, comme le tapotement de la pipe de Florent sur le cendrier de cristal — toutes circonstances ou gestes ou sons qui hèlent un souvenir, ce sont des figurines de liège naines, qui ne sont jamais exactement à l'image de la proie plus profonde, qui indiquent la prise, qui titubent au fil de l'eau. Les crises d'angoisse sont ces sortes de secousses qui indiquent qu'il y a quelque poisson, qu'il mord — que le passé attaque.

Ce sont de très atroces poissons parfois. Des tanches qui datent de Louis XIII, la chambre glaciale de l'hôtel du Vésinet donnant sur l'église Sainte-Pauline où nous nous retrouvions Ibelle et moi dans le froid mais surtout dans le bruit si brutal et si angoissant des pigeons atterrissant ou s'élevant du toit de zinc, des petites ablettes nées d'avant-hier, le nom même de Juliette, des suspensions Argan, des lampes Quinquet du quaternaire, des carpes, la religieuse de Marans avec une tête de François Ier rubiconde, sous la cornette, et qui métaphysiquait sur les légumes, les mères mortes, silencieuses, muettes précisément comme des carpes et soudain volumineuses, et hautes, et qui sidèrent et rendent aussi muets qu'elles. D'autres souvenirs se noient. Tendent les bras. Crient. S'enfoncent. Tous disparaîtront. De nous-mêmes rien ne surnagera. J'entendais chanter.

« Tu te rappelles ce timbre-là ? continuait Seinecé. Mademoiselle chantait tous ces vieux timbres de Laurent Durand : " Ah ! ne me flattez plus, vous voyez que j'expire... " »

Il chantait de façon appliquée. Quand vint le tour de « Rochers, vous êtes sourds, vous n'avez rien de tendre », je n'en pouvais plus. Je ne songeais plus qu'à partir. Il chantait assez bien. Il mettait en avant sa voix, chantait du ventre, montrait des connaissances musicales qu'il n'avait certes pas autrefois, comme s'il avait appris et récitait un cours dans le dessein de me plaire.

Les timbres de Laurent Durand sont des merveilles. Peu connues, c'étaient des merveilles à l'abri. Il suffisait qu'on les lise. Je me levai. Madeleine conçut de l'espoir. Mais Florent me fit rasseoir et me servit de nouveau du marc. Il me parla d'un livre qu'il était en train de composer sur les vierges allaitantes du XIVe siècle.

« Finalement, as-tu fait cette thèse sur les têtes de Méduse en terre cuite, trouvées je ne sais plus où, près de Beaune, près de Cahors, dans une caserne de pompiers...

— Non. C'était une caserne d'infanterie. Bien sûr, je l'ai menée à bien. Elle est parue en 70. Tu ne l'as pas ?

— Non. »

Je pris conscience que je n'avais pas cherché une seconde à connaître vraiment Seinecé, à fureter dans les librairies savantes, à acheter les articles, les revues esthétiques, ou archéologiques, les catalogues d'exposition qu'il avait rédigés. Il possédait la plupart de mes enregistrements — il avait courtoisement posé sur la table basse une biographie de Schütz. Les expositions qu'il avait organisées — dont il avait été, comme l'on dit en France, le commissaire — et dont j'avais vu l'annonce dans le journal ne m'avaient jamais attiré, mais elles n'avaient été, au contraire, que prétextes à souvenirs complaisants et ressassants, n'avaient servi qu'à me replier sur moi-même, comme autant de sujets de geindre. Il se leva brusquement et m'offrit un affreux livre quasi polyco-pié.

« Tiens, dit-il, voici mon dernier livre. »

Je le remerciai vivement. Ce polycopié était intitulé : *Clefs crucifères carolingiennes*.

« Merci, merci beaucoup » — et je rougissais, et je me confondais, ou du moins c'était ce qu'on appelle en français, je crois, rougir de gratitude et se confondre en remerciements. « Que fais-tu en ce moment ? lui demandais-je.

— Je travaille sur la plupart des maîtres de la figure rouge, en Grèce, le style sévère... »

Madeleine bâillait de plus belle. A force de bâiller, ses yeux pleuraient. Je me levai.

« Il faut que je parte, dis-je. Madeleine dort. Je suis resté trop tard. »

Seinecé m'accompagna à la porte de l'appartement. Nous empruntâmes le long couloir. Il ouvrit la porte d'entrée. Nous papotions. Il montrait du doigt le grand paillasson jaune paille devant la double porte, bordé de pourpre ou de grenat, et disait :

« Tu te souviens, Mademoiselle disait aussi, pour nous flatter, sans aucun doute, que nous, au moins, nous comptions au nombre des pieds qui sont dignes du paillasson ! »

Jamais Mademoiselle Aubier n'aurait dit pareille sottise. Tout, à l'égal des vieux timbres de Laurent Durand, était inventé. Ou bien j'avais moi-même tout inventé des souvenirs que je conservais de Saint-Germain-en-Laye, de Bormes, de Caen, de Coutances, du monde, de ma vie. Tout cela m'effarait. Je le remerciai vivement. Je l'embrassai en hâte. Je partis.

CHAPITRE VI

La route des Grandes Alpes

Malheur à l'homme qui se confie en l'homme!
Malheur à l'homme qui fait d'une chair son
appui!

Jérémie

Nous accommodâmes nos mémoires. Au moins nous le tentâmes. Il me semblait qu'il me connaissait par cœur. Je savais tout ce qu'il allait dire. Pourtant j'éprouvais à chaque fois du bonheur à le lui entendre dire. Et il semblait se satisfaire que je fusse si pauvre et si invariable. Je découvris ce nouveau monde. Rue Guynemer, son bureau, c'était presque le Hallwylska Museet à Stockholm. C'était une vaste pièce méticuleusement ordonnée, avec trois larges tables, des chaises austères, dures aux fesses, en bois plein, des murs blancs, des vitrines de bois rose ou blond, une profusion d'objets d'art — c'était le contraire de mon propre bureau, autrefois, quai de la Tournelle, qui me paraissait un lieu aussi sacré et aussi vétuste que Stonehenge, sans bureau, sans la moindre table, sans le plus petit guéridon, avec quelques fauteuils déposés en cercle entre de hautes piles de livres dressés, de tourniquets, de piles plus courtes de manuscrits, de revues, de thèses musicologiques, les murs tapissés de livres et de petites boîtes en bois rouge où étaient

291

rangées des centaines de petites liasses inégales. Mais à vrai dire c'est mon propre culte solaire qui me fait songer à Stonehenge — ce circuit des fauteuils et des piles de livres posées à même les tapis et que j'ai reconstitué sans le vouloir ici, à Bergheim, dans l'ancien salon de musique, fait plutôt penser aux restes de la mâchoire édentée d'un être géant, d'un brontosaure inattribuable. Ces piles, ce sont des fragments de molaires. Une mâchoire aux trois quarts circulaire. J'enviais le bureau de Seinecé. Mon propre bureau d'alors, dans le studio de la rue de Varenne, rachitique et touffu, maigre et désordonné, se serait apparenté plutôt — encore qu'il n'abritât pas à ma connaissance de linga royal — au grand temple d'Angkor Vat avec ses piles de disques, de livres, de partitions envahies par les ronces des chandails et des cravates, par les lianes d'archets et de pupitres, par les troncs rompus des violes posées à terre, par les grandes dépouilles flasques des housses toilées ou plastifiées qui les revêtent.

Ces grandes housses, ces dépouilles sont en effet d'immenses vêtements, à demi humains, à demi inhumains — d'immenses peaux de bêtes écorchées. Et il me semble aussi bien que ce lieu où j'écris, ce qui m'a poussé à transformer ici, à Bergheim, le salon de musique en bureau, au premier étage, se rattache peut-être à une même nudité secrète, à une même énergie ancienne houssée, protégée à l'étage. Plus encore, c'est dans le salon de musique — personne ne s'y risquait en dehors des heures où nous étions contraints de solfier, de chanter, de noter nos dictées musicales, de répéter Hamon, Czerny —, c'est entre le pupitre en bois vernissé, sombre, de ce brun qu'on appelle Van Dyck, et le grand piano, derrière le frêle abri d'une plante dont je ne saurais dire le nom — plus ou moins papyrus —, que je vis pour la première fois dans la paume de ma main les traces du désir, larmes âcres, peu à peu odorantes et blanches émises dans la peur, avec la brusquerie gauche de l'âge, et accompagnées d'un si petit sanglot qui est comme l'origine de la musique, d'un si mince et si modeste gémissement tel celui d'une souris qu'on écrase par mégarde en allant chercher à la cave des boulets d'anthracite, et dont la vision sanguinolente sur le sol fait après coup palpiter le cœur d'une sorte de dégoût hystérique. Je me croyais anormal, heureux, pécheur, malade — me décomposant peu à peu, cheveux tombant telles des gouttes d'eau à l'ultime ourlet d'un linge qui pend, membres tombant tout à coup comme des pétales de tulipe sur une table, ramassant ma main par terre comme Götz, ma tête comme saint Martin. Mon angoisse était vive. Je me voyais tel Albrecht Dürer atteint de syphilis me précipiter chez le droguiste pour acheter du bois de gaïac.

Je me pris de passion pour le petit Charles, âgé de trois ans. Il avait un visage délicieux, un gros visage encore de nourrisson, des joues de petit hamster qui craint de manquer et emmagasine les graines de tournesol pour l'hiver. Il était plus ou moins surnommé Chalacot. La petite Juliette ne titubait pas encore. Elle parlait un sabir volubile et énergique. Ils vieillirent. Je les vis vieillir. Juliette minuscule — c'est sans doute la plus belle femme que j'aie connue. Même parmi les femmes les plus glorieuses qu'aient célébrées les hommes — non comptées bien sûr Didon, reine de Carthage, Hélène de Troie et les demoiselles Tatin — je crois qu'il me faut donner la pomme d'or à la petite Juliette Seinecé âgée de quelques mois. Le petit Charles mit des années à perdre les joues de l'enfance. Il eut beau vieillir, passer de la craie à l'encre, de l'ardoise au cahier, des lignes réglées aux feuilles vides, il conserva ses joues d'écureuil. Je prenais la petite Juliette sur mes genoux. Je lui soufflais dans les cheveux. Je suçais ses oreilles.

« Que Dieu te garde », lui disais-je tout bas et j'ajoutais au fond de moi : « Pour moi et pour la joie du monde. »

Je découvris à Meine aussi une particularité étonnante. Elle

293

aimait les travaux d'aiguille — qui appartiennent pourtant à un autre millénaire — et surtout sifflait, en cousant, des sonneries militaires. Elle sifflait entre ses dents le *Régiment de Sambre-et-Meuse, En passant par la Lorraine, La Madelon* bien sûr, *Star Spangled Banner, Les Dragons de Louvois*... Je découvris plus tard qu'il s'agissait le plus souvent de requiems dans les moments gais et de marches militaires dans les moments sinistres.

Florent tenta — ainsi qu'il disait — la « rabiboche », la « rabobeline » avec Delphine. Delphine ne l'entendit pas de cette oreille et se refusa à me voir. Ibelle — qui vivait avenue La Bourdonnais, devenue très riche, qui jouait de temps à autre la comédie — souhaitait me revoir et Seinecé, préoc cupé par la passion presque exclusive qu'elle portait à l'alcool me poussait à la rencontrer. Je renâclais.

Ce n'est qu'en mai 1979, lorsque Delphine épousa Luc à Saint-Martin-en-Caux, que je revis Delphine. Isabelle, méprisant son futur gendre, refusa de venir — voyageait en Yougoslavie et sur la côte ouest du Péloponnèse. Pour mon compte j'avais refusé de coucher dans la maison de Saint-Martin. Madame « La Georgette » était morte. J'avais couché une nuit à Dieppe et puis j'avais été logé à dix kilomètres de Saint-Martin-en-Caux dans une vieille villa anglaise gothique. J'avais une petite couchette dans le salon, au premier étage. Le bow-window donnait l'impression de plonger dans l'océan. C'était l'automne. Le ciel était bas, les nuages gris, les vagues jaunes.

Delphine demeura réservée, brusque, sommaire, blessante. Elle tint à me dire qu'elle m'avait invité parce que son mari avait trouvé que ma présence en imposerait à quelques-uns de ses amis. Elle consentit à me présenter au petit-fils de Ponce Pilate : Pierre Ponce, fils de Pilotis — qui avait eu Pâli-Poilau pour sœur. Je crois que c'est à Saint-Martin-en-Caux que je vis Delphine offrir à ses jeunes frère et sœur, Charles et Juliette, un porte-plume d'ébène, un encrier-poirier en gros verre rosé — pour Charles — et à la sublime Juliette un œuf à chapelet en nacre où l'on mettait des pastilles. Ces objets avaient appartenu à Mademoiselle Aubier. Elle se tournait vers moi. Elle m'appelait « Monsieur » et je souffrais désagréablement. Elle me dit qu'elle avait quelque chose pour moi, depuis des années, mais qu'elle avait oublié de l'apporter ici.

Durant l'été 77 je rejoignis Seinecé dans une maison de campagne que Madeleine possédait en Bretagne, près de Préfailles, dans la baie de Bourgneuf. C'était plutôt une ferme basse et cossue. L'ensemble avait quelque chose, en outre, de curieusement japonais. Devant la maison une grande cour sans herbe, plantée de joncs ou de sureaux ou de bambous — une sorte de grande cour d'école primaire entourée de murs gros et gris qui me faisaient irrésistiblement songer au jardin de Regnéville. Un tas de sable dans un coin, vieux et blanc, à l'est de la cour, pour les enfants. La maison en schiste pour ainsi dire rouge, le toit d'ardoise nettement bleu sous la pluie. Le jardin de derrière était plus petit et herbu. Aucun mur ne le bornait, il donnait sur un champ plein de roches. Plus haut, après quelques toits d'ardoise ou de tôle et leur fumée — il faisait si froid, c'était août —, une grande mare, presque un petit étang, grise et même un peu jaune, et le reflet calme, totalement bouleversant et silencieux — silence dans lequel le plus souvent les reflets et leur modèle s'observent, un peu agressifs, en chien de faïence, prêts à bondir —, des pins bleus régulièrement plantés sur la rive.

Ce n'était pas exactement la forêt de Brocéliande — ou bien un concentré, un élixir énigmatique. La ferme quasi nippone, le reflet calme et totalement silencieux des pins — peut-être aurais-je été surpris s'ils s'étaient mis à parler ou à jouer du tambour —, un vol de sternes le bec et les pattes rouge sang, regagnant l'Afrique. Ce pays est si froid et si étrange. C'était la fin de l'été. Il pleuvait doucement. Seinecé trompait la pluie en multipliant les kilomètres en voiture pour retrouver les craquelins de Coutances ou de Saint-Malo dont je lui avais parlé — et des mégalithes plus vaniteux et qui sont peut-être dans le temps ce que les craquelins sont à mon souvenir. Craquelins qu'il ne trouva pas. Craquelins de Coutances avec du beurre salé qui sont dans ma mémoire le souvenir de la friabilité à l'état pur, qui sont le temps à l'état pur et la modestie des espoirs que le temps suscite et que nous pouvons former. Un matin Madeleine nous entraîna — Karl et Charles — pendant que Juliette dormait à poings fermés et en tenant de sporadiques et grands discours dans son sommeil, le long de la mer. Elle nous fit voir — pour moi c'était la première fois, non pour Charles qui avait l'air parfaitement accoutumé à cette fréquentation — un cormoran noir et vert sur un rocher, séchant ses plumes, déployant et agitant faiblement ses ailes. Elle nous montra, au loin, une compagnie de fous de Bassan immaculés plongeant, tombant comme des bombes. Meine racontait que les fous avaient la particularité de ne se saisir du poisson qu'en remontant — non en tombant dans l'océan. J'ignore si cette façon de chasser est exacte — plonger d'abord, remonter ensuite pour ne happer qu'enfin le petit hareng — mais, si cette particularité est vraie, alors tout souvenir est un hareng. Alors le temps à l'état pur est un craquelin introuvable. Alors, autant que je me souviens de ces étés, de ces jours, je suis et j'ai toujours été un fou de Bassan.

Je ne restai pas. J'avais froid. Je partis au bout de quatre jours. La plage me rend malheureux et vide. Le dernier jour il fit chaud pourtant mais je fus pris d'impatience. En grandes assemblées, sortant de l'hiver et de la pluie, ceux qui avaient loué des maisons et des appartements sur la côte pour les vacances descendaient en foule à la plage. L'air de mer rend les hommes hébétés. L'été sur la plage m'emplit de plaisir deux jours, de désarroi au bout de quatre jours, de stupidité profonde au terme d'une semaine. Manger, dormir, excréter et pisser, jouer, s'occuper les mains et les jambes, se coucher au soleil, se laver, se baigner, se sécher, concentrer le regard infiniment sur le corps de soi-même sapajou ou des autres petits voisins ouistitis s'épouillant, voir en clignant des yeux à cause de la violence de la lumière, sentir extrêmement (tout sent sur les bords de mer, et sent l'enfance jusqu'à la hantise et l'écœurement : cela sentait Coutances, l'odeur de chaussettes humides, de crevette pourrie, de vieille méduse, et d'ordure humaine), respirer ou du moins s'efforcer de respirer pour se soustraire à l'odeur régressive, songer creux et inlassablement, craindre la pluie, se protéger du froid, s'abriter du vent, et comme accessoirement parler, s'habiller, aimer, lire, se tenir debout, penser.

Animaux hébétés en qui je me reconnais tellement — qui m'offrent de moi-même une image si fidèle que je ne puis m'attendrir. Je m'enfuis. Je retrouvai Bergheim. J'enfonçai des clous. Je faisais déménager des meubles, faisais le taon — et hélas la mouche du coche — auprès des différents corps de métier. Un jour, sur la colline, j'eus peur. Je ne ressentais pas la joie que j'en attendais. Je voulais tout conserver, tout accumuler. Je conservais les amis comme la poussière même. La maison était aménagée, autant que je pouvais, le plus possible, de bric et de broc. Je déversais tous les greniers de la demeure et il y avait une certaine douceur à voir cette sorte de havre, de dépotoir à souvenirs, d'arche, de vaisseau funèbre remontant un petit Nil commun et éternel, les pièces pleines de vieux fauteuils, d'anciens divans et de tables plus ou moins d'aplomb, les murs couverts de vieilles toiles très pompier et d'aquarelles et de gravures. Hélas il n'y avait plus celles de Cozens ni de Girtin, qu'Elisabeth avait voulues. Je trouvais dans les greniers des malles pleines de gravures du XVIIIᵉ siècle ou du XIXe siècle que maman avait collectionnées, au même titre que les vases Empire de Nymphenbourg ou les porcelaines de Meissen qu'en février 1949, après son divorce, elle avait fait déménager. J'extirpai les gravures plus anciennes, anonymes, le plus souvent bibliques, au titre, en allemand, très oratoire : *David voit au bain la femme d'Urie le Hittite, Le roi de Babylone s'adressant au prophète Jérémie, Isaïe dénouant le sac qu'il a sur les reins pour obéir à la demande de Yahvé.*

Je fis descendre du grenier un salon victorien en acajou criard — jusqu'au rouge vif — et en palissandre que je ne connaissais pas. Pourtant un sourd malaise persistait. Une fois la maison des gardiens remise à neuf, Frau Geschich s'installa. Je pus lui laisser la garde de la propriété et le soin de surveiller les travaux. J'allai faire des pèlerinages. J'allai à Offenburg, à la Ullenburg, à Reuchen — là où Grimmelshausen avait écrit tous ses livres, là où il avait été maire, maire français nommé par les Fürstenberg de Strasbourg. J'allais autant que je pouvais à la Liederhalle de Stuttgart. J'allai deux fois au château de Solitude — qui n'est qu'à dix minutes du studio de Stuttgart (à vrai dire le vrai château de solitude est à une seconde de mon cœur). Je voulais retourner à Biberach mais tout à coup je n'en pus plus. Je confiai la maison aux mains de Frau Geschich. Je voulus revoir la Lev. Je l'appelai à Stockholm.

Je suis un peu apprécié en Suède. Je décidai de profiter d'un enregistrement à la télévision suédoise, en studio, pour rester dix jours sur la lac Mälar, ou sur la Baltique, auprès de Nadejda. Je dépensai mes couronnes sur place — si je puis dire, comme royalement, sur le prétexte d'une cure de phosphore — à dévorer du poisson à Ulriksdals Wardhus. Nadejda me quitta au bout de deux jours. Nous étions devenus si indifférents ; tendres et muets ; moins sensuels que fastidieux.

Ma vie changea. J'acceptai que la moitié de mon temps fût consacrée aux tournées. Je découvris Chicago, Toronto, le lac Ontario, Ottawa, Seattle, Vancouver. Je découvris l'Australie : je jouai à Sydney et à Canberra. La viole de gambe semble fasciner les Japonais. J'allai quatre fois à Tokyo, à Kyoto, à Kobé. Moi-même je fus fasciné par leur grâce et leur terreur. Je les entendais m'écouter — et je commençais alors à apprendre les rudiments de la musique.

Les conditions que je posais étaient strictes et dissuasives. Manies, avarice, vanité se mêlaient. Il fallait que je sois payé cher, sans doute afin qu'on m'entendît avec plus d'attention. Pas d'hôtel, pour pouvoir répéter sur place, mais, hébergé dans la ville même où je dois jouer, dans deux chambres dont je puisse disposer dans quelque maison que ce soit où l'on veuille bien m'accueillir — et non en appartement — afin qu'il me soit aisé de m'exercer. Pas d'enregistrement ni de diffusion autres que ceux de mes disques — tous réalisés en studio selon des techniques acoustiques scrupuleuses et, à certains égards, peut-être pathologiques.

Un soir de mai 1978, sortant de l'école de musique, je croisai rue de Verneuil Jeanne — une ancienne amie avec qui j'avais enregistré huit ans plus tôt — qui revenait de donner des leçons de violon. Je ne l'avais pas revue depuis plusieurs années. Nous nous embrassâmes. Elle avait merveilleusement vieilli. Elle portait un long manteau de drap, à la main une pochette de musique roulée. C'était un Cranach ou plutôt — la tête douloureuse — l'œil lui-même contorsionné de la Marie-Madeleine de Van der Weyden, sa taille étroite, ses seins forts et comprimés, l'œil tragique et bleu. Mais ses cheveux étaient noirs.

Je lui demandai comment elle allait, si elle était heureuse. Elle habitait rue du Marché-Saint-Honoré. Elle paraissait pressée. J'allais voir Costeker, c'était sur mon chemin et nous marchâmes d'un bon pas de conserve. Nous traversâmes la Seine puis les Tuileries, le ciel était sombre et plein de nuages, le fleuve et le jardin et le ciel et le soir étaient beaux et je ralentissais le pas. Je lui en demandais pardon car je la savais pressée et accélérais de nouveau le pas pour qu'elle ne connût pas par ma faute de retard. Elle était en effet pressée, me dit-elle, encore que personne ne l'attendît. Je dus jeter sur elle un regard déconcerté — je l'avais connue mariée, mère d'un petit garçon nommé François.

« Votre fils n'est pas...

— Le temps est beau, n'est-ce pas, me répondit-elle en hâte, malgré ces nuages ? »

Elle frissonnait.

« Etes-vous retourné en Allemagne ? me demanda-t-elle.

— Le Wurtemberg n'est pas l'Allemagne... », murmurai-je.

Et j'étais moi-même frappé, en prononçant ces mots, à quel point j'imitais mon père, jusqu'à l'intonation. Nous arrivâmes à sa porte.

« C'est là », me dit-elle en mettant sa main sur mon bras.

Je lui disais combien j'étais heureux de l'avoir revue et c'était vrai.

« Voulez-vous monter ? » me demanda-t-elle.

Pris de court je balbutiai que je la croyais pressée et que j'aurais scrupule à prendre davantage de son temps.

« C'est la faim qui me presse, dit-elle en riant. Je n'ai pas mangé depuis ce matin.

— Oh ! Jeanne, m'écriai-je. Tout ce qui se dévore me passionne. »

J'achetai sur la place du marché Saint-Honoré une provision de mille-feuilles.

Nous mangeâmes un reste de ris de veau et une purée de carottes. Mes sœurs m'ont toujours plaisanté sur cette mémoire biscornue, monstrueuse que j'ai essentiellement pour ce que j'ai mangé. Le plus lointain banquet d'enfance — j'en sais la date, la couleur du jour et le menu. Cäci avec mépris prétendait que c'était la mémoire d'un ventre. Je ne le crois pas : c'est la mémoire des yeux, des mâchoires, du nez, des oreilles. C'est ainsi qu'assis sur des tabourets, dans la cuisine, nous mangeâmes les restes d'un ris de veau, nous mangeâmes des mille-feuilles, nous mangeâmes des éclairs. Elle se donna à moi si violemment et avec une hardiesse qui m'éblouit. Elle me parla du départ brusqué de son mari pour la Californie — exigeant le divorce en tempêtant au téléphone, en quelques jours, faisant toutes concessions, épousant une jeune et robuste héritière. Et son fils venant la trouver dans sa chambre, s'asseyant sur le lit, levant les yeux vers elle et lui exposant qu'il désirait partir chez son père. Je lui parlai de ma sœur Cäcilia, qui habitait Glendale, dans la banlieue de Los Angeles et qui pourrait peut-être le voir. Cäci avait une fille, Laura, de l'âge de François — onze ou douze ans — et qui saurait peut-être l'inciter à écrire.

Jeanne se mit sur le ventre, s'approchait davantage de moi, prenait son menton dans ses paumes, approchait ses lèvres de ma bouche.

« Maintenant que vous connaissez mon corps et ma vie et ce lieu », me disait-elle en me montrant dans un grand geste circulaire le petit salon, la fausse salamandre électrique qui fonctionnait devant l'âtre, les chambres plus loin, « et le violon plus ou moins mis au rancart, et ma solitude, et le peu d'avenir qui point à l'horizon, vous n'avez pas déjà un peu de lassitude ?

— Je n'aime pas ces questions, murmurais-je. Je les déteste même. Des inquiétudes aussi précoces ont toujours un peu l'allure de désirs.

— Ne renversez pas toujours les phrases qu'on vous dit », reprenait-elle et elle se blottissait contre moi, « parlez-moi franchement, Karl. Je suis comme les enfants, j'ai le désir de comprendre, de savoir à quoi m'en tenir.

— Vous n'avez pas le désir de comprendre. Vous avez le désir de croire.

— Oui.

— Eh bien vous connaissez par cœur la réponse, Jeanne, et moi, hélas, je la connais autant que vous la connaissez. Cela dure autant que cela dure. Et cela durera autant que vous croirez, autant que je croirai.

— Ce n'est pas une réponse.

— Pour que vous ayez fait aussi vite le tour de moi — cela se calcule en centimètres — il faut que vous craigniez que je ne l'aie fait de vous. Et puis à force de recevoir des seaux d'eau sur la tête il faut croire que nous avons l'un comme l'autre le cheveu définitivement humide. »

Le téléphone sonna. Elle alla répondre. Le crépuscule, la nuit était là. Je regardais le grand salon assombri qui m'entourait, une dizaine de boîtes de violon rangées contre le mur, le piano à queue des leçons, les murs couverts de cartes postales et de portraits de musiciens encadrés de joncs de toutes les couleurs, la table basse très laide — de verre blanc, aux montants dorés — sur laquelle était posée une théière en fonte noire glacée. Je ressentis alors quelle empreinte marquait ma vie. Nous répétons sans fin de vieilles traces en nous, errons sans fin vers elles animés du même désir fou qui habite le destin implacable des saumons qui tâtent des eaux de tous les fleuves, de tous les océans pour retrouver enfin l'eau fraîche où ils sont nés, où y pondre en une brusque secousse une réplique d'eux-mêmes, et mourir. Alors, comme je repoussais de la main la théière de fonte si froide, sur la table, c'est un désir de bière épaisse qui montait en moi, épaisse et très amère, plus amère que le thé le plus noir et le plus froid, pelliculé de motifs brillants d'une sorte de cuivre. Sans cesse l'amertume m'appelle. Jeanne revint et se tint devant moi. « Autant être franche, Karl. Si nous vivions ensemble ? » Je passai la nuit chez elle et nous avons vécu ensemble, autant qu'il était possible.

Jeanne avait simplement tourné la tête. Elle m'avait regardé. Je m'étais levé. Je m'étais approché d'elle. Elle avait tendu sa tête vers moi. J'avais posé mes lèvres sur ses lèvres et j'avais frissonné. Elle m'attira vers elle et je sentis la chaleur de ses seins et les battements de son cœur. On n'aime qu'une fois. Et la seule fois où l'on aime, on l'ignore puisqu'on la découvre. Et cette première fois, c'est dans l'extrême enfance et dans la chétiveté de nos moyens. Et si cette fois est malheureuse, toutes les fois sont malheureuses. Reste la volupté, qui répare un peu.

Le corps de Jeanne, quelque âge qu'elle eût — qui était le mien —, était très nerveux, maigre, sensuel, les seins longs, avide, tourmenté. En 1972 j'ai donné un concert à l'abbaye de Dorchester — où il y avait sept pelés et dix-huit tondus. L'abbaye contient le célèbre gisant de Holcombe, qui est mort lors de la troisième croisade et qui cherche à dégainer son épée. C'était ce corps crispé dans le désir.

Je vécus durant de nombreuses semaines dans un état de félicité et de douceur et d'excitation et d'évidence et de luminosité que je n'avais jamais connues si longtemps. J'avais de l'affection pour ce vieil appartement rue du Marché-Saint-Honoré, pour le quartier même. La ridicule fausse salamandre, dans le salon, avec ses boulets rouges derrière le mica, ne m'était nullement antipathique et jetait sur son corps une lueur rose. Cranach, Van der Weyden, ce n'étaient pas des visages que je voudrais désigner au travers de ces noms, mais une couleur. L'âge avait peut-être usé la peau, flétri doucement le cou ou les seins, mais avait nettoyé et comme accru cette légère couleur rose, presque de porcelaine très fine, très transparente — ou plutôt j'ai toujours imaginé à ces corps une sensualité qu'ils n'avaient peut-être pas, une violence, une impudeur très vives, qui pourtant demeurent puritaines. « La couleur rose », semblait dire ce corps maigre, où perçait l'empreinte des côtes quand, nue, elle marchait vers moi dans le salon, « la couleur rose, tel est le linge de mon corps ! » Je pensais au salon rose de la maison de Saint-Germain-en-Laye, autrefois, et je ressentais une espèce de gêne.

Un soir Jeanne voulut à tout prix m'emmener à un spectacle Rimbaud dans l'église de Saint-Louis-en-l'Ile où un de ses amis — Amiens — assurait au violon l'arrière-fond musical et les intermèdes des lectures. Amiens ne semblait pas pourtant être aux abois. Tous les êtres sont si mystérieux. J'ai vu depuis des toiles de Vermeer de Delft servir de réclame à une marque de camembert. Jeanne aimait Rimbaud. L'église était incroyablement froide. C'était la fin septembre. On n'avait pas songé à chauffer. Nous gagnâmes nos places sous une lumière blafarde — des chaises paillées étroites et rigides, à côté du ministre de la Culture. Amiens, plus loin, jouait une sarabande de Bach. Une forme féminine bougea sur une sorte d'estrade qui grinçait à contretemps. Je réprimai la naissance d'un fou rire. La forme — couverte d'une toge de professeur de l'Université d'Oxford — se hissa et fit des gesticulations avec une lenteur pathétique. Le silence se fit. Un rayon de lumière se porta et s'accrut peu à peu sur la récitante. La voix était emphatique, rauque, comme rayée. Je me sentis mal. Une sorte de suée me venait au front et sur le ventre — et pourtant il faisait un froid à entraver sur le fleuve les pattes des canards. Je sentais dans le malaise qui m'envahissait quelque chose de très proche de moi et quelque chose que j'avais égaré, quelque chose de très lointain et qui pourtant « brûlait » — ainsi que les tout petits enfants disent au jeu de cache-tampon. La voix se fit tout à coup plus naturelle et plus plaintive, la comédienne mondaine habillée en professeur d'Oxford mordit sa lèvre supérieure : c'était Isabelle. Elle avait le nez rouge. C'était hallucinant. Sa voix se cassait tout à coup. Son visage était empâté, elle était toujours aussi longue, aussi droite, aussi morgueuse, je pris le bras de Jeanne et chuchotai, la bouche sèche :

« Ça ne va pas. Ça ne va pas du tout. »

La lumière s'était éteinte, Amiens avait repris le violon.

« Ça ne va pas. Je sens que je vais m'évanouir », dis-je en essayant de me lever, en essayant de sortir de la travée. Je m'affalai par terre.

On me giflait. J'ouvris les yeux : Jeanne me giflait. Isabelle était penchée au-dessus de moi. « Isabelle ! », j'avais envie de me lever. Amiens me tenait par les épaules. « C'est le gambiste ! » expliquait-on au ministre qui prenait un air plein de compassion. Ibelle cligna les yeux, me sourit, s'enfuit. J'appris par la suite qu'en tombant j'avais entraîné dans ma chute toute une rangée de chaises retenues par une barre de bois et arraché le fil de la sonorisation. Il y avait eu un court-circuit et, faute de pouvoir continuer, Amiens et Isabelle — la récitante, la femme du monde, l'entogée — étaient accourus.

Nous ne nous revîmes pas aussitôt : je partis pour une longue tournée de concerts durant deux mois. A mon retour, en janvier 79, c'est par le biais d'Amiens que nous nous revîmes. Nous nous donnâmes rendez-vous au café Dragon, un matin très tôt.

Je poussai la porte. L'odeur de gruyère passé au four me souleva le cœur. Je vis, au plus loin, face à la porte, un imperméable anglais, beige, qui faisait des gestes. C'était un vieux Burberry's d'homme, les manches retroussées. Plus ou moins mon cœur s'arrêta. C'était très étrange. Elle était à quarante ou à cinquante pas de moi et je la reconnaissais difficilement ; mais ce n'était pas la faculté de la reconnaître ou non, ni plus ou moins facilement qui me bouleversait, je retrouvais une impression de familiarité indicible, un regard qui m'était plus proche que tout — et cette aimantation, cette intimité, ce corps ou plutôt ce visage qui me tirait à lui, ces sensations furent si violentes, si impérieuses qu'il me fallut vaincre une folle envie de m'enfuir à toutes jambes pour parvenir jusqu'à elle.

Elle était assise sur la banquette. Elle avait un verre de whisky dans les mains — elle joignait les mains sur ce verre. Je pris une chaise au-devant d'elle. Je la regardai. Elle était pâle. Nous ne dîmes rien. Ce fut quand nous perçûmes à nouveau le brouhaha qui régnait dans le café que nous parlâmes. Ce qu'elle avait fait, ce qu'elle était, ce que j'avais fait, ce que j'étais.

Elle était de plus en plus pâle. Elle avait pris trois whiskys.

« Peut-on sortir ? » demanda-t-elle tout à coup.

Nous nous levâmes. Elle sortit vivement pendant que je payais le café et les trois verres de whisky et la part de tarte aux ananas que j'avais commandée — je ne sais comment j'avais eu la présence d'esprit en arrivant d'entr'apercevoir près du comptoir une tarte maison aux ananas qui m'avait tenté — et à laquelle je n'avais pas encore touché.

« Tu as prodigieusement vieilli ! » me dit-elle quand je la retrouvai sur le boulevard Saint-Germain. « Cheveux poivre, cheveux sel, rides, calvitie, tout le tintouin ! »

Elle avait l'air satisfaite de ce vieillissement. C'était un mois de janvier tiède, qui avait tous les traits de l'automne. Un faible soleil rayonnait. Je lui proposai d'aller nous asseoir dans le petit square triste et minable situé à l'angle de la rue de l'Abbaye.

« Je ne pensais pas que je te reverrais jamais, dit-elle, et je n'en étais pas heureuse ! »

Je lui pris le bras. Nous traversâmes. Dans le square nous nous assîmes sur un banc.

« Je vais tomber dans les pommes, dit-elle. J'ai trop chaud. »

Il devait faire une dizaine de degrés Celsius.

« Viens », lui dis-je.

Et je l'entraînai dans l'église Saint-Germain. J'ai déjà expérimenté sur moi-même que le tombeau des rois mérovingiens faisait systématiquement tomber la tension de deux à trois points.

Il faisait froid dans l'église et j'avais perdu le souvenir qu'elle m'arrivait à la hauteur des seins ; elle cassait la nuque ; elle tendait la main vers moi et me caressait les cheveux.

« Karl, tu es vieux », répétait-elle avec une délicatesse dont je ne suis pas persuadé que je la trouvais excessive.

J'étais très ému, une odeur de poussière et une odeur divine — c'est-à-dire fade, une odeur d'encens fade — baignait la nef. Il y avait du désir dans ces gestes. Ces doigts, ce regard me désiraient encore ou plutôt je les désirais encore, si transformés qu'ils fussent, si altérés.

« Toi aussi, tu es vieille, lui chuchotais-je dans l'oreille en riant. Tu es en quelque sorte ravagée... »

Et je la pressais contre moi.

« Saligaud, me dit-elle.

— Roulure », rétorquai-je.

Nous riions. Nous rîmes. Nous nous étreignîmes quelque temps dans l'ombre. L'aurais-je voulu, je n'aurais pu nier mon désir.

« Viens », dit-elle.

Et nous allâmes chez elle. Elle était divorcée de Jean. Elle était propriétaire d'un très bel appartement avenue La Bourdonnais. Son troisième divorce lui avait assuré une véritable fortune en échange de laquelle Isabelle avait été contrainte de laisser à Jean la garde de ses deux enfants — et elle en souffrait. En tout, elle avait eu cinq enfants et elle vivait seule. Seinecé avait raison : elle buvait extrêmement. Elle avait bu trois ou quatre verres de whisky et il était neuf heures du matin. Sa bouche puait l'alcool. Elle était demeurée belle, toujours aussi droite et raide, un peu plus grasse. Ses yeux avaient conservé toute leur violence.

« Je ne supporte pas de dépendre à la tire-haricot d'un homme, disait-elle avec une bouche pâteuse. Les hommes ont des buts immanquablement comiques. »

J'abondais dans son sens et j'acceptais volontiers que les femmes eussent des buts en tout point admirables, pour peu qu'on ne me demandât pas quels ils étaient.

Nous nous aimâmes doucement quoique, pour être tout à fait sincère, soit demeurée fichée en moi une sorte de gêne, peut-être due à l'heure, ou à l'odeur de whisky, ou au souvenir, imperceptible censure à laquelle Ibelle me sembla être aussi, à certains moments, sujette. Nous n'aurions jamais su nous aimer. Nous serons toujours restés l'un devant l'autre comme des adolescents qu'empotent le désir, la peur et l'ignorance. Alors que l'âge sur les bois, les pierres, les monuments, les toiles, les violes de gambe, procure une espèce de profondeur, de gravité et de patine — et qui ajoute à leur conservation la beauté de la durée et une plus ou moins médusante valeur que l'avenir sans cesse accroît —, il laisse sur les corps des hommes quelque chose qui fait horreur, et qui est à peu près le contraire de la conservation. Nul ne peut trouver d'attrait à la lente et profuse et généreuse progression de ce qui le dégrade et dont tout ne cesse de remettre devant les yeux le caractère irréparable et mortel. Le désir se porte plus difficilement sur ce visage que le néant mordille, lèche, évide — une détresse qui tend les bras. On tient entre ses bras quelque chose que sa disparition avale. La caresse est encore possible, non exactement le désir. L'impudeur et la connaissance que donnent l'âge et l'habitude permettent parfois de pallier la déficience du désir mais on ne peut toujours se morigéner et exiger de soi que la mort soit un attrait. Restaient ses yeux, l'incroyable enfance têtue, farouche de ses yeux. Ses yeux immenses non pas rapetissés, mais plus ou moins, sinon agrandis, avachis, encadrés de rides minuscules et vivantes, mouvantes, allègres qui les agrandissaient, les paupières lourdes, les joues plus épaisses et duveteuses, la voix cassée — ce chat dans la gorge que l'alcool avait éraillé un peu peut-être, un chat de gouttière, un chat de mère Michel. Ses yeux brillaient dans l'ombre. Nous ne nous étreignions pas. Nous nous caressions. J'avais les lèvres sur ses cheveux. Isabelle me tambourinait le dos avec ses poings :

« Ah mon vieux ! Ah mon vieux ! Mon vieux de la vieille ! » disait-elle avec vigueur quoique, à mon gré, elle eût pu témoigner de plus de miséricorde.

J'avais l'impression d'être un enfant, dans l'école de Bergheim, d'être à l'infirmerie et de passer la visite médicale. Elle me trouvait grandi : simplement je ne m'étais pas tassé. J'avais blanchi. J'avais grossi et je mettais de l'application à ne pas céder un centimètre sur mon mètre quatre-vingt-deux. J'aurais voulu être gentil, sage, paternel — le père d'un enfant qu'elle m'eût donné, puisqu'elle avait enfanté cinq fois. Elle avait conservé quelque chose de juvénile, je ne saurais dire où, sans que je veuille être blessant, peut-être dans la posture, dans la façon de s'asseoir, de laisser tomber par terre ses souliers, de glisser une jambe sous ses fesses, de fumer sans trêve.

J'évoquai la mort de Mademoiselle Aubier. C'est moi qui lui appris qu'aucun d'entre nous n'avait assisté à son enterrement, dans la crainte que l'autre ne fût présent. Isabelle n'avait jamais revu Denis. Seuls Seinecé et Delphine l'avaient revu. Delphine le revoyait encore. Il lui avait donné Ponce et elle ne l'oublierait jamais. Le convoi funèbre n'avait été suivi que par trois personnes, comme si elle n'avait compté pour rien aux yeux de ceux qui l'avaient connue. Denis Aubier avait été seul, entouré d'une cousine âgée et de Louise Valasse. Ibelle m'apprit alors qu'elle avait aimé André Valasse et qu'avant qu'elle se fût donnée à moi elle avait été sa maîtresse. La beauté de Didon ne s'abîma pas dans mon souvenir mais celui-ci recula — comme d'une centaine de kilomètres — tout à coup dans le lointain. Elle avait toujours eu, me dit-elle, la « curiosité inassouvie ». Elle remit sa robe. « Sans cesse, disait-elle, je cherche à plaire, je vais, je vais. Ma curiosité n'est jamais apaisée parce que je ne découvre rien de neuf et je pédale interminablement dans la semoule de choucroute ! » L'acidité si importune de la choucroute me revenait aux lèvres. En quoi différais-je d'elle ? Nos vies au bout du compte étaient comme jumelles et mon ventre se serrait. Et quoi d'étonnant, continuait-elle, à ce qu'elle ne découvrît rien de bien neuf sur des corps, de quelque sexe qu'ils soient, dont la disposition, le ridicule, le glabre et le velu sont millénaires ? « Et pourtant cycliquement, Karl, je suis persuadée que derrière ce regard, que sous cette pièce d'étoffe, quelque chose de neuf m'attend. »

Je m'habillai moi-même. Nous bûmes. Elle évoqua le petit cabanon de Bormes, Saint-Martin-en-Caux, la falaise, la Durdent, la crique, Madame La Georgette et sa mort — au cinéma, dans la salle paroissiale de Saint-Martin, tombée entre deux rangées de fauteuils. Le plus beau souvenir qu'elle eût conservé de moi, me disait Ibelle, c'était à la campagne, près de Prenois, au début du printemps. Je n'étais jamais allé à Prenois, ni à Dijon. C'était à la fin de l'après-midi. Le petit ruisseau, le vieux lavoir humide sur un minuscule affluent de l'Ouche. Nous avions fait l'amour debout, dans le froid. Sans nous dévêtir beaucoup plus qu'il n'était nécessaire. Puis je cueillais pour elle un bouquet de jonquilles que je lui tendais tout à coup, dans le froid, et, soudain, le bouquet et mon visage brillaient au soleil.

« C'est vraiment mon visage que tu vois ? » lui demandai-je.

Avinée, elle prit cette remarque pour une insulte. Elle haussa le ton. Je n'étais même pas blessé que le plus beau souvenir qu'elle eût conservé de moi ne fût pas moi. Il me semblait que je l'avais toujours su. Elle poursuivait. Nous longions le petit ruisseau. Nous marchions dans la campagne. Subitement un coup de feu détonait ; une tourterelle tombait lentement près d'elle, sur la terre retournée du champ. Elle la ramassait et ses doigts s'engluaient dans les plumes humides. Elle sentait le sang et sa tiédeur. Elle entend encore les cris des enfants qui arrivaient dans sa direction. Une goutte est tombée sur sa jupe et elle était contrainte de me redonner le bouquet de jonquilles pour tenter de nettoyer sa jupe. « Comme les souvenirs sont étranges ! me disais-je. Ce n'est point qu'ils ne se recoupent pas : ils sont sans matière. Nous ne vivons pas ensemble, ni la même chose, ni dans le même temps, ni dans le même monde. »

Je ne cherchai pas à revoir Ibelle. Je m'éloignai quelque temps de Jeanne sans que j'eusse le goût de rejoindre Bergheim. Le lieu, l'hiver, les travaux m'effrayaient.

Je ressens souvent de brusques appels de solitude, comme ceux d'une mère aimante et douce — encore que parler de cette façon équivaille à évoquer sans doute un soleil noir ou un fleuve sans eau. La vie un peu mondaine ou amoureuse a quelque chose de délicieux par les brusques appétits paniques de solitude qu'elle engendre à l'improviste. C'est l'envie de se retrouver, de se retrouver seul, de faire des gestes sans témoin. C'est l'envie de relâcher les traits, d'ôter son visage.

A vrai dire c'est simplement l'envie de prendre un bain, de grignoter, de se couper les ongles. C'est l'envie de se laver le cœur dans le silence. Laver la lassitude. On appelait ermites des êtres qui se retiraient du monde et s'esseulaient dans des déserts et mangeaient des noix sèches et des feuilles de chardon. J'appellerai ermitage les baignoires, la tête vide d'un homme enfin seul qui se chuchote à lui-même en silence sa paresse et s'adonne en se savonnant à des tout petits plaisirs de vieux bébé.

Aux premiers mois j'avais songé à me marier avec Jeanne. L'inclination que l'on suit sans angoisse, la concupiscence qui sans embarras nous porte à ce qu'elle aime, c'est plus doux que le miel le plus doux — même étalé sur une feuille de chardon. Mais la bouche s'était accoutumée. Jeanne avait été ce miel. Costeker me poussait au mariage :

« Ayez donc pitié de vous ! Ayez pitié de vous ! »

Cela avait quelque chose d'incurable. On ne guérit peut-être pas de l'idée de bonheur ou de celle d'amour. Mais tout en moi prenait peur et se révoltait à l'idée de consentir à une telle dépendance — et c'était comme s'il me fallait protéger autour de moi un abandon imaginaire et éternel. Lors des voyages et des concerts organisés par Mademoiselle Ribé, j'aimais aimer. Qu'est-ce qui nous excite ? La vue du sang ? La peur ? La saleté ? La joie ? L'obscur ? Ce que nous ne sommes pas ? Un corps ? Le vide qui nous en sépare ? Je parierais plutôt pour le vide qui nous en sépare.

« Saccus ster-co-ris ! » disait la Bible — ou plutôt martelait Hans Nortenwall en lisant la Bible. Vieux livre doré à la couverture de cuir déchirée — Biblia Sacra en lettres d'or — où j'étais censé apprendre les rudiments de latin. Je revoyais le visage du pasteur. Nous désirons étreindre un sac d'excréments. C'est tout notre trésor.

On oublie de façon très étrange la plupart des gestes de l'amour. De milliers d'étreintes on ne se souvient que de très peu de choses, et de choses qui sont elles-mêmes fortuites et qui ne présentent pas d'éclat particulier. Pourquoi le plaisir ne laisse-t-il pas en nous plus de traces ? Il reste quelques mots, rarement une posture, le plus souvent un détail dont nous ne tirons aucune gloire, une couleur, rarement un mot. Même pas l'ombre du vestige d'une exultation. La joie, la satisfaction est si muette, si bête, si repue. Les succès, les épanchements, la douceur, la confiance sont peut-être ce qui est le plus vite oublié. De Jeanne — qui est la femme que j'ai aimée le plus longtemps —, de même qu'on perd le souvenir de la voix, du regard, il ne reste presque rien : son pied que le temps et les souliers avaient biscornu, et le peu d'adresse de sa bouche.

Et c'est pourquoi j'écris ce livre. J'ai toujours aimé — comme un enfant — contempler dans les musées les statues des dieux pris de désir, des satyres, des priapes. On trouve le plus souvent ces statues cachées dans un recoin avec leur sexe énorme, inimaginable. Seinecé m'avait raconté qu'il s'agissait d'un dieu d'ordinaire fait de bois, qui devait être mal façonné par le jardinier ou le paysan misérable qui en espérait un surcroît de fécondité, le plus fruste et le plus excessif possible, — mal façonné aussi peut-être à l'égal du dieu très maladroit et à certains égards un peu pris de boisson qui lui-même avait fabriqué notre sexe —, placé dans un coin de vigne ou de potager, ne recevant quasi rien pour offrandes : des figues à la peau vieillie, des débris de filet de pêche, des sexes féminins qui ont beaucoup d'usage, une carapace de langouste. Offrandes moindres encore — tels les vers des poètes.

Dieu étrange du figuier et de l'âne, de l'anus et de la transformation un peu difforme et rustique d'un sexe d'homme. Un sexe tout à coup nu et tremblotant à l'air libre assujetti à un désir qui n'a rien dans l'espace où s'épancher et — quand cela serait — rien dans le temps qui l'apaiserait et lui permettrait de recouvrer une espèce de proportion, de moindre exhibition, d'harmonie et d'enfance.

Un amour qui repose sur le plaisir partagé ne lui survit pas beaucoup et c'est une bénédiction. Encore que le souvenir, quelque apaisé qu'il soit et impuissant à resurgir jamais dans l'émotion et avec violence, en soit quelquefois, à certaines conditions, conservé. Et il est plus tissé de respect et d'humanité que ne le développe jamais l'amour. Et son cœur même palpite d'un sentiment sur lequel peu de comportements humains se concluent, et qui est celui de la reconnaissance. Peut-être la volupté n'est-elle possible qu'avec des êtres un peu âgés que les fautes ont adoucis jusqu'à l'indulgence, voire jusqu'à la tendresse pour les fautes, les vices et les ridicules. Peut-être en naît-il une commisération qui pardonne à autrui parce que profondément elle pardonne à soi.

« Ka ! », disait Jeanne.

Une certaine manière de prononcer notre prénom — ce petit signal symbolique que ceux qui nous ont faits ont jeté sur notre être avant même que nous soyons tout à fait distincts d'eux — ouvre notre corps comme une clé soudain. C'est le mot de Sésame qui ouvre la porte de la caverne pleine d'or des quarante voleurs, capable tout à la fois de libérer Ali Baba et d'enfermer jusqu'à la mort — jusqu'au retour des richissimes voleurs — Kassim. Une certaine façon de nous rebaptiser dans un murmure, comme par magie, tout à coup nous dénoue dans la nuit, dans la nudité, dans le combat pour la joie, dans la quête aveugle et épiant, silencieuse, haletante, caressante, âpre, qui bande tous les muscles pour se retenir de jouir et s'effondre dans l'abandon à soi et à rien.

Je contemplais la beauté de cette femme de quarante ans plus proche de Cranach ou de Quentin Metsys que des athlètes olympiques, telle autrefois Photini Gaglinou. Même, cette forme de beauté laissait peu d'amertume contre le temps qui l'avait amoindrie — ou du moins à l'amertume se mêlait un peu de gratitude, tant l'âge ou le temps l'avaient entourée d'aisance, d'habileté, de raffinement. Cette porcelaine pour ainsi dire rose était simplement plus translucide encore. Sa bouche s'entrouvrait. Dans le salon Jeanne aimait la bergère jaune. Elle ôtait ses souliers, s'asseyait sur l'une ou l'autre de ses jambes repliées. Elle s'installait, soupirait, s'effondrait dans la bergère jaune. Sa carrière de violoniste avait été secoussée, sporadique. Elle était désordonnée, nerveuse, infatigable.

Songeant à ces années auprès de Jeanne il me semble que la sensation que donne moins l'amour que le désir est la seule qui vaille tout à fait, si peu durable qu'elle soit, si décevante et oublieuse qu'elle semble. La volupté est un astre lumineux très lointain dans l'espace mais dont l'éclat sidère et dirige toute la vie, alors que sa surface dans toute l'étendue du ciel est minuscule.

A chaque séjour à Paris, je voyais Seinecé, Juliette, Meine, Charles. Le jour où je leur présentai Jeanne, comme nous arrivions rue Guynemer, Florent et Meine étaient agenouillés autour d'un fauteuil crevé aux coutures. Florent, à genoux, une aiguille à la main cherchait — ainsi qu'il disait — à suturer les plaies tandis que Meine tirait sur le tissu tout en sifflotant gaiement, à vive allure, l'*In Paradisum* qui clôt le *Requiem* de Gabriel Fauré. J'apportais des calissons d'Aix. Jeanne — chapitrée — offrit des Chanoinesses de Remiremont. Les calissons d'Aix comptent parmi les bonbons que je préfère — parce qu'ils sont presque des pâtisseries, parce qu'ils sont légers aux doigts, parce qu'ils sont tendres aux dents, parce qu'ils sont subtils au goût, parce qu'ils ont la forme de mandorles, parce qu'en eux la pomme tragique, la pomme féminine, la pomme édénique, peu à peu s'efface devant l'amande, parce qu'ils ont conservé une part de l'odeur des cyprès verts et de la montagne Sainte-Victoire, parce qu'ils sont d'une blancheur qui rappelle plus la couleur de la peau humaine que la couleur du lait, ou que la couleur de la canine, ou que la couleur de l'innocence, parce qu'ils sont des sortes d'hosties diaboliques ou du moins de minuscules pains bénits enveloppés — tel le visage du gangster du bas de soie d'une femme — du pain azyme de l'hostie.

Un autre soir, un soir de particulière hébétude — les Seinecé ne mangeaient plus que du poisson, aux noms merveilleux, lieu aux herbes, paupiettes de sole, gibelotte de roussette, alose à l'oseille..., pur prétexte à boire des vins blancs d'Alsace ou de Souabe envoyés par mes soins tous les deux ou trois mois, comme si j'avais essayé d'effacer une vieille ardoise usée, où la noirceur du schiste ne pourra plus jamais paraître — Seinecé avait chanté :

Pimme Pomme d'or à la bobinette,
Pimme Pomme d'or virez-la dehors.

Il avait raconté pour la énième fois devant Charles, les yeux grands ouverts, et Juliette, endormie dans le giron de Meine, le baptême des « bêtises » avec leurs petites barrettes jaunes ou — très supérieures — vertes, à l'anis, par Mémé Afchain. Fastidieux radotage de Seinecé que j'ai pourtant de l'émotion à reproduire. Emile Afchain, alors apprenti confisier à Cambrai, entrait précipitamment dans le salon et demandait à sa grand-mère si elle voulait bien goûter à une nouvelle recette qui avait été mal brassée — des bulles d'air s'étant glissées dans la pâte — mais qu'il ne trouvait pas si mauvaise que cela. Grand-mère Afchain goûta, haussa les épaules et lui dit : « Mon pauvre Emile, ce sont des bêtises ! » Nous avions les conversations les plus bêtes du monde. Celles de nos vingt ans non comptées.

« Tu te souviens quand Mademoiselle Aubier chantait *Vous chiffonnez mon falbala*?

— Non. Jamais Mademoiselle Aubier n'a chanté *Vous chiffonnez mon falbala.* »

Les disputes même étaient devenues des signes rituels. Sans que nos désaccords soient tout à fait formels — du moins mon irritation n'était pas feinte — c'étaient au fond des querelles-ralliements. Ni l'émotion de Seinecé n'était feinte. « Si. Elle connaissait *Vous chiffonnez mon falbala* ! » se récriait Seinecé et tout à coup la voix lui cassait un peu. « Je me souviens très bien, disait-il, tu étais parti avec Isabelle. Tous mes amis m'ont cru perdu... » Sa voix se faisait plus véhémente, plus sèche. « Ils jouaient mes vêtements aux dés. J'étais dans la pièce du bas. Il y avait Denis. Mademoiselle cherchait à m'égayer. Puis à cause de Delphine — les enfants soient bénis ! — je me suis plongé dans le travail. Je ne pouvais plus voir Mademoiselle, ces souvenirs, les rives ouest, la banlieue ouest, ces traces fraîches dès Boulogne, dès Neuilly ! Ç'a été la thèse sur les têtes de Gorgone à Cahors... » et disant ces mots, sans qu'il pleurât, sa voix sanglotait. « Alors j'avais flotté, j'avais écrit, j'avais voulu mourir. Elle m'avait fait venir. Monsieur Seinecé, avait-elle dit, il faut détendre l'atmosphère. Voilà, je vais vous chanter *Vous chiffonnez mon falbala* ! » Il quitta la pièce brusquement.

En 1981. En avril ou mai. Jeanne était partie en Belgique pour la semaine — trois concerts en cinq jours, un à Gand, deux à Bruges. Elle m'avait prêté serment qu'elle me rapporterait une couque dure de Dinant représentant un cœur. Mon appartement néolithique — hélas néo — était dans une confusion qui me pesait. L'appartement de Jeanne était dans une confusion qui la passait et qui avait le même motif. Jeanne n'avait nullement de passion pour le désordre. Elle aimait ranger avec soin les choses sous forme de tas : tas de partitions sur le réfrigérateur, tas de linge à repasser sur le poste de télévision, tas de magazines dans le fauteuil 1920, tas de dépliants touristiques — très particulièrement de sports d'hiver — amoncelés sur le piano, tas d'articles de journaux découpés empilés avec soin sur la table de maquillage dans la salle de bains, tas de linge sale dans le couloir, tas de spécimens de produits de beauté — dont Lucas Cranach pourtant avait proscrit l'usage six cents ans plus tôt mais à dire vrai c'était moins à Lucas Cranach que je songeais peu à peu en voyant la peau de Jeanne qu'à la beauté intense et pure des couleurs des fruits confits, qui avait quelque chose aussi des couleurs de porcelaines de Saxe, la beauté de l'abricot confit (je ne prononce pas leurs noms : je les vois), de la figue confite, de la cerise confite et, combles du raffinement, les teintes de la poire bergamote confite ; chaque fruit était glacé au pinceau et ils étaient plus beaux encore à l'œil qu'aux lèvres ; je ne pense pas qu'il se soit trouvé de plus grands peintres depuis Cranach, Bosch, Baldung Grien ou Van der Weyden que les confiseuses d'Apt et leur pinceau de sucre. Jeanne rangeait méticuleusement des petites boîtes de crème de beauté et de fards dans une boîte de violon laissée ouverte sur le divan — l'instrument ayant été posé à côté de sa carapace noire — et elle avait formé un tas de collants multicolores sur la table où étaient posés le téléphone et l'enregistreur. Enfin un tas d'écharpes et de châles ayant l'aspect d'une perruque à huit ou neuf couches de cheveux parce qu'ils étaient placés en haut d'une boîte de violoncelle antique en faux rectangle.

Je tardais à rentrer rue du Marché-Saint-Honoré comme rue de Varenne. Comme tous les hommes de la terre après qu'ils ont quitté leur travail, sur le chemin du retour, je prenais quelque amitié que ce fût, quelque occupation que ce fût, quelque course que ce fût comme prétexte à différer l'instant où je devrais rentrer. Mes épaules s'affaissaient quand je franchissais la porte de l'appartement, et mon cœur se rétrécissait et se pelotonnait dans un coin de ma cage thoracique quoique cette image à la réflexion me paraisse peut-être exagérée. Dans l'un ou l'autre de ces appartements où il me fallait pénétrer, tout disait désormais à voix un peu haute : « Moi, Jeanne, j'existe ! » et j'en éprouvais bien sûr, poliment, de la gratitude mais j'avais le désir dans le même temps de me mettre à quatre pattes, de tendre le cou sous un canapé ou sous un lit — comme quelqu'un qui recherche un objet qu'il a égaré — tout en demandant : « Et moi, où suis-je ? »

Il est vrai que dès qu'une femme vivait longtemps près de moi je m'employais à la perdre. Dès que je l'avais perdue, tout mon corps réclamait un corps de femme. Le désir où j'étais alors plongé subitement de ces corps qui me faisaient défaut transfigurait aussitôt l'univers, la boue, les arbres, la rive, les voitures automobiles, les champs, le ciel — du moins les avions —, jusqu'au printemps même où elle m'avait laissé pour à peine une semaine. De même que le soleil levant embrume et teinte toutes choses, ce que je ressentais sans en avoir toujours la cause présente à l'esprit baignait tout d'une sensation de celé, d'une insatisfaction, d'un mouvement de dévêtir et d'étreindre. Au point que je pense que ce qui plaît en nous, quand il arrive que nous séduisions quelque être vivant, ce n'est rien dont nous ayons à nous vanter, rien qui nous soit propre, mais la beauté, la luminosité de quelque chose d'avide en nous qui fait briller nos yeux, et où une autre avidité se reconnaît. De même la salive montant aux lèvres et encensant la bouchée qui s'approche.

L'un de ces soirs de mai, de retour à six heures, accablé par ce siège effectif et qui durait depuis plus de trois ans, je m'assis sur le tas de magazines, je dégageai le combiné téléphonique du tas de collants aux couleurs vives, chaudes, réjouissantes, et j'appelai Yvaine et lui proposai de dîner avec moi. C'était une jeune claveciniste dont le succès naissant était plus que fondé — et que j'avais rencontrée rue d'Aguesseau, chez Egbert Heminghos. Elle était ravissante encore qu'un défaut d'élocution et la passion des mondanités la rendissent parfois exaspérante. A vrai dire le bégaiement qui l'affligeait avait quelque chose de fabriqué et de volontaire qui portait peut-être l'auditeur à retrancher sur la compassion.

« Oui, me répondit Yvaine. Mais j'allais partir. Je dois aller au mariage de Hervé-Marie à Enghien. Ça sera complètement totoqué ! Je serai de retour dans deux ou trois heures. Disons neuf heures et demie avenue de Breteuil ?

— Vous êtes merveilleuse. »

Je raccrochai, déplaçai le tas d'écharpes placé sur la boîte de violoncelle pour dégager la gravure du XVIIIe siècle qui représentait Wieland — autrefois accrochée dans l'entrée quai de la Tournelle — et que depuis Bergheim, même au pensionnat, j'avais conservée avec moi. Alors que je pliais les écharpes avec soin et les rangeais avec piété dans un placard réservé visiblement à l'épicerie, aux partitions de violon et aux ampoules électriques, le téléphone sonna. Yvaine rappelait :

« Je vais m'ennuyer. Si vous veniez avec moi à Enghien ? »

J'acceptai en regimbant un peu. Elle passa rue du Marché-Saint-Honoré au volant d'une magnifique traction avant violette. Nous nous perdîmes quelque peu dans Saint-Gratien. Un troupeau de voitures garées sans ordre nous permit de nous retrouver. C'était une magnifique villa au bord du lac. Deux tentes de toile rayée gris et blanc avaient été dressées de l'autre côté du terrain, près de la route, afin qu'on vît le lac au loin. Nous nous approchâmes des buffets. Il ne faisait pas chaud dehors mais la chaleur sous les tentes était lourde. Une étonnante odeur d'herbe tiède — d'herbe foulée, écrasée, piétinée, épaisse, liquoreuse, tiède —, de toile, de caoutchouc, me firent tout d'abord songer à une salle de gymnastique, à Heilbronn, puis tout à coup ces odeurs très fortes, très puissantes réveillèrent en moi un souvenir pénible de bivouac, en forêt de Laye, où pour tromper le froid Seinecé et moi, les jambes et le ventre nus entourés de morceaux de journal, sous nos couvertures, telles des momies, nous nous étions enivrés.

Yvaine salua ses amis. On lui parlait de l'enregistrement qu'elle venait de faire de Froberger. On me posait des questions convenues. Je me sentais vieux. Je cherchais à être seul. Je ne sais quoi de l'odeur d'herbe coupée, de foin, de froid, un souvenir d'avoir trop bu quinze ans plus tôt m'empêchaient de boire. Yvaine voulut à tout prix que je prenne de la bisque de homard. « Karl! Hervé-Marie! c'est une fabuleuse bibisque! hurlait-elle. Elle est inouïe!» Yvaine me blessa en vantant le jeu de Soloure — un jeune violiste avec qui elle avait joué. J'étais comme hameçonné qu'elle ne m'eût pas choisi, encore que j'eusse refusé si elle me l'avait proposé. Je ne jouais plus de viole en public, du moins sur scène. J'ignorais même si Yvaine avait jamais eu l'occasion de m'entendre jouer. Je détestais Soloure, très beau parleur en musique ancienne mais dont l'archet avait tout de la louche et la viole tout de la soupière. Et il remuait. Pour tout dire, je l'admirais un peu.

J'allai vers le lac. Plongeais la main dans l'eau du lac d'Enghien — dans l'eau froide, mêlée de moucherons qui fourmillaient dans l'espoir de l'orage. Je voyais presque les araignées d'eau — dont l'extrémité des pattes n'entraient pas en contact avec l'eau, tel le Seigneur sur le lac de Génésareth —, les roches moussues, les vieux canots, le Neckar...

Yvaine était près de moi.

« Allons-y, Karl. Vous rêvez?

— Bien sûr.

— Vous boudez?

— Bien sûr.

— J'ai un mal fou dans ces chaussures. Rentrons. Rentrons dadare-dadare!»

Nous rentrâmes en passant par l'île Saint-Denis, le soleil

321

adoucissant ce lieu sinistre. Yvaine me demanda pourquoi je m'étais blessé de ce qu'elle avait dit. Je lui parlai de la viole de gambe, de mes prétentions, de Soloure, de ma jalousie.

« Je n'aurais jamais osé vous demander cela !

— C'est trop facile. Ne vous moquez pas du monde.

— Je viens de m'acheter un petit claclavecin vertical de Vérone dont le son est faible mais très curieux, très pur ! On passe chez moi. Je vous montre cela et j'en profite pour changer de chaussures. Vous allez voir ce que vous allez voir. »

Nous passâmes avenue de Breteuil. Yvaine avait un deux-pièces au rez-de-chaussée, avec quatre mètres carrés de jardin. Elle joua du François Couperin sur son petit clavecin acidulé. Je me servis à boire.

Le crépuscule tomba, envahit le jardin, assombrit le salon. Elle ne s'interrompit pas de jouer. J'allumai le lampadaire. Elle se tenait penchée sur le clavier, tout à coup dessinée par cette sorte de halo d'or, son mince visage, les cheveux blonds, crêpelés. Son corps parut s'amincir.

Je m'approchai d'elle.

Je posai ma main sur son épaule. Sur les touches ses mains s'immobilisèrent. Puis brusquement dans le silence elle se retourna vers moi et m'étreignit.

Nous nous aimâmes à terre, entre les clavecins. Nous partîmes dîner. Je rentrai seul rue de Varenne. Rien d'humain n'est éternel. C'est une plainte qu'ont répétée tous les poètes depuis qu'ils ont noté leurs chants — et cette plainte, faute d'être éternelle jamais, est la plus intéressante confidence que les hommes ont faite sur eux-mêmes. Ni la peau, ni l'œuvre, ni la chair, ni la demeure, ni l'os — et pas plus un souvenir, un nom propre qu'une odeur ou le son de la voix. Les dents peut-être. Comme l'ultime relief de la passion dévorante, dévoratrice, vitale, tueuse, tuante qui elle-même nous dévore. Qui nous tue. Je cherchai à lire. Je n'y parvins pas. Je sortis boulevard des Invalides. Il fallut m'asseoir. Je m'assis — ou plutôt je m'adossai au rebord d'une fenêtre. Je reconnus aussitôt cette douleur — la si poignante douleur de se sentir de nouveau amoureux. Le désir de revoir, tout de suite, un corps et de se donner à lui, la volonté impatiente et malade de dépendre de quelqu'un d'autre que soi et la faim vorace d'être en sa présence et de se soumettre à lui et de le soumettre à soi. La découverte de cet amour me frappait de stupeur. « Allons ! me dis-je en me levant découragé, une nouvelle fois un être va exercer sur moi un empire ! » J'étais heureux et c'était une formidable détresse. Je me levai, je n'avais plus de jambes, le cœur spasmait, je m'assis de nouveau, je faisais signe à des silhouettes, à des visages au loin, au fond de moi, j'étais excédé.

J'avais envie de revoir Yvaine. Il fallait que je la revoie, que nous dormions ensemble. Il était deux heures. Je retournai avenue de Breteuil mais, arrivé à la porte cochère, un code — dont je ne connaissais pas le secret — m'empêcha de lui faire signe. Quel est le code dont je connaisse le secret ? Derrière la grille, je regardais le jardin noir.

Yvaine était tout à la fois légèrement et suprêmement bègue. S'il s'agissait d'une façon admirablement distinguée ou d'une façon plus douloureuse et maladive de parler, je n'ai jamais eu la perfidie ou la hardiesse de le lui demander. Quoi qu'il en fût, elle avait su transformer cette gêne en une apparence volontaire, presque affectée : « Une pépériode de ma vie qui a beaucoup compté... » Elle usait souvent de ce léger vice de l'élocution à bon escient, comme s'il s'était agi d'italiques sonores qui lui permettaient de souligner à volonté et sans qu'on pût y voir de la prétention — mais bien plutôt de la modestie — le mot qu'elle voulait mettre en avant. « Ce disque, disait-elle en montrant le dernier disque qu'elle avait enregistré, a été un véritable tutube. » Comme le granulé de terre dans la bouche du ver, comme le ver gigotant dans la bouche du poisson, comme le poisson étripé dans la bouche du chat, comme le chat englouti vivant dans la gueule du serpent — il n'est pas aisé d'échapper. Jeanne et moi pactisâmes. Nous convînmes d'une rupture sage et digne et cette convention tint deux heures.

Les larmes qu'on fait verser irritent prodigieusement. Elles mettent en rage contre soi — ou du moins contre la personne qui vous rappelle en pleurant qui vous êtes pour les avoir fait couler. Elles excitent à plus de cruauté. Jeanne quitta la rue de Varenne en larmes — mais les mains vides.

Deux heures passèrent encore. Je l'appelai en vain rue du Marché-Saint-Honoré. Elle m'appela enfin. J'arrivai aussitôt. Elle était debout devant le miroir, le torse nu, elle tordait ses cheveux qu'elle venait de laver. Les seins étaient longs et pendaient. Encore humide, elle s'était ébrouée. Elle sortait de la baignoire, sa chevelure noire avec des restes de mousse, qu'elle essuyait, qu'elle tâchait de monter en chignon. Je la désirais. Nous ne nous aimâmes pas. Tout à coup j'étais choqué qu'elle n'éprouvât jamais la plus petite gêne à vivre nue. Et je me disais qu'il était possible que ce fût cette impudeur qui m'en ait rendu la vision peu à peu fastidieuse.

L'amour que je portais à Yvaine et qu'elle me porta fut d'une ferveur sans pareille et d'une brièveté sans égale. Cet amour compliqué, incertain, dura sept semaines. Il trouva sa fin lors d'un discours où Yvaine traitait de l'importance de ce qu'elle nommait la « cuculture » pour en souligner tout l'attrait. Il arrive qu'on ne puisse contenir tout à fait un bâillement. Recru de fatigue, je bâillai tout à coup sans que je m'en rende compte. Ce fut une brusque rupture, bégayante rupture.

Je me souviens que Seinecé avait rencontré Yvaine — je l'avais fait venir à cette fin. Il me consola un peu sottement. Une femme, disait-il, qui était liée avec le ministre de la Culture, qui s'écriait religieusement avant de passer à table : « D'abord un petit coucoup de jajaja ! » et qui servait le thé avec une « pinpince » à sucre ne pouvait pas être foncièrement estimable.

Jeanne ne voulut plus me revoir. Seinecé me fut alors d'un grand secours. Je passai de longues heures orageuses, vociférantes, plaintives auprès de Madame de Craupoids. Je quittai l'école de musique de la rue de Poitiers. J'avais accepté de partir enseigner la viole pour un semestre à San Francisco. Je vis peu Cäci : j'imaginais Glendale si proche. Je m'ennuyai un peu. A mon retour — à la fin du mois de janvier 1982 — je revins avec trois enregistrements. J'en donnai la primeur à Florent — parce qu'il m'avait lui-même donné à lire, pour la première fois, les épreuves d'un catalogue d'une exposition qu'il organisait au Louvre sur les peintures romaines à la cire. Je fus surpris par la sécheresse et l'érudition un peu tragique de ces pages, de ses commentaires. Lui-même me parla de l'une des pré-cassettes que j'avais rapportées de San Francisco — où nous jouions, à cinq violes, un pot anthologique, ou pourri, de pièces anglaises du xviie siècle, qui sont en effet totalement déchirantes. Il en parut bouleversé. Mais plus encore, comme nous ne l'avions jamais fait, nous le dîmes. Nous nous l'avouâmes. C'étaient les derniers jours de janvier. Nous nous voyions moins. Peut-être une fois par mois. Je ne sais si nous nous aimions moins. Mais nous nous admirions. Il me semble que ce petit sentiment de confiance procure plus de chaleur que la plus démonstrative des passions.

Dans la nuit du lundi 8 février au mardi 9 février 1982 je reçus un appel téléphonique de Grenoble : Madeleine m'apprit que Seinecé avait été hospitalisé dans la matinée. On allait le transporter sans doute à Paris. Il y avait peu d'espoir. A l'accident, disait-elle, le froid s'était ajouté. Cinq heures s'étaient écoulées avant qu'on découvrît la voiture sur l'ancienne route des Grandes Alpes, près du col du Télégraphe, avant Saint-Michel-de-Maurienne. C'étaient les vacances scolaires de février. Charles avait six ans et skiait déjà avec entrain. Juliette hésitait encore entre la luge et le ski. Seinecé les avait conduits tous trois à Valloire — où Madeleine possédait un chalet — le vendredi soir. Il avait quitté Valloire le dimanche soir vers onze heures. La voiture n'avait été découverte qu'au matin par un car qui assurait la liaison avec la gare de Saint-Jean-de-Maurienne. Seinecé n'était pas sorti du coma. Ils seraient à Paris à dix heures. Meine me demandait de m'occuper de tout pendant une journée, le temps que sa mère la rejoignît à Valloire et prît en garde les enfants. Je reposai le combiné du téléphone. Je regardais les violoncelles et les violes qui m'entouraient. Il faisait encore nuit noire. Tout était si silencieux et je songeais à un des mille et un contes des mille et une nuits. Comme le héros de ce conte je me disais — ou plutôt je ressentais à l'intérieur de mon corps la prononciation de ces mots : « La musique silencieuse commence à résonner sur les cordes de la guitare. »

Le mardi 9 février, je le vis. C'était une statue de porcelaine grise. C'était Claudio Monteverdi en porcelaine grise, ligoté, maintenu à l'aide de tubes, de tuyaux, de fils. Je paperassai dans l'odeur d'éther et de javel. Je téléphonai. Madeleine, le mercredi matin, était là. J'appelai Jeanne. Je lui parlai de Seinecé, de moi. Elle se refusa à me revoir, demanda plus de temps. Si les conditions étaient réunies pour la pitié, me fit-elle remarquer, elles ne l'étaient pas pour l'amour. J'admirais tous ces mots admirables. J'étais seul. Je n'avais rien à faire, pris d'une fièvre soudaine, d'un vide soudain, d'une angoisse que je ne pouvais exprimer à aucun titre. Madeleine même était jalouse de son malheur. Mes téléphonages l'irritaient. Je le sentis. Je pris aussitôt l'avion pour Stuttgart. Ma mère mourait. Luise mourait. Didon mourait. Seinecé mourait.

Je retrouvai Bergheim dans le froid. Nous cherchons l'étable. Le temps ne coule pas. Nous sommes de vieux poissons pourrissant, en lambeaux, qui ne parvenons pas à sauter les petites cascades, les chutes pour rejoindre la source, la petite goutte d'eau où nos mères ont frayé. Sans cesse nous repassons par les mêmes douleurs, par les mêmes illusions. La même sensualité, la même voracité revisitent des corps. Et le même apaisement, la mort. Je n'osais plus appeler Meine. J'appelais l'hôpital. J'errais dans le parc. Je mangeais. J'errais dans Heilbronn, dans Gundelsheim, dans Bad-Rappenau. Convoiter, manger, égorger, boire reviennent en nous et nous replongent dans les mêmes visages, sous un même soleil, parmi l'air, les sons, les larmes et les couleurs. Sans cesse nous retombons, nous replongeons, comme les grenouilles, dans l'eau du Tibre, dans l'eau de l'Eure ou dans l'eau du Neckar.

Enfin je parvins à pleurer. Enfant, à chaque éclair je comptais les secondes qui le séparaient du coup de tonnerre pour mesurer l'approche de l'invraisemblable déluge qui nous anéantirait tous. Sons, musique qui sont toujours en retard sur ce qui vient dans la lumière. J'étais certain, enfant, de l'invraisemblable déluge et j'avais peu de chances d'avoir un jour tort. J'y mettais une impatience mêlée d'épouvante mais à laquelle était jointe de l'excitation à l'état nu. A chaque éclair de nouveau je compte les secondes qui le séparent du coup si profond et si formidable du tonnerre pour mesurer l'approche de la mort. Je n'y mets plus d'impatience.

Et le lendemain mes sœurs et moi nous errions parmi les ruines, parmi les fleurs affaissées, les pétales écrasés dans la terre, les flaques où le ciel, ses nuages et ses astres immobiles ou errants, ses étoiles se reflètent, les brindilles, les nids rompus, les branches rompues, les rides des allées...

CHAPITRE VII

Bergheim

Mais, quand je parle, ma souffrance demeure,
si je me tais, en quoi disparaît-elle ?

Job

Quelque herbe que je mâche, quelque souvenir que je remue, c'est un goût de silence et de mort. La vision du corps incroyablement maintenu en vie de Seinecé dans une chambre d'hôpital comparable à celle qu'on voit dans les films d'anticipation, l'indécision sur la vie et la mort, l'apparence de ce corps qui paraissait n'être qu'une image de lui-même et jusqu'au piètre jeu de mots sans cesse importun et sans cesse subreptice entre le coma médical et les comas musicaux — intervalles minuscules dont la sensibilité est plus particulièrement propre aux musiques non tempérées et baroques — donnaient presque envie qu'on nous débarrassât de l'espoir et que la mort vînt au plus vite, qu'on nous laissât enfin à la tristesse de la mort, qu'on nous laissât à la noire tristesse de pleurer qui on aime. Des tuyaux ne nous reliaient pas à lui, ou moins que l'abandon lui-même.

Je partis le week-end du 13 février 1982 pour un festival de musique ancienne, à Rome. Le froid, la solitude étaient trop vifs à Bergheim. Je n'eus pas le courage de retourner à Bergheim. Le 15, à midi, j'étais rue de Varenne, j'appelai

Meine avec la crainte au demeurant assez justifiée de paraître la harceler. Je passai rue de Poitiers. Madame de Craupoids se plaignit de nouveau de mon départ. Je me levai. Je n'écoutai pas. Je m'éloignai de la table Tronchin, m'approchai des fenêtres qui donnaient sur les jardins et les cours des hôtels voisins. Les petits jardins qu'on voyait des fenêtres sous le gel, sous le ciel bas semblaient des tombes. Les arbres nus, la terre sans couleur, le ciment avec des petites étoiles de givre. Parfois un rayon de soleil semblait transformer le monde, le laver dans la lumière, le rendre à une sorte de pureté, et donner jusqu'à l'usure du temps et le lointain des choses une espèce d'innocence et de gaieté immanente, cruelle, éternelle — mais ces rayons faiblissaient et s'éteignaient aussitôt qu'ils s'étaient produits, et la lumière et l'espoir qui avaient envahi le monde sous mes yeux, ou sur le profil de Madame de Craupoids qui me parlait, ou se parlait à elle-même de façon volubile, assise à son bureau, s'éteignaient beaucoup moins rapidement qu'ils ne les avaient envahis. Ils se retiraient avec eux.

En contemplant ces jardins je me souvenais de la crise de nerfs d'une de mes élèves — qui ressemblait à Madeleine à douze ou treize ans, quand je lui apprenais les rudiments du violoncelle — qui prétendait qu'elle n'arrivait pas à commander aux doigts de sa main gauche. Reniflant, hurlant, sanglotant, elle disait qu'elle savait ce qu'il fallait faire mais qu'elle ne savait pas comment se faire obéir des cinq doigts de sa main. Absurdement son âge, ou le léger désir que j'avais d'elle, m'avaient empêché de m'approcher d'elle et de l'apaiser alors qu'elle piétinait en hurlant les losanges de marbre jaune qui carrelaient la salle. Ce souvenir de crise nerveuse me faisait penser à moi-même, ou à Meine, ou à Ibelle, ou à Yvaine, ou à Jeanne, ou à qui que ce fût devant la peur, le désir, ou la mort — de qui nous voudrions nous faire obéir. Nous voulons follement maîtriser, commander.

Une vieille mobylette qu'un adolescent en blouson de peau

retournée, jaune, réparait dans une de ces cours gelées que je voyais de la fenêtre du grand bureau de Madame de Craupoids, tapant, un poste de radio transistor à ses côtés dont je ne pouvais percevoir s'il fonctionnait ou non — c'étaient à mes yeux les seuls témoignages que le monde était vivant, était violent. En moi je ne découvrais pas trace de vie ni même de révolte. C'était dans ce bureau, un même jour d'hiver, que j'avais revu Florent Seinecé. Je barguignais, balançais pour savoir si j'aurais l'audace d'appeler Meine dès le lendemain soir.

En fin d'après-midi, le jeudi 18 février 1982, ce fut elle qui m'appela.

« Karl, le corps a été ramené à la maison. Voulez-vous venir ? »

Quand j'arrivai, la nuit commençait à tomber. Dans mon souvenir, l'escalier était noir. Il était pareil à une gorge humaine. Sans doute n'allumai-je pas dans l'escalier. La bonne m'ouvrit et me dit que Madeleine Seinecé était dans la chambre de Juliette et me conduisit. Le soir tombait. On voyait difficilement aux fenêtres les branches nues des marronniers du jardin du Luxembourg.

Dans un petit fauteuil près de la fenêtre elle se dépêchait de coudre. Elle alla jusqu'à la possibilité extrême du fil. Elle sifflotait doucement le *Régiment de Sambre-et-Meuse* auquel — sans qu'elle s'en rendît compte — je crois qu'elle mêlait le chant de la Légion étrangère, marche sans nul doute aussi vigoureuse mais aux paroles peut-être plus riches et plus complexes. Son visage était calme. La fenêtre laissait quelques vagues traces de clarté sur sa peau, quelques pétales de lumière sur sa robe bleue.

La bonne m'avait fait entrer peut-être trop doucement. Alors qu'elle penchait la tête et tandis que, tout le corps vers

331

la fenêtre, elle cherchait à enfiler un nouveau fil dans l'aiguille, tout à coup Madeleine sursauta. Elle me regarda. Son corps se raidit. Ses genoux se serrèrent.

« Nous partons, dit-elle.

— Pourquoi partirais-je ? demandai-je, étonné.

— Nous, c'est Charles, Juliette et moi, dit-elle. Il est mort. »

Je ne comprenais pas le ton brusque de sa voix. Je m'attendais à ce qu'elle dît autre chose. A vrai dire je ne sais ce que j'attendais. Pourtant au son de sa voix, aux mots qu'elle prononçait, quelque chose d'immense décrocha au fond de moi — comme si en moi un homme, comme il cherchait à monter l'escalier dans le larynx, dans la trachée-artère, avait raté une marche et tombait silencieusement dans un vide infini. Je restai immobile. Je ne bougeai pas. Elle leva la tête, ses lèvres frémirent. Elle ajouta :

« Voulez-vous le voir ? »

J'allai le voir. Je ne saurai jamais exprimer ce que je ressentis. Puis je me précipitai à la salle de bains où je me lavai le visage. Je retournai très vite auprès de Madeleine. Elle était toujours assise, mâchonnant nerveusement le rythme brusque et fruste de ses marches militaires, en train de coudre. Je la surpris qui chantonnait tout bas un vers étrange où le malheur se mêlait à la Sambre. Je m'approchai d'elle. Elle se leva.

« Les enfants sont chez votre mère ? » lui demandai-je.

Elle fit signe que oui.

« Venez, Madeleine, allons au restaurant.

— Je n'ai pas faim.

— Alors je descends chez le Turinois, je vous fais quelques pâtes fraîches, des... »

Elle se recula dans l'embrasure de la porte, sa voix se fit un peu plus froide et forte :

« Partez, Karl, je vous en prie. »

Quand j'allai le voir — il m'est difficile de nommer ce que je ressentis quand j'entrai dans la chambre, quand je vis le lit et son corps sur le lit et la petite lampe Gallé orangée, sinistre, laide, qui était allumée au chevet. Quand on visite sur le Rhin un château féodal, alors qu'on est dans le froid et dans l'obscurité, au loin, à deux mètres de soi, pour peu qu'on jette les yeux vers la meurtrière, le petit carré de ciel bleu paraît irréel, paraît un morceau de porcelaine. Son visage n'était plus exactement gris, il avait quelque chose de maternel, quelque chose qui était dans le visage de sa mère à Marans, près de vingt ans plus tôt, alors qu'une religieuse étrange métaphysiquait sur la vie glorieuse que recouvreraient les plus petits légumes, les plus petites fleurs dans un second Eden. Sa peau était blanche, jaune très pâle comme la chair des citrons.

On prétend que la mort défait sur la tête des hommes cet air tragique et grave qu'ils cherchent à empreindre sur leur visage autant qu'ils sont en vie — c'est-à-dire autant qu'ils cherchent à être pris au sérieux. On prétend aussi qu'après qu'ils ont satisfait leur désir auprès du corps des femmes, un instant ils retrouvent les traits d'une sérénité qui est incompréhensible et dont nul d'entre eux pourtant, parce qu'ils ne se perçoivent jamais alors, ne garde la mémoire. Une tête d'enfant ou de bébé. Ce sont des sornettes faites pour sorner. Son visage était tragique. Je ne saurai jamais décrire le sentiment que j'éprouvais en le regardant. Je voyais son visage, les traits douloureux de son visage, la bouche ouverte, les paupières jointes, plissées. Son corps allongé — tout convulsé par le raidissement —, ses membres paraissaient immenses. Le corps était sur le grand lit de leur chambre, que je découvris alors et qui donnait sur la rue Guynemer, et l'impression que je ressentais était peut-être celle de vacances auprès d'eux dans leur maison en Bretagne — dans la baie de Bourgneuf —, se rattachait peut-être à des vacances plus anciennes, une dizaine d'années plus tôt, en Suisse, où j'avais rejoint Margarete et son fils dans les Alpes bernoises, près du Rhône. L'impression était celle d'un petit lac suisse, d'un petit lac de Thoune, d'un petit lac de Brienz gris, dont pas le moindre vent n'aurait ridé la surface grise et jaune et où, minuscules, un petit pêcheur et sa barque auraient été punaisés. Et rien dans cette image n'évoquait le corps gigantesque, le costume trop large et cette bouche ouverte atroce — sinon la distance, la distance infinie ou que j'aurais souhaitée infinie et qui m'aurait séparé de lui, c'est-à-dire la peur qui m'éloignait de lui. Et pourtant je sentais à le toucher — et je touchais sa main comme sa main avait touché les doigts de sa mère autrefois, à Marans dans la chambre du premier étage — combien seule une distance finie, terriblement et extrêmement finie nous sépare des êtres morts. Et l'autre monde n'est pas autre.

Sur la table de chevet, près de la petite lampe Gallé, il y avait une bonbonnière en nacre rose et je l'imaginais remplie de petits Quinquins, de cassissines, de caramels Magnificat — et c'était comme un attribut de cet être, telle l'épée qu'on glissait entre les doigts des paladins gisants.

Le baron de Münchhausen, quand il arrive dans l'île de Ceylan, se trouve tout à coup placé entre un lion, un crocodile, un fleuve et l'abîme. On a à l'intérieur de soi une scène, un être qui sont de l'autre côté du temps, là où il n'y a pas de lieu, avenir qui n'est aucun avenir, aucun hier, aucun maintenant. Et ce qui n'est plus régi par le temps, ce qui n'appartient plus au lieu, tout à coup, il est sous nos yeux. A la vérité gigantesques et imperceptibles étaient le lac de Thoune et le lac de Brienz. La mort n'est pas plus après nous qu'elle n'était avant nous — encore qu'il semble souvent que chacun d'entre nous en a le souvenir. C'est nous qui ne sommes que ce que nous sommes, pas tout à fait autant que nous sommes, et même pas le temps de l'être. Nous ne voyons sur fond d'aucune avant-vie ni d'aucune après-mort. Ce corps avait quelque chose d'insupportable — dans l'apparence même de sa douleur figée, les jambes relevées — mais quelque chose de ridicule.

Le temps même n'est qu'une petite laisse, une petite lisière — une petite orée de l'absence de temps. Je sentais que quelque chose en nous appelait un fond où mourir, comme un passé sur quoi prendre relief — un étang où faire surface, où naître, en ruisselant, et s'enfoncer presque aussitôt pour disparaître à jamais. Surgir en ruisselant et se noyer. Tant de choses en nous prétendent vainement être profondes — alors que simplement ça flotte au mieux et ça flotte à peu près.

Nous ne savons pas d'où nous venons. Nous ne savons pas où nous allons. Nous ne savons pas où nous sommes. Nous ne savons pas qui nous sommes. Quel est le lieu ? Quel est le jour ? Quel est le monde ? Quel est le millénaire ?

Je touchais sa main. Je regardais la bonbonnière rose. Je me souvenais de la vie — dans ces pays chimériques où la neige était froide au toucher et où sa couleur était blanche. Dans ces pays — si saugrenu que cela puisse paraître — le lieu dans lequel on se trouvait existait même quand on avait cessé d'y être. Les plumes étaient légères. Les pierres tombaient. Les arbres montaient vers les astres.

Et c'est à genoux, alors que je lui tenais la main, alors que je n'osais pas lui tenir la main, que s'éleva en moi une comptine que j'avais dû apprendre enfant, qui était française, que je devais tenir de maman — au demeurant aussi niaise, absurde et triviale que les marches militaires que sifflotait Meine avec application comme pour déplacer et user sa douleur —, mais comptine que je ressentis comme une visitation, et qui en effet avait précédé sa vie, sa vie pour moi, notre rencontre à Saint-Germain et qui l'avait peut-être hélé :

Sancta Femina Godasse
Cacacaramaribo
Villes principales Cayenne
Et Pamaribo.

Je ne vis plus Madeleine. Elle s'est remariée l'an dernier à un ministre des choses qui environnent et dont on m'a laissé entendre qu'il s'agissait peut-être des arbres, des fleurs, des poissons, des bêtes et des nuages. A vrai dire il n'y a que l'homme qui environne, qui est décharge, qui est banlieue. Tout ce qui n'est pas l'homme est le centre du monde. Le jour de l'enterrement de Florent Seinecé — j'étais de nouveau à San Francisco — j'osai l'appeler et ce jour passa comme un autre. Je ne serrais plus dans mes bras la petite Juliette. Je n'apprenais plus à Charles le nom des oiseaux.

Cette mort vint sur moi, vient sur moi lentement, à pas de souris — même à pas de bergeronnettes. Un jour de printemps, un an plus tard, en 1983, chez des amis, en Normandie, au nord de Deauville, alors que nous descendions le verger vers la mer — il faisait un temps noir, vert foncé, lugubre —, je vis passer près de moi un oiseau. « Une bergeronnette ! m'écriai-je. Une bergeronnette ! » Je fus inondé de joie. C'est Bergheim qui m'appelait. C'était le mouvement des migrations. L'âme d'un mort, sous les traits d'une petite bergeronnette, était venue me parler. Je ne puis même dire que j'ai éprouvé le désir tout à coup de rentrer. J'ai vu la bergeronnette. J'ai vu la mer noire et violente. J'ai su quelque chose. J'ai dit : « Je rentre. Mon père est mort voici vingt-six ans. Ma mère nous a quittés il y a trente-quatre ans et elle est morte un jour d'hiver, à l'hôpital Necker — à un iota, à un *a* du Neckar !

336

Il y a maintenant six ans que Luise est morte. Le domaine m'appartient et je le fuis !» Je sus qu'il me fallait abandonner l'appartement chétif, entassé, désordonné de la rue de Varenne. Je n'allais pas « rentrer » à Bergheim : j'y étais. J'avais le sentiment que je n'avais plus rien qui me retînt à Paris. « Seinecé est mort et Paris avec, me disais-je. Mademoiselle est morte il y aura bientôt vingt ans et Saint-Germain l'a accompagnée dans la mort, comme la laide et délicieuse maison du quai de la Tournelle était partie avec Didon. Je n'ai plus que ce nom de mon enfance. La France est le seul souvenir des rêves de ma mère. Sept ans que le cèdre, la mue silencieuse, Oudon est vendu. Finies la vallée de la Loire, la vallée de la Seine, celle de la Durdent ou celle de la Soulle, celles du Havre et du Bulsart. J'ai trop souhaité de m'opposer à ce que je suis, aux sons de mon enfance !» Qu'avec la petite notoriété que j'avais acquise j'aie continué de donner des cours, fût-ce dans une université américaine près de San Francisco, cela avait étonné tous mes amis. On me proposait des cours particuliers à des prix qui n'étaient pas comparables et je les refusais, obéissant à je ne sais quelle gêne. Bergheim était vaste. Je donnerais des cours l'été. Je n'avais pas d'enfant. Je ne serais plus seul avec la vieille Frau Geschich. J'allais me remettre à ma langue. Il est épouvantable pour moi ce mot de « langue maternelle ». Il m'inspire de l'effroi. Jamais ma mère ne s'est penchée sur mon lit. J'ignore presque le son qui sortait de ses lèvres. Or ces pages que j'écris sont écrites en français — à peu près en français —, c'est sa langue. Une plainte en moi a cet accent — et c'est sans nul doute une façon d'adresser cette plainte vers elle. Mais pourquoi user d'une langue si impuissante à se faire reconnaître, si impuissante à retenir l'attention, si impuissante à retenir auprès de soi la femme qui ne parlait qu'elle ? J'ai haï injustement la langue allemande. Je l'avais refusée sans raison. Ce n'est pas de l'allemand vers le français que j'aurais dû traduire avec tant de constance tant de biographies mais

337

comme je l'avais fait enfant en 1945, aller de la France vers l'Allemagne.

Quand je retourne à Bergheim, je crois rejoindre le site le plus vieux du monde. C'était l'enfance, c'était la mâchoire de Heidelberg. C'était une pancarte de bois rouge, la plus vieille femme du monde, le ravin de Neanderthal, les dolmens de Mecklenburg. C'était la grotte du Schuhrloch.

On raconte qu'à la Chandeleur les horloges et les pendules modulent. Il y a plusieurs millénaires un héros d'Homère ne doutait pas que les chants des Sirènes n'entraînent dans la mort. Ce sont les coups de marteau sur l'enclume, mêlés à l'odeur fétide du purin — mais, par-delà cette odeur mêlée aux coups du fer sur le fer, le cri du fer plongé dans l'eau, c'est, chaque fois que je traverse la place neuve, passant devant le maréchal-ferrant, l'odeur de la corne qui est brûlée et qui grésille.

« O mutti, mutti ! » ai-je envie de crier en cherchant derrière les coups de marteau ce prodigieux et excitant et vivant bruit de grésiller.

Sans cesse tout tressaille en moi. Derrière les choses, des êtres appellent. Dans les silences des noms s'avancent sur des pattes de mouches. Toute chose transfigure quelque chose — comme chaque langue chaque monde, et c'est comme si un plus vieux monde avait jeté son filet sur les choses, les êtres, les éléments.

Durant plus d'une année je balançai si je m'installerais définitivement à Bergheim. Je fis électrifier à mes frais l'orgue de Bergheim. Je commençai par y retourner une semaine chaque mois. Un jour, je descendis jusqu'à la Jagst. Je m'accroupis et je bus, quelque humide que fût aux genoux la terre de la rive, une gorgée d'eau. « C'est autre chose que l'eau de la Seine ! » me dis-je. Je penchais de nouveau mon visage sur la rivière. Je contemplais mon reflet dans l'eau et je ne m'inspirais pas de désir. Je bus une autre gorgée. « C'est le Gange ! » me dis-je. Je bus de nouveau. « C'est l'eau que contenait le ventre de ma mère ! Tout va se jeter dans la Panthalassa ! » Je courus m'acheter une bouteille de vin du Rhin.

C'est ainsi que je fêtai, seul, mes quarante ans. Une gorgée d'eau ancestrale et boueuse. Les rêves à la Wieland — les rêves de placidité, de douceur, d'indépendance, de vie privée, de défiance à l'endroit de tout ce qui est public, autoritaire, politique, familial, civique, religieux — s'étaient saisis de nouveau de mon esprit. J'eus la hardiesse d'ôter dans le grand salon de Bergheim les appuis-tête au crochet qui ornaient les fauteuils et qui, telles des bavettes de vieillards, suscitaient en moi une franche répugnance. Combien de fois étais-je allé pèleriner à la maison natale de Wieland, au presbytère d'Oberholzheim ? Le jardin du presbytère où il travaillait matin et soir, alors qu'il se levait avant le jour, ombragé de tilleuls immenses. J'éprouvais jusqu'à l'envie de racheter des cannes à mouches, de ramener vivement — à l'aide de cet étrange instrument qui tient de l'archet baroque et du fouet — la truite de rivière que mon père appelait, je ne sais pourquoi, la « fario ».

En me relevant — après que j'avais bu les gorgées d'eau jaunâtre de la Jagst — mon regard s'était arrêté sur un bleuet. Que de cadeaux d'anniversaire ! Je l'avais contemplé. Il n'y avait pas de vent. Le bleuet était immobile et faisait penser, je ne saurais dire pourquoi, dans son marigot, à un œil de crocodile à l'affût, placide et exorbité. Il m'avait semblé que le bleuet était terrible et d'une solidité à laquelle rien en moi ne pouvait être comparé. Il m'avait précédé durant des millénaires. Il me succéderait d'autant. Mai 83. J'avais quarante ans. Je m'émerveillais d'être tant.

Je l'avais regardé avec déférence comme une ablette cède la place au brochet et lui laisse l'honneur de l'amorce, comme une mouche patiente autour de la tartine tombée dans l'allée et subordonne sa faim à la précipitation des pigeons et des moineaux. Finalement j'étais assez satisfait : un violiste qui n'avait point trop chômé passait après les bleuets (mais intérieurement je me disais que je venais avant les groseilles à maquereau ou sinon, aussi vrai que le Tigre coule à travers Assur, avant les feuilles velues et rêches des groseilliers à maquereau).

Mon désir de m'installer définitivement à Bergheim rencontra l'hostilité de Marga, sans qu'elle m'expliquât clairement l'indignation qu'elle ressentait de me voir me rapprocher d'elle.

« Tu veux retourner vivre là-bas, à mille lieues de tout, dans le Wurtemberg ! Tu ne te souviens donc pas de ce que disait papa ?

— Je ne me souviens de rien, disais-je. C'est même curieux comme je ne me souviens de rien.

— Il disait toujours qu'il fallait se méfier d'une association de tribus et de meutes qui n'avait jamais connu dans leur histoire, durant l'Antiquité, ni au XIIIe siècle, ni au XVIIe siècle ou au XVIIIe siècle, d'époque classique.

— C'est du pia-pia. Et quand cela serait ? Lui aussi est revenu dans le Wurtemberg ! »

Marga me regarda, mauvaise, avec un pli aux lèvres qui la vieillissait.

« Il a perdu maman au change, souffla-t-elle.

— Mais moi je n'ai jamais rien eu que je ne l'aie toujours perdu et puis toi, tu continues bien de faire l'aller et retour entre Pfulgriesheim et Stuttgart ! Entre Strasbourg et Bade !

— Je n'y vis pas. Et je ne joue pas de la viole de gambe. Et de toute façon ce n'est pas Bergheim. Et Jeanne, ce n'est rien ? C'est du pia-pia ?

— Tu te vexes pour un mot plus attendrissant que venimeux.

— Je ne me vexe pas. De toute façon j'avais Walther. J'avais Markus. Et puis je suis bête. Nous sommes si bêtes. Les femmes répètent leur mère, reproduisent et donc piapiatent. Les hommes répètent leur père, ressassent avec emphase et ils glougloutent comme des dindons de basse-cour.

— Si bien que tout le monde s'enlise.

— Si bien qu'à force de s'enliser on a le sable à la bouche.

— Si bien que tout le monde étouffe.»

Elle mimait en parlant sa colère et en tapant sur mon bras me faisait rire. Nous nous tordions de rire peu à peu. Nous nous retrouvions enfants, petits enfants wurtembergeois dissertant et spéculant sans finir sur l'univers.

Jésus marchait sur les eaux. J'avais bu quatre centimètres cubes de l'eau de la Jagst et je m'y étais — à certains égards — noyé. J'avais de l'inclination à penser, et peut-être même du plaisir, que j'étais un homme de peu de foi. Je triais et je faisais encadrer à Heilbronn les vieux bois gravés. Jésus une nouvelle fois marchait sur les eaux. Zacharie voyait des lampadaires dans ses visions. Jonas, à Ninive, s'asseyait à l'ombre d'un ricin.

Je travaillais mais l'après-midi, le plus souvent, je restais les mains vides, assis dans un fauteuil, la tête portant sur le souvenir d'un appui-tête de dentelle, écartant du doigt le brise-bise, les yeux fixés sur le parc. Je me disais parfois : « Dans un grand cimetière sinistre à une porte de Paris il y a un être qui ne respire plus le même air que moi. Il ne connaît plus le froid ni la chaleur. Pour lui la lumière n'illumine plus le monde. Pour lui il n'y a plus de monde et pour lui je ne suis plus. » C'est physiquement que j'éprouvais cette évidence : nous mourons aussi dans le corps même des amis qui meurent.

Je ne puis respirer pour deux, ni l'aider à éprouver les sons et les couleurs. Il est perdu. Il y avait eu un être aux yeux de qui j'existais et qui me faisait le plaisir de me supporter et aux yeux de qui j'étais peut-être supportable.

Je continuais à trier sur la grande table basse circulaire du salon de Bergheim les gravures que j'avais fait encadrer. J'avais vu trop grand, ou plutôt trop nombreux. Je n'avais peut-être plus envie de fixer au mur la femme de Lot regardant en arrière Sodome en flammes et lentement et irrésistiblement changée en colonne de sel. J'étais déjà changé en colonne de sel. J'écartais Alexandre le Grand pleurant son cheval Bucéphale. On ne saurait comparer Bucéphale à Didon. J'admirais et je m'empressais de clouer au mur — avec le mauvais goût des petits-bourgeois originaires de l'antique Schwaben, certains murs allant jusqu'à être couverts de quarante ou de cinquante vieilles toiles pompier, gravures du XIXe siècle dignes des romans de Jules Verne, objets absurdes sur des fonds de velours — le prophète Jérémie contemplant une branche d'amandier en fleur. Sans doute, en fait de jérémiades, cherchais-je à reproduire la passion des chants d'enfants, des ritournelles sans âge qu'avait éprouvée adolescent Florent Seinecé. Je songeais à cette comptine sublime :

> *Pain bis, pain blanc,*
> *Chandelle d'argent,*
> *Ton corps est mort.*

Et ce chant mystérieux et admirable recelait quelque chose, en lui, que je ne parvenais pas à nommer, pour qu'il m'émût à ce point. Et je cherchais en lui, je fouillais dans cette pâte blanche ou bise qui pouvait être mangée, je me secourais de cette chandelle belle et blanche et illuminais ce corps mort, ou chaviré de plaisir et ayant toutes les apparences de la mort, que la comptine enfantine, anonyme, anticipait peut-être confusément ou même, peut-être, crûment. Mais sans doute n'était-ce pas le sens de la petite comptine qui m'attachait mais le fait même qu'une comptine me soit revenue — et comme adressée par-delà la mort par ce collectionneur de comptines qu'avait été toute sa vie Florent Seinecé. Puis je me ressouvins jusqu'à sentir les larmes creuser leur passage au-dessus des yeux et sourdre sans sourdre, et brûler doucement, de notre rencontre en 1963. « Regina Godeau », tel était peut-être le prête-nom de la mort, de Harrige, reine des Enfers — et je le revoyais, agenouillé sur les lattes du plancher du salon de coiffure, délaçant ses souliers, ces petites chaussures plastifiées et noires de l'Etat-Major de la 1re Région militaire. Et marchant dans le parc de Bergheim je me récitais ces vieux airs. Je traînais près des joncs, dans les bosquets. Je soulevais les feuilles les plus humides sous les arbres. J'épiais des champignons. Je regardais des châtaignes rongées, la trace d'un écureuil. Et en réfléchissant avec application à moi je demeurais confondu que tant d'êtres aient attaché à moi un peu de prix.

Ces promenades dans le parc de Bergheim étaient de nature très contrastée. Je songeais à moi, au dégoût que m'inspirait de plus en plus l'idée de jouer en public. Je songeais à Jeanne et, pour reprendre l'esprit de ces gravures maternelles que j'avais fait encadrer à Heilbronn, je cherchais à imaginer sous quels traits elle m'aurait préféré. Un Mardochée dans son sac, ou nu et couvert de cendres ? Ou couronné du grand diadème d'Assyrie et portant sur les épaules quelque chose de comparable à un manteau de byssus ? Comment moi-même me préférais-je ? C'étaient de rares moments d'exaltation suivis de périodes de plus en plus vaines et fastidieuses. Dans l'avion, quand j'approchais de Stuttgart, je me chuchotais à moi-même : « Bergheim ! Bergheim ! » et il me semblait que, le monde fût-il recréé, j'aimerais encore ce lieu, cette lumière, cette odeur et ces sons. J'avais déménagé pour ainsi dire tout ce que j'avais laissé dans le studio néolithique et chez le garde-meuble de la rue de Babylone. Seule — avec une viole d'exercice — j'avais laissé rue de Varenne la reproduction d'un petit paysage souabe et romantique de Carl Gustav Carus que j'ai toujours traînée avec moi. J'ai conservé cette reproduction. Elle est dans l'entrée, dans l'ombre de la porte quand on l'ouvre, pour qu'on ne la voie pas — dans l'entrée sans doute afin qu'elle protège le seuil comme elle protégeait mes nuits.

A d'autres moments, c'étaient le vide, la détresse, une solitude que rien ne pourrait plus rompre — et que le désir d'une femme ne saurait rompre puisqu'il y ajoutait.

Alors, marchant dans le parc, longeant les grillages pris de rouille, c'était Alexandre le Grand, c'était Karl der Grosse errant parmi les rosiers maigres, enchevêtrés, les feuilles jaunes des cognassiers tombées par terre, mêlées à des fleurs de fuchsias jaunes, des fleurs de chrysanthèmes écrasées, des chaises et des tables gonflées, gondolées ou rompues, des lattes de bois éparpillées, des pots de grès, des vieux outils, des râteaux, des vieilles serrures. Je me disais : « On a du pain quand on n'a plus de dents. » Je me disais : « Karl der Grosse est célibataire ! » et je regrettais que je n'aie pas eu de fils ni de filles qui auraient partagé l'empire que j'avais — pour je ne sais plus quelle raison — racheté. Je retournais en vain mes poches : « Où es-tu, Louis le Débonnaire ? » Cet univers était crevé, grevé, bancal, hanté, piqué comme ce lieu, ces bancs, ces tables, ces outils. Et c'est là où je suis, désormais, où je vieillis, où je suis à écrire. Et encore maintenant je regrette de ne connaître plus personne qui m'accompagnerait à Bergheim. Qui s'assiérait dans un de ces fauteuils. Avec qui je parlerais. A qui nommerais-je ces noms, ces lumières, ces jeux, ces joies associées à ces choses ? Les êtres engloutis ? Je les nomme, mais ces êtres ne se retournent plus à l'appel de leur nom. La mort a effacé ces vapeurs.

344

Je me plains. J'erre. Je me plaignis. J'errai. J'en voulais à Frau Geschich et à Radek de s'occuper plus des petits carrés de potager que je leur avais consentis que du parc lui-même ou de curer la mare. J'en voulais à Heinrich d'avoir élagué avec trop de vigueur ou de ne pas avoir songé à enlever des marches de ciment qui longeaient la façade les pots de fuchsias morts. Je lui en voulais d'avoir fait repeindre en une laque jaune trop soutenu le salon de musique. Je répugnais de plus en plus à me montrer en public : même dans des studios de télévision. L'angoisse s'était accrue. Mon cœur me faisait mal, de temps à autre convulsait. Et, après les bleuets, je me mêlais de contempler des fuchsias morts. Je me disais : « Tiens ! voilà des pots qui contiennent l'hiver. Celui qui empote le troisième âge s'approche de mon ombre ! » Je plaignais ces fleurs écrasées. Cette émotion était violente — et ma haine se retournait en attendrissement. Sans doute les hivers donnaient-ils quelque répit aux plantes et aux fleurs. Mais rien qui fût comparable à l'âge ou à la mort ne venait les délivrer. Et i'enviais que nous fussions sujets à la mort.

C'est rue de Rivoli, chez Raoul Costeker, en septembre 1983, que j'avais revu Jeanne. Ces retrouvailles avaient été préparées de longue main par Raoul. Je me souviens que Jeanne ce jour-là portait un chignon distendu et très bas. Sa jupe était en soie jaune.

Raoul Costeker fumait de façon incessante. J'ouvris la porte-fenêtre et sortis sur le balcon étroit qui entourait l'appartement. La nuit était grise, brumeuse. Elle vint près de moi et nous restâmes quelques instants à contempler les arbres, les silhouettes, les Tuileries enlaidies et poussiéreuses.

« Si nous vivions de nouveau ensemble ? » avais-je demandé timidement à Jeanne.

Elle demeura coite. Je m'approchai d'elle. Je lui pris la main. Elle se serra contre moi. Elle dit :

« Je l'aurais aimé, moi aussi. Mais non, Karl. Tu es trop à toi, tu es trop à tes violes, à ton Bergheim, à tes livres, à tes amis archetiers, à tes luthiers, à tes marchands d'autographes, à tes studios d'enregistrement, à tes électro-acousticiens... Tu voyages sans cesse, tu n'es jamais là que le matin mais dès trois ou quatre heures on ne peut plus te voir ! Crois-moi, Karl, j'ai donné. J'ai la tête encore mouillée. De toute façon il n'est pas question que j'habite jamais au fin fond d'une petite vallée allemande perdue, glaciale, éloignée de tout. Vivons séparés. Quand nous nous voyons, aimons-nous. Et quand tu n'es pas là je puis toujours croire que tu regrettes ma présence ou que tu désires mon corps. Il ne me semble pas que nous nous verrons moins en nous voyant si peu. »

J'admirai qu'elle fût si claire, qu'elle parlât si net, mais je souffris. L'amour — dès l'instant où l'on peut manger seul et se mouvoir — il vaut mieux laisser tomber ce sentiment né de l'impuissance et de la faim et de la plus extrême dépendance. On souhaite des choses qui sont infinies. Un homme qui parle à une femme s'adresse par-delà son visage à un être qui n'existe plus. Une femme qui parle à un homme s'adresse au travers de lui à un être qui n'existe plus. L'homme et la femme ne sont pas faits pour s'entendre. Seule la musique est faite pour s'entendre. J'en étais arrivé à des bons mots de vaudeville, et c'est un vaudeville.

Nous nous revîmes. Nous nous aimions. J'abandonnai la rue de Varenne. Quand j'allais à Paris, je vivais chez Jeanne. Elle me consentit l'usage d'une chambre chez elle, rue du Marché-Saint-Honoré. Il est assez difficile de partager avec quelqu'un l'amour qu'il se porte. Pourtant chacun a bien raison de se porter un peu d'amour, c'est à peu près le seul qui lui revient encore qu'à certains moments, de façon sporadique, nous-mêmes nous nous détournions de nous-mêmes. Je trouvais qu'il y avait du sens dans l'univers, un peu de sens limité à ceci par exemple : la jouissance est le sens du désir. Je mettais bout à bout quelques règles sages et sereines.

J'étais las. J'étais morose. J'étais à Bergheim. Je remontais avec un filet rempli de provisions — de côtes de bette, de cartons de lait sur lesquels était maternellement indiqué qu'il fallait qu'ils soient bus avant le mois de février 84. Nous étions en novembre 1983. Je rangeais machinalement les bocaux de cèpes, les cartons de lait dans le réfrigérateur. Je me sentais triste à mourir. L'envie de persévérer était comme en miettes. A quoi allais-je occuper la soirée ? J'allai me laver les mains. Je levai la tête vers le miroir. J'eus une surprise qui me confondit. A la place d'une tête triste : ma tête était éclatante et avide. Un museau de kangourou, voire d'hippopotame. Aux lèvres, le pli de fatigue ou de désabusement paraissait visiblement truqué. Dans le regard une espèce de rideau de fumée de langueur et d'imploration masquait mal la voracité de toujours. Peu à peu je ris. Je me rasai. Je fis couler un bain. La joie, la gaieté qu'on peut éprouver jour et nuit n'empêche pas la vie de continuer dans le désespoir et dans l'horreur les plus constants. Mademoiselle Aubier aurait sans doute dit que l'absence d'espoir constituait quelque chose de très « rigolo ». Je téléphonai à Klaus-Maria. Je sortis la voiture et partis pour Stuttgart.

Passant devant une confiserie sur la Königstrasse, je m'arrêtai. Je songeai à Florent Seinecé. J'entrai et j'achetai des chocolats, des caramels, des sortes de Cocottes de Saint-Dié, des tendresses, des cédrats... C'était délicieux. A chaque bouchée je faisais cette courte oraison mentale et mastica-toire : « In memoriam » et c'était sans dérision. C'était pieux. Je pris conscience que je « mangeais le morceau » et cela me

fit rire. Hâtant le pas pour rejoindre la voiture, je me disais :
« Heureux les amis qui ont pour toute couronne mortuaire, au
pied du tombeau, un petit caramel Magnificat et une tendresse de Lyon ! » Je me dis que j'avais assez soupé des
mythes. J'achetai un chat· Elle s'appelait Nausicaa. J'étais
ému. Le chaton n'était pas farouche comme l'était Didon.
Mais qui aurait pu remplacer Didon ? Les chats ne sont pas
interchangeables comme les êtres humains — du moins
interchangeables dans l'indifférence et dans la cruauté.

Elle fronçait les sourcils. J'avais perdu dans mon souvenir
combien un chat est prudent, désabusé, épiant — du regard —
tout être qui vit, auscultant — de la pointe des moustaches —
toutes choses, la laine du tapis, la faïence de l'assiette creuse,
la tiédeur du lait. J'avais perdu le souvenir de l'extrême
prudence et de l'extrême rapidité — en sorte de le rendre
invisible — du premier coup de langue. Puis le bruit du petit
lapement me bouleversa. Je laissai Nausicaa seule, tout à
coup.

« Didon ! »

C'était toute la pression physique d'un cri en moi. Je passai
à la salle de bains. J'écrasai une à une, j'essuyai des larmes
avec une serviette-éponge et — pour feindre de fêter cela,
pour ne pas faire une trop mauvaise impression sur Nausicaa
— j'allai chercher à la cave une bouteille de tokay.

J'offris de l'eau à Nausicaa dans une coupe de cristal. Nous
fêtâmes notre alliance au saumon pour moitié frais, pour
moitié fumé. Pour moitié rose pâle, pour moitié orangé — et
je songeais à une lampe Gallé dans une chambre assombrie
aux côtés d'une bonbonnière plus pâle et contenant sans doute
des caramels, des Hopjes. Nous bûmes. Nous bûmes beaucoup. Ce soir-là, nous parlâmes beaucoup ensemble, et avec
beaucoup d'aisance.

La nuit je suis sujet aux cauchemars. Lorsque je me
réveillais en hurlant, le corps humide de sueur, après que
j'avais allumé la lumière, je tirais Nausicaa jusqu'à moi et,

comme je la regardais au fond des yeux, je lui tenais de grands discours sur ma peine, sur l'horreur entrevue. Il n'y a qu'à elle que je confiais le secret de l'univers. Je ne puis le confier tant il est triste. A Bergheim je fis installer d'admirables portes à chatière coulissante.

En 1983 Delphine avait divorcé. Curieusement j'avais reçu d'elle au cours de l'été deux cartes postales de Crète et de Yougoslavie. Elle faisait le voyage qu'Isabelle avait fait ; elle faisait aussi comme son père ; depuis qu'il était mort, elle signait simplement les cartes qu'elle adressait. A la fin novembre ou au début décembre 83 Delphine m'appela. Elle me dit qu'il y avait longtemps. qu'elle devait m'apporter quelque chose. Qu'elle m'en avait parlé, il y avait des années de cela, à Saint-Martin. Qu'elle était confuse d'avoir tant tardé et qu'elle souhaitait me voir d'autant plus vite qu'elle avait tardé plus longtemps.

Singulier coup de téléphone, et qui me parut mystérieux. Je me souvenais que lors de son mariage — quatre ans plus tôt, près de Dieppe — elle m'avait parlé d'un cadeau qui me revenait. Quel était cet objet dont elle faisait tant de mystères ? Mes sœurs et moi nous avions vu, après la guerre, dans le ciné-club de Heilbronn, un beau film grisâtre où de nombreux journalistes recherchent vainement quel peut être le sens des dernières paroles qu'a prononcées un magnat de la presse américaine — et le spectateur est seul à comprendre qu'il s'agit du nom d'un traîneau sur lequel l'enfant s'amusait à glisser l'hiver. J'éprouvai quelque chose de semblable.

Nous lui dîmes de venir dîner, rue du Marché-Saint-Honoré. Elle était belle, encore qu'elle parût plus enfantine. Elle avait les cheveux courts. Sans doute venait-elle de les faire couper et ne s'était pas encore accoutumée à la disparition de son chignon car ses mains montaient machinalement vers la nuque comme pour en vérifier l'aspect. Et, la jupe coupée court, les cheveux ras, le visage agrandi, le corps rapetissé, la tête anguleuse et triste, elle me parut une sorte d'amputée qui continuait à souffrir de sa chevelure fantôme.

Je lui présentai Nausicaa. Elle sortit d'un sac de couturier à la mode un objet assez volumineux enveloppé d'un magnifique crépon vert. Mais c'était moins l'objet sur lequel elle avait tant fait de mystères qui attirait mes regards que son regard lui-même. Ses yeux immenses, si clairs, bleus et dorés — c'étaient les yeux d'Ibelle, eaux comme éternellement neuves, toujours neuves, transparentes et impénétrables, minuscules continents bleu et noir et or sur l'immense océan de l'iris, et qui me faisaient détourner mon propre regard, l'étreindre dans mes bras et enfouir mon visage sur son épaule. Nous nous embrassâmes. Nous nous assîmes alors de nouveau et je défis le papier crépon.

Je sortis enfin, me laissant bouche bée et violemment ému, le biscuit qui trônait jadis, à Saint-Germain-en-Laye, sur la console de marbre rouge veiné et qui se reflétait dans le miroir penché en surplomb.

Mais ce qui me bouleversa, c'était de toucher avec les doigts une erreur que j'avais commise durant vingt ans. J'avais toujours cru me souvenir que ce biscuit représentait une nymphe sensuelle et nue poursuivie par un satyre — la nymphe se retournant vers le satyre avec un sourire attristé et pourtant consentant. Il n'en était rien : il s'agissait de Psyché nue pleine d'admiration, de remords, d'émerveillement et de désespoir, tenant à la main une lampe à huile et se retournant vers l'enfant Eros qui s'enfuit déjà et se détourne d'elle. Entaillé à la base du moule, le faïencier avait lui-même pris le soin de noter : Psyché et l'Amour. Ce motif était celui d'une grande toile de style Empire qui se trouvait à Bergheim — qui se trouve devant mes yeux, dans le salon de musique où nous jouions enfants, et où je suis en train d'écrire — et sous laquelle maman si belle, si muette, sans un regard, s'asseyait le temps que nous interprétions les morceaux que nous avait infligés Fräulein Jutta.

Je ne m'étais pas souvenu de Psyché et d'Eros. Comme les maîtresses des dieux n'entrevoient le corps nu de leur amant que le temps d'un éclair, moi-même je n'avais entrevu non seulement leur corps mais le corps nu de leur maîtresse que le temps d'un éclair et aussitôt je m'étais égaré. Nous ne désirons qu'un éclair qui égare. Nous ne sommes qu'égarés et des fragments de lueur.

Un jour, racontait Delphine, il y avait maintenant une quinzaine d'années de cela, Seinecé lui avait dit : « Ça, c'est pour Karl... Il faut donner ce biscuit à Karl. » Elle n'en avait rien fait. Elle l'avait gardé par pure revanche, par vieille jalousie. Delphine avait trouvé odieux que son père fasse don de quoi que ce soit à celui qui à ses yeux était la cause de la séparation de ses parents. Chaque fois qu'elle songeait à moi — avouait-elle — j'étais celui qui avait volé sa mère. Et elle avait volé ce biscuit que, miséricordieux, voulait m'offrir son père, elle l'avait caché dans ses affaires d'enfant, enterré dans une malle d'osier contenant toutes ses affaires de poupée, des robes miniatures, des parapluies hauts comme des lampes Pigeon, des objets de vaisselle en fer-blanc grands comme des radis ou des quetsches. C'est ainsi que, une dizaine d'années plus tard, rue Guynemer, quelque perquisition qu'il fît, Seinecé s'étonnait de ne plus pouvoir remettre la main sur des objets que lui avait donnés Denis Aubier après la mort de Mademoiselle. Le souvenir d'une femme, du fantôme d'une déesse, la lampe qui aussitôt effraie et brûle la forme qu'elle illumine dans l'ombre, le corps nu et aussitôt disparu — une scène plus triviale s'était interposée animant les identités moins prestigieuses et moins étranges d'un satyre poursuivant une nymphe. Le mythe avait raison. Les dieux s'enfuient dès qu'on les entr'aperçoit.

Notre bouche a part à la saveur du fruit. Autant que je fais cette réflexion, cette réflexion m'étonne. J'ai du mal à croire ma bouche capable de ce concours. Et que dans la beauté de l'univers il y ait un peu de mon regard — cela me semble incroyable.

Delphine se retrouvait seule, sans son fils, quelque peu désemparée. Elle vint souvent dîner — que je fusse présent ou non. Elle s'était prise d'amitié pour Jeanne. Je n'aimais plus Jeanne. Mais j'étais si fier qu'elle ne me haït plus, et qu'elle me marquât de l'attachement.

Quelques mois plus tard, en 1984, un jour de printemps, alors que Delphine revoyait régulièrement Denis Aubier et les siens, elle me poussa à revenir à Saint-Germain-en-Laye. J'y répugnais un peu. Je refusai de déjeuner ou de dîner comme le proposait Denis. Mais l'idée persista, s'opiniâtra, trotta. Un samedi après-midi, nous nous décidâmes. Delphine appela Denis. Il promettait qu'il serait là au milieu de l'après-midi.

Delphine poussa la grille. Je reconnus le cri de la grille. L'air me manqua un peu. J'eus le sentiment que l'air se mouvait à mes pieds, comme je passais la grille, et que la pression furtive des dents d'un chien s'imprimait sur ma main, qu'un souvenir de chien plus ou moins procurateur de la Judée et de la Samarie me faisait signe et je réprimai un minuscule spasme, un minuscule sanglot.

Les petits lilas de jadis qui entouraient l'escalier étaient devenus de grands arbres.

J'avais l'impression de revenir sans cesse, l'impression

d'être un perpétuel revenant — qui hallucinais de sempiternels souvenirs. C'était de nouveau un petit conte d'Orient : Un revenant rencontre un chien fantôme... J'avais envie de noter ces scènes sans cesse resurgissantes en sorte de les enfermer, de les répudier, de les jeter hors des frontières. Pourquoi les morts revenaient-ils ? Jadis les morts revenaient quelquefois sur la terre, disait Pater Irrige, soit pour demander des messes ou des prières, soit pour réclamer l'accomplissement par un parent ou un ami d'un vœu sur lequel ils s'étaient formellement engagés et qu'ils n'avaient pas pu exécuter de leur vivant, soit pour exiger la réparation d'un tort ou la restitution d'un objet volé. Ils revenaient aussi souvent visiter leurs anciennes demeures parce qu'ils avaient plaisir à revoir les lieux où ils étaient vivants. On appelait ces lieux ou ces objets des lieux ou des objets hantés, et les êtres hantés des êtres fous. On disait qu'ils hallucinaient.

J'hallucinais. J'hallucinais les chiens, les vieilles dames et les chats. J'hallucinais les roseraies, les bow-windows et jusqu'aux tringlettes de cuivre et les brise-bise — et jusqu'aux lourdes torsades rouge bordeaux, carmin, grenat ou vermillon qui ornaient le fond d'émail ou d'opale jaune des lampes Quinquet. J'hallucinais les vieux corsages, les chaînes de montre, les brumes s'arrachant sur les taillis dans une petite vallée normande, les cabanons et les bougainvilliers et les mimosas — et jusqu'aux plus faibles rayons de soleil et jusqu'aux sons de claquements brusques des brochets qui chassent le soir, dans la Loire, dans la douceur grisée du crépuscule.

Le prêtre Ezéchiel rapporte qu'on se moquait de ses visions. La foule disait : « Les jours s'ajoutent aux jours et les visions s'évanouissent. » Ezéchiel renversa le proverbe ; il estimait que les jours s'ajoutant aux jours les souvenirs et les visions s'accroissaient, gagnaient en consistance, en amertume et en cruauté. Et c'est ce dont je fais l'expérience. Cruauté à vrai dire dont je tire une joie âpre.

Denis était grippé et ce gros géant ainsi que sa femme et ses enfants nous attendaient avec du thé, du café et des cakes. J'apportais des chaussons à la pâte feuilletée brûlante, des tartelettes plus ou moins souvaroffs, des tulipes blanches. Delphine resta avec les enfants, assez vite regretta Anatole, souffrit, ne voulut pas rester. Elle dit qu'elle ne se sentait pas bien — qu'elle m'attendrait sur le petit mail.

Je demandai à Denis qu'il me permît de revoir la maison. Tous les meubles étaient autres, en bois de Suède, avec des étoffes si colorées, si gaies que c'était à pleurer de tristesse. Les pièces du rez-de-chaussée étaient à l'abandon, redevenues salles de jeux, débarras. Quand j'entrai au premier dans le salon rose — la pièce où nous discutions infatigablement avec Seinecé au début des années soixante — je ne fus pas tout d'abord surpris. « Tiens, me dis-je, ce salon, en somme, était bleu ! » Je regardais avec compassion les grands canapés modernes, la télévision, le magnétoscope, l'ordinateur, la chaîne stéréophonique. Denis tint à me montrer des disques que j'avais enregistrés. Je restais, les bras en train de baller, debout, au milieu du salon. « Perdue la grande table ! me disais-je. Perdus les fauteuils à éclisses qui entouraient le poêle Godin ! Perdu le poêle Godin ! » Mais peu à peu je me dégourdissais, je m'étonnais, je m'enfiévrais. Je demandai tout à coup à Denis :

« Mais le salon n'était-il pas rose ?

— Non, il a toujours été bleu, dit-il. Et toujours ce bleu-là, un peu fade, que j'aime bien. Je l'ai fait repeindre dans la même teinte. Cette teinte doit avoir au moins cent ans ! »

« Ah ! je le savais, je le savais », me disais-je. J'avais tellement les yeux dans ma poche ! C'était donc le couchant — l'heure à laquelle nous nous retrouvions — qui le rendait rose. C'était une couleur due à l'heure, non au site même, me disais-je. Je cherchais à déchiffrer quelque chose. Je n'y parvenais pas. Le salon était bleu. Quelque chose en moi résistait. J'eus, sans qu'il y eût grand rapport, le souvenir des dents d'Ibelle, dans un restaurant du quai Voltaire — le souvenir de la résistance de la cuiller offrant la bouchée de profiteroles, le souvenir de la résistance de la fourchette à gâteau offrant la part de mille-feuille et de crème pâtissière. J'eus le souvenir que cette résistance, un jour, avait été hélée alors que je tenais la poignée de la citerne de Bormes, quand Ibelle et moi nous nous étions étreints pour la première fois. Je crus sentir, comme matériellement, que cette résistance d'un autre corps éprouvée au bout d'une cuiller, son avidité, sa force, ses dents était celle — revenant aux rives de la Jagst, enfant, ou à celles du Neckar — de la sensation de la lourdeur soudain vivante et passionnante de la gaule, du sion qui se plie, d'un être vivant accroché à l'hameçon invisible dans l'eau de la rivière ou du fleuve ou de la mer, et qui se débat, et qui peut rompre tout à coup le fil.

Je rejoignis Delphine sur le mail, dans l'ombre des tilleuls encore nus. Delphine me parla d'Anatole, combien il lui manquait, combien son corps, son odeur acide même lui manquaient, jusqu'à ses rages comme, à la fin de l'été précédent, les doigts fourrés dans la bouche, encoléré, piétinant parce qu'il avait des pépins de raisin, des grains de mûres coincés dans les dents.

Je ne sais pourquoi, sans qu'il plût, tandis que Delphine me parlait de son fils, sans qu'il y eût de foin, cela sentait le foin humide. J'en fis la remarque à Delphine qui en tomba d'accord. Cette odeur de foin humide et fade était merveilleuse et procurait un peu d'anxiété. Le goût douceâtre, fade, délicat, onctueux et révoltant des betteraves me poursuivait et me poursuit. C'était le goût des souvenirs. Je songeais aux colères du petit Anatole que Delphine avait rapportées. Le pépin coincé dans les molaires — ou quelque chose de la mûre, de trop mûr, un grain de ce qui est trop mûr et qui pourrıt, et qui carie. C'était la plus fidèle définition d'un souvenir.

Delphine me parlait des soins qu'elle donnait à son fils, qui avait très peur des orties. Delphine m'expliquait qu'il fallait frotter la peau irritée avec une feuille d'oseille, que ce procédé avait quelque chose qui tenait du génie. C'était si saisissant : c'était Ibelle vingt ans après. C'étaient des concours avec Mademoiselle Aubier. C'étaient des vieux rites qui remontaient aux Mérovingiens, qui remontaient aux Celtes, qui remontaient à la grotte de Lascaux.

Une pluie fine se mit à tomber. La pluie tombait avec une cadence régulière et lente, pacifiante sur les feuilles naissantes des arbres, lavait leur éclat. Elle naissait tiède sur mes mains, les baignait comme une suée.

On appelle ces petits accidents des « alertes cardiaques ». C'était à Mirecourt, lors du banquet annuel de la Sainte-Cécile. Je perdis connaissance à deux reprises. On me soigna On me mit en garde. On me conseilla de me fixer un peu, de vivre plus régulièrement. — Et cela alors qu'on fêtait sainte Cécile, la patronne des musiciens, la sainte des organistes. Terrifiante matrone romaine qui avait préféré la poitrine de son beau-frère au corps de son époux mais qui n'avait abandonné sa virginité qu'aux mains des anges. Elle aimait l'odeur des roses, détestait la transpiration — fût-ce sur les feuilles ou sur les prunes —, aimait chanter les psaumes en s'accompagnant à l'orgue hydraulique. C'était le 22 novembre 1984.

J'avais quitté la rue de Varenne. Je vivais désormais une semaine à Paris, chez Jeanne, tous les mois, rue du Marché-Saint-Honoré, où j'avais une chambre-bureau-cabinet de musique. J'avais fondé une petite académie d'été à Bergheim, assez fortunée, pour perfectionner l'art de quelques violistes.

J'avais fait électrifier l'orgue de l'église du bas. Je me soignais. Il me faudrait sans doute venir à Paris moins fréquemment. J'avais réveillé Nausicaa. Elle avait regimbé pour ouvrir ses yeux. Je lui parlais de me détacher de Paris. Nausicaa détestait ces voyages et elle daigna décoller ses moustaches, et allonger une patte vers moi. Je compris ce qu'elle voulait me dire. Quand je lui fis part de ma décision de ne plus revenir chez Jeanne que deux ou trois fois l'an, elle bâilla, me montrant sa gueule incroyable et rose. A vrai dire tout ne se passa pas comme je l'avais conçu. Jeanne se lassa, rompit. J'ai dû acheter un petit pied-à-terre à Paris, sur le quai Anatole-France, où je compte passer quelques semaines l'hiver.

Jouer à l'unisson, pour peu qu'on ait quelque justesse, procure un sentiment extraordinaire d'exaltation tant les défauts de chacun se perdent aussitôt dans le jeu de tous. Notre propre insuffisance ne nous est plus renvoyée mais bien un immense son unique et accru et qui nous engloutit. C'est la plaine homérique où des oiseaux de malheur associent leurs chants, plaine qui est la séduction même bien qu'elle soit jonchée des os dont ces oiseaux si merveilleux ont arraché les chairs. Ils ont vidé les orbites. Ils ont mangé le regard. Ces os sont les os dont dérivent les flûtes. C'est l'amour. C'est l'amitié aussi bien. Et quand cet unisson se perd, notre voix seule n'est même plus nôtre. Elle est diminuée, sonne faux. Elle est cassée.

Sur terre il existe des hommes dont l'apparence est incertaine. Leur corps est simple et il ne cherche à se faire remarquer à l'attention d'autrui par rien de délibéré. Ils ne sont ni enviés pour leur beauté, ni arrogants dans leur démarche. Leurs mœurs ne sont ni scandaleuses, ni scrupuleuses. Leur visage est timide et ouvert. Leurs lèvres et leurs paupières sont fragiles et on lit sur leur face comme dans un livre ouvert ou encore comme sur l'eau d'une source transparente qui sautille dans la lumière sur des feuilles de peuplier et des petits brins de mousses vertes. En société ils ne prennent pas la parole spontanément et quand on les interroge ils ne parlent pas à voix forte et ils ne parlent pas longuement. Rien ne les distingue et leur compagnie est sans attrait particulier. Pourtant ils ont une sorte de génie. Ils paraissent mélancoliques et effacés comme si le jour les avait oubliés et, plus encore, comme s'ils s'étaient à peu près complètement oubliés eux-mêmes. Ces hommes ont tant de génie qu'ils ne laissent pour ainsi dire pas de trace d'eux-mêmes. Les meilleurs d'entre eux exhalent parfois une odeur de vieux livre — du moins propre aux vieux livres qui sont retombés en poussière. Certains transmettent des fragments de comptine — transmettent le souvenir d'un son quoiqu'ils aient égaré le chant où figurait le son. Ils ne déposent qu'une ombre discrète derrière eux — même à l'heure où le soleil du crépuscule étend toutes ombres sur la terre et accroît jusqu'au pathos le reflet de l'araignée et l'ombre de la stalactite. Ils connaissent les Anciens sur le bout de leur doigt et ils n'en font pas état. Aussi bien, étant imbus de ce qui fut, ils savent à peu près tout ce qui sera mais ils ne prophétisent jamais car ce serait prophétiser le pire. Ils se tiennent coi et ne se déplacent pas beaucoup davantage que les fougères et les fleurs. A la vérité leur compagnie est un véritable miracle.

Je songeais à un ami. Curieusement je voyais le corps de mon ami, le visage de mon ami luisant dans le souvenir. Voyant mon ami, je regrettais de ne pas l'avoir plus aimé. J'étais installé dans le bureau de Bergheim. C'était le salon que Heinrich avait fait repeindre en un jaune beaucoup trop soutenu. C'était l'ancien salon de musique — d'un jaune qui était naguère nettement plus proche du caca d'oie que des plumes de canari — avec les portes vitrées fascinantes en faux bronze ouvragé, entortillé, rondes, en style nouille. Les montants des portes avaient été repeints en laque grise. Les moulures du plafond avaient été repeintes en blanc. Jadis elles étaient plus marron, sans qu'elles soient dorées. On m'avait conseillé de sacrifier les tournées, de me reposer un peu, d'écrire. La table était chargée de livres verts, bleus, cramoisis. Une petite tasse à thé et un sucrier étaient posés sur le bord de la table. La grande lampe à abat-jour bleu clair fait une sorte de flaque de lumière sur ces livres et touche le rebord de la tasse et une grande partie de la soucoupe. Des branches se consument sans flammes dans la cheminée.

Ce salon autrefois de musique, ce salon trop jaune, jaune comme le soleil, dont j'ai fait mon bureau, où maintenant j'écris — plus je le contemple, plus il me semble qu'il contenait mon destin. C'est comme une graine fripée, enveloppée, compliquée, blottie sur soi, timide. Ces grands murs jaunes avaient contenu les premiers raclements du violoncelle à six ans, à huit ans, les tapotements du piano, le son insupportable des bobèches sur les girandoles de cuivre, le regard absent de maman qui se tenait assise sous la vaste toile où Psyché consacre éternellement son temps à brûler l'amour, les premières gouttes blanches du désir dans le creux de la paume, caché derrière les ombelles du papyrus, enfin l'esseulement. Seul, tel est le nom où je me retrouve comme chez moi. Cette graine jaune et minuscule, en forme de sein, en forme de petite poire crassane, presque bergamote, qu'on trouve sur les bords de la Loire — ou encore si semblable à ces pépins trop gros qu'on recrache quand on mange une grappe de raisin d'Italie —, avait crevé un beau jour, tout à coup, dans le salon bleu de Saint-Germain-en-Laye, que j'avais cru rose, pour se rétracter enfin en revenant ici.

Ici je ne fais plus de musique. Je me tais. Je prête toute mon attention au bruit léger et doux du crayon à papier sur des bouts d'enveloppes, des bandes de journaux, le revers de programmes de concert. J'écris. Subitement je vois l'âme d'un homme qui écrit : je vois un peu d'eau qui clapote puis qui bout. Et puis un homme un peu usé et fantomatique qui ne devient réel que quand il se lève, que quand il quitte cette pièce — à supposer qu'on puisse appeler le réel la perception du monde et des êtres aussitôt que l'eau intérieure est redevenue peu à peu tiède et étale. Quand il n'y a presque plus de vie. Nous sommes des corps pleins de songes. Nous sommes des corps sans cesse chauffés à trente-sept degrés centigrades.

Je suis allé visiter le musée de Biberach. Je suis descendu jusqu'à la Riss. Wieland disait qu'il fallait avoir quelque chose à taire, pour parler. Et qu'il fallait avoir quelque chose à soustraire à la vue pour exhiber un livre. Sainte Cécile s'éloignait. Je m'approchais de sainte Hélène qui parcourait l'Empire à la recherche du bois de la croix. Je collectionne les bulles d'air dans les vieilles vitres des fenêtres de la propriété de Bergheim — des soufflures, des inégalités, et des crapauds. Je n'interprète plus. Pour la première fois de ma vie, je ne traduisais pas, je n'interprétais pas un morceau. Je suis le morceau. J'ai transcrit ma vie.

Sur la cheminée, il y a un groupe en poussière de marbre blanc qui représente on ne sait quelle scène confuse. Est-ce un satyre qui poursuit Psyché qui le désire elle-même ? Est-ce Eros qui disparaît à la vue d'une nymphe qui le fuit ? Je me souviens alors d'un jour de mai ou de juin où il faisait très chaud. La pièce — lointaine, vaste, bleue — était silencieuse et, dans le crépuscule, semblait rose. Il y avait un groupe en biscuit que je regardais à vide. J'étais plein d'un désir que la conduite d'une camionnette de vaguemestre n'assouvissait pas particulièrement.

Derrière moi, au-dessus du grand canapé, si je me retourne, on peut voir toujours la grande toile Empire d'un style lourd et pompier qui représente Eros et Psyché, peinte de façon dramatique, affectée et huileuse, entourée d'un cadre très lourd orné de feuilles de chêne et de glands dorés en relief.

Tout ceci était trop noté en moi. C'est pourquoi j'ai noté tout ceci. C'est pourquoi je note tout ceci. Je pourrais aussi bien écrire des lettres que j'adresserais au feu. Je les lancerais dans le feu et le feu les lirait à sa propre lumière et en les consumant. Anéantissant dans sa propre lecture. Mais à vrai dire il me semble parfois que ce qui se consume au centre du feu, et qui ne laisse jamais y tomber de cendres, ne se consume pas. Et cela s'appelle peut-être la lumière. Terrible est la lumière.

« Charles ! Charlot ! » entendis-je crier tout à coup un soir de janvier 1985, rue de Rome, alors que je me rendais chez un ami luthier.

Le simple fait d'être interpellé brutalement de la sorte dans la rue me fait sauter le cœur — cette émotion ne faisant que souligner non seulement sa fragilité mais encore l'incoercible rêverie dans laquelle je suis sans cesse plongé alors que je marche longuement, fastidieusement, jusqu'au dégoût, dans les rues des villes où je suis.

Le grand loden vert qui courait dans ma direction — et qui débouchait de la rue Saint-Lazare — je ne parvins pas aisément à lui donner un nom.

Le loden vert se nomma :

« André ! André Valasse ! »

Puis, comme il approchait son visage de moi, je découvris en effet la tête d'André Valasse.

Je l'avais connu avant que je connusse Florent. C'était un pauvre souvenir d'armée. Achille rencontre aux enfers le maréchal Murat — grand-duc de Berg — et ils papotent flèche empoisonnée et fusil chargé à blanc. Et je regardais ce visage bouffi, ce crâne chauve, ce fin cigare, cette voix suffisante — qui avaient été aimés d'Ibelle, et qui m'avaient donné Didon.

« Tu te souviens, me dit-il, tes dix jours au trou ! »

Jamais je n'avais été emprisonné. Ou point derrière des barreaux de fonte. Il n'y a jamais eu aucun malheur dont je puisse me targuer.

Ecrire ces pages, au fond, cela me distrait de cette tristesse qui me prend tout à coup et qui me pousse à évoquer ces souvenirs, à me distraire encore de ce dont me distrait la tristesse même, actuelle, par une tristesse morte, difficilement renouvelable et en cela presque bienheureuse, sans avenir, comme insouciante et pacifique. Tous ceux qui évoquent des souvenirs se distraient avec des morts. Ils croient qu'ils vont abuser une inquiétude qui est dans l'instant en s'accroupissant et en lançant des osselets de grands-tantes et de vieux cousins. Comme il est difficile de s'assurer une petite logette où être aimé et où s'aimer !

Je suis à Bergheim et j'écris ces pages. L'été dernier, j'ai commencé ces pages. J'ai cru en vain que je serais apaisé et heureux. Cet été, j'ai reçu une dizaine d'élèves. Je transmets le peu que je sais. Ce sont les plus beaux jours.

On se retrouve chez soi, à la campagne. On enfile un vieux vêtement aimé, on se retrouve dans son propre corps — vieux fourreau talisman, comme certaines maisons, comme certaines langues. Au fond, Paris, le français — ils n'étaient ni le lieu ni la langue. Je m'étais exilé. J'avais passé des vêtements neufs, où j'avais cherché à porter beau, à parler raide et pur.

Ici je respirais avec ma langue, les poumons de ma langue — comme je pouvais parler sans me soucier de savoir dans quelle langue je m'exprimais quand je jouais, quand je courais, quand je faisais des galipettes, quand j'avais cinq ou six ans. Je pouvais parler sans y penser. Je parlais l'allemand avec moins de correction mais plus de spontanéité, plus d'allant, plus d'excitation.

Je n'ai jamais su l'écrire. Le français était en moi plus riche mais plus obsessionnel, scrupuleux, mélancolique, douloureux — si dédié à un être que j'avais eu tant de mal à ne pas contenter en le parlant !

A Noël 85 j'avais été invité chez Delphine. Madeleine, Ibelle étaient là, guindées, polies, figées. Quelque douleur que j'en aie éprouvée, j'apportai à Juliette et à Charles, comme j'avais toujours fait, des variétés sans fin de bonbons, de nougats, de chocolats. J'avais offert à Anatole — que Delphine avait récupéré pour les fêtes — une poupée capable de revêtir une robe Directoire et un treillis de parachutiste, la blouse d'une infirmière de la Croix-Rouge avec une seringue dans la poche et la tenue peu compliquée du bourreau de Londres tenant à la main une hache (qui peut à certains égards être assimilé à une espèce d'infirmière), enfin un saint François d'Assise avec des stigmates autocollants et des petits oiseaux en matière plastique. Je ne puis taire l'enthousiasme que j'avais éprouvé en faisant l'acquisition de cette poupée merveilleuse.

Anatole défit le paquet — en compagnie de Pilotis — avec lenteur, avec des gestes particulièrement mesurés, suçant l'intérieur de sa joue — comme sa grand-mère, jadis, à Saint-Martin-en-Caux ou à Bormes, au Vésinet ou à Chatou et non plus maintenant, assise en chien de faïence sur un divan, un verre de whisky à la main, répondant à voix forte et de façon affectée à Madeleine. Anatole paraissait à l'aise et était hésitant. Delphine de façon toute maternelle — c'est-à-dire légèrement menaçante — l'incita à se hâter d'ouvrir le paquet. Anatole se hâta — le corps tendu en avant dans cette sorte d'affût anxieux et très médusant qu'on voit sur le visage des enfants comme s'ils étaient eux-mêmes une proie de l'objet qu'on leur offre. Des ongles il cherchait à décoller les bouts de ruban adhésif, découvrit la poupée et sa garde-robe et jeta tout par terre et s'effondra en sanglots.

Nous nous réconciliâmes deux heures plus tard. Blotti sur mes genoux, et jouant avec mon briquet, il m'expliqua qu'il détestait les cadeaux quels qu'ils soient, qu'il ne fallait pas que je croie un instant que c'était la poupée qui l'avait indisposé — et il soulignait ce point avec une insistance importune, proche de la courtoisie c'est-à-dire de la détresse, s'efforçant en me réconfortant d'avaler son propre dépit —, et que seul l'argent présentait à ses yeux de l'intérêt, que seul recevoir de l'argent procurait du plaisir, que seul employer cet argent à acheter des porte-monnaie et des portefeuilles procurait de l'excitation, et que seul enfouir l'argent de reste dans ces porte-monnaie et feindre de cacher ces porte-monnaie dans les coins les plus inopinés de la grande chambre qu'il avait chez son père — dans les caleçons, dans les chaussettes, dans les boîtes mises dans les boîtes — procurait une intense satisfaction. Je hochai la tête. Je sortis mon portefeuille et nous fîmes affaire.

Je retrouvai Juliette — si grande, âgée de neuf ans. Je découvris une petite demi-sœur qui était âgée de trois ans, une petite Mathilde qui s'était saisie des deux pans de ma veste et me tirait vers elle et me récitait : « Il y a sept oies. Une oie, deux oies... sept oies !

« T'as compris ? me soufflait-elle dans l'oreille.

- Non, disais-je.

— Sept oies ! C'est toi, sept oies... »

Et elle avait un mal fou à s'expliquer.

Le crépuscule était tombé vers quatre heures. Je commençais à être acquis à l'idée de partir. Delphine voulut me montrer dans sa chambre le curieux lampadaire à éclairage diffus, halogène, qu'elle venait d'acheter. Alors je me sentis vieux. C'était une lumière douce, quelque puissante qu'elle fût, sans violence, et la vaste chambre était comme ensoleillée. Je ne maudissais pas cette lumière. Mais quelque chose en moi mendiait au point de souffrir et de tendre terriblement la main vers la chétive lumière dorée tombant d'une suspension.

J'applaudis à la beauté de l'achat. Je m'empressai de sortir de la chambre et allai rejoindre Nausicaa que j'avais enfermée à la cuisine tant il était clair qu'elle s'entendait peu avec Pilotis. Je lui parlai de lampes Pigeon, de suspensions Argan, de lampes Gallé, de Daum roses, de Quinquets. Elle sortit ses griffes ; contempla ses ongles d'un air sceptique, les rétracta, les sortit de nouveau. Je m'en retournai au salon, excédé contre elle. Cette chatte était impitoyable. Didon — la vraie Didon — pleurait, elle au moins, et daignait faire semblant de souhaiter de mourir.

Je traversai le salon et j'allai rejoindre Charles qui dirigeait sur le tapis une grande partie de billes à la pichenette. Il y avait là Charles, Juliette, Anatole à plat ventre, fermant un œil et visant un calot à l'extrémité du tapis. Mathilde à genoux suçait son pouce. Je demandai à Charles l'autorisation de jouer. Ils voulurent bien de moi et me donnèrent la joie de feindre une espèce d'enthousiasme. Je me mis à plat ventre sur le plancher. A Bergheim j'avais été champion au tir à la chiquenaude.

Nous jouâmes un quart d'heure. Je perdis d'une façon qui demeurait honorable. Charles était le vainqueur incontesté.

« On ne va pas rester là cent sept ans ? » s'écria tout à coup avec force la petite Mathilde, âgée de trois ans.

« Et pourquoi pas ? » me disais-je. Seinecé n'en a pas vécu la moitié. C'est en allemand que j'écrivais 1986. Neunzehnhundertsechsundachtzig. Cela me faisait penser à Niedersteinbach où vivaient mes oncles, en France. A Pfulgriesheim, où vivait Marga.

Une famille essaimée en Alsace, en Bade-Wurtemberg, dans le Palatinat, à Caen. Stuttgart, Neuilly, Saint-Germain, Bormes, Oudon. Il semble parfois que nous passons notre vie à accomplir des actions vaguement ébauchées jadis, à compléter des puzzles antiques, à achever des phrases interrompues, à mettre un terme à des émotions insuffisamment éprouvées. Tout à coup, dans l'inachevé, des bourgeons fleurissent. Ou cela surgeonne. Cela fait des feuilles, des livres.

Les livres partagent avec les tout petits enfants et les chats le privilège d'être tenus, des heures durant, sur les genoux des adultes. Et de façon extraordinaire, plus encore que les enfants, plus encore que les chats, ils ont le pouvoir de captiver jusqu'au silence le regard de ceux qui les regardent de pétrifier les membres de leur corps, de subjuguer les traits de leur visage jusqu'à leur donner l'apparence de l'imploration muette, l'apparence d'une bête qui est aux aguets, l'apparence d'une prière incompréhensible et peut-être éperdue.

Ma mère lisait, fumait en lisant, collectionnait les gravures, les porcelaines, les Daum, parlait peu. Et nous amoncelons en vain. J'entasse en vain mes petits bouts d'enveloppes, mes petits morceaux de papier écrits sur mes genoux. C'est une digue vaine.

Le temps détruit tout. Nous en connaissons la leçon par cœur mais l'expérience accable. Nous mourons. Le temps nous détruit et le temps avec nous se détruit. Puis, peu à peu, au fond de la mort, comme le temps se détruit, le temps détruit à jamais le souvenir du temps et c'est une sorte de miracle. Ce que nous avons vécu est comme un rêve que nous avons oublié. Ce que nous avons rêvé est comme un oubli que nous avons revécu. Je me disais à moi-même avec une émotion qu'étayait l'emphase propre à tout ce qui nous émeut — et qui est presque la sincérité de l'émotion : « Florent est mort. Mon ami est mort. » Je me répétais longtemps ces mots et je m'émouvais en les prononçant. Je levais les yeux. Je regardais le biscuit sur la console de la cheminée. Je disais : « Mon ami. Je ne vous verrai plus jamais. Je ne m'assiérai plus dans votre salon de la rue de Guynemer. Plus de fauteuil de velours gris souris ! »

A Bergheim, près du petit pavillon de musique, j'avais

développé un fauteuil transatlantique. Je m'étais allongé au soleil. J'étais resté seul au jardin et je sentis tout à coup le vide. Un fragment de vaisseau naufragé qui flotte comme un bouchon dans le néant sans bornes. Je sentis le néant comme avec le doigt et l'attrait de s'y engloutir. Je me souvenais d'un jour de juin, à Saint-Germain-en-Laye. Nous traînions des transatlantiques sur l'herbe grasse. Nous les installions. Nous nous allongions. Un merveilleux, joyeux bourdonnement d'insectes troublait le silence. Je sentis que plus rien ne troublerait, ne travaillerait le silence de la sorte.

Plus rien ne travaille le silence. Je regardais à mon côté son absence. Si je regarde à mon côté, j'ai le sentiment d'un vide infini. J'éprouve une sensation de vertige en découvrant ce vide dans l'herbe, à mes côtés, dans l'air un peu épais et frais, bleuté et pur.

J'articule en silence : « Mon ami, nous ne nous reverrons pas. Je ne te verrai plus jamais au cours du temps, toi qui m'étais presque aussi cher que ma santé et que mon sommeil. Je t'aimerai encore trois ou quatre saisons comme si tu étais près de moi et comme si tu me pressais le bras et que tu me chuchotais à l'oreille quelque chose qui me fît rire. Je t'aimerai peut-être encore la durée d'un an. Puis, après avoir déjà péri, tu t'estomperas et après que le néant aura dévoré ta vie il dévorera jusqu'au souvenir que tu avais laissé. La mort balaiera même en moi jusqu'à la résonance du nom que tu portais. »

Ce matin, vers trois heures, alors que je mangeais de fort bon appétit un plat de pâtes aux groseilles, les restes froids d'une tourte de porc avant que je me mette au travail — il faisait nuit noire encore, dans le parc — il est arrivé que j'ai douté d'avoir vécu ces jours, d'avoir connu cette amitié, cet homme — encore qu'il ne m'arrive guère de douter que j'en éprouve toute la perte et comme l'ombre sur mon cœur. A certains moments tout le passé semble alors une nuée sans consistance, tel un rêve mirifique, un rêve qu'on n'aurait pas dû faire — toutes les richesses de Sindbad le Marin que nous tenons dans nos mains alors que nous contemplons deux paumes nues et vides. Tout à coup, comme à l'improviste, comme en ce moment, j'éprouve le besoin de me souvenir, d'ajouter des ombres, des poils, des odeurs, de la couleur, du réel à toutes ces histoires que je note. A toutes ces histoires que des souvenirs, des traces, des énigmes, des dates, des fantômes dans nos têtes se racontent à eux-mêmes. J'éprouve l'envie irrésistible de lester ce passé de grenaille de plomb, de grenaille d'acier, de sang. Je note des détails, je vois des lumières, j'entends des sons.

Je note et je rêve. Je note, je note et je me dis avec acharnement qu'il faut à ce souffle un corps, à ce regard des larmes, à ces lèvres une espèce de plainte. Je note et tout à coup je me dis qu'il faut à ce rêve aussi, peut-être, une sorte de dormeur.